LE PHARAON OUBLIÉ

DU MÊME AUTEUR :

La Tour de la solitude, Lattès, 1999.

www.editions-jclattes.fr

Valerio Massimo Manfredi

LE PHARAON OUBLIÉ

roman

Traduit de l'italien par Pierre Laroche

JC Lattès

Collection « Suspense & Cie »
dirigée par Sibylle Zavriew

Titre de l'édition originale
Il Faraone Delle Sabbie
publiée par Arnoldo Mondadori Editore
S.P.A., Milano, 1998.

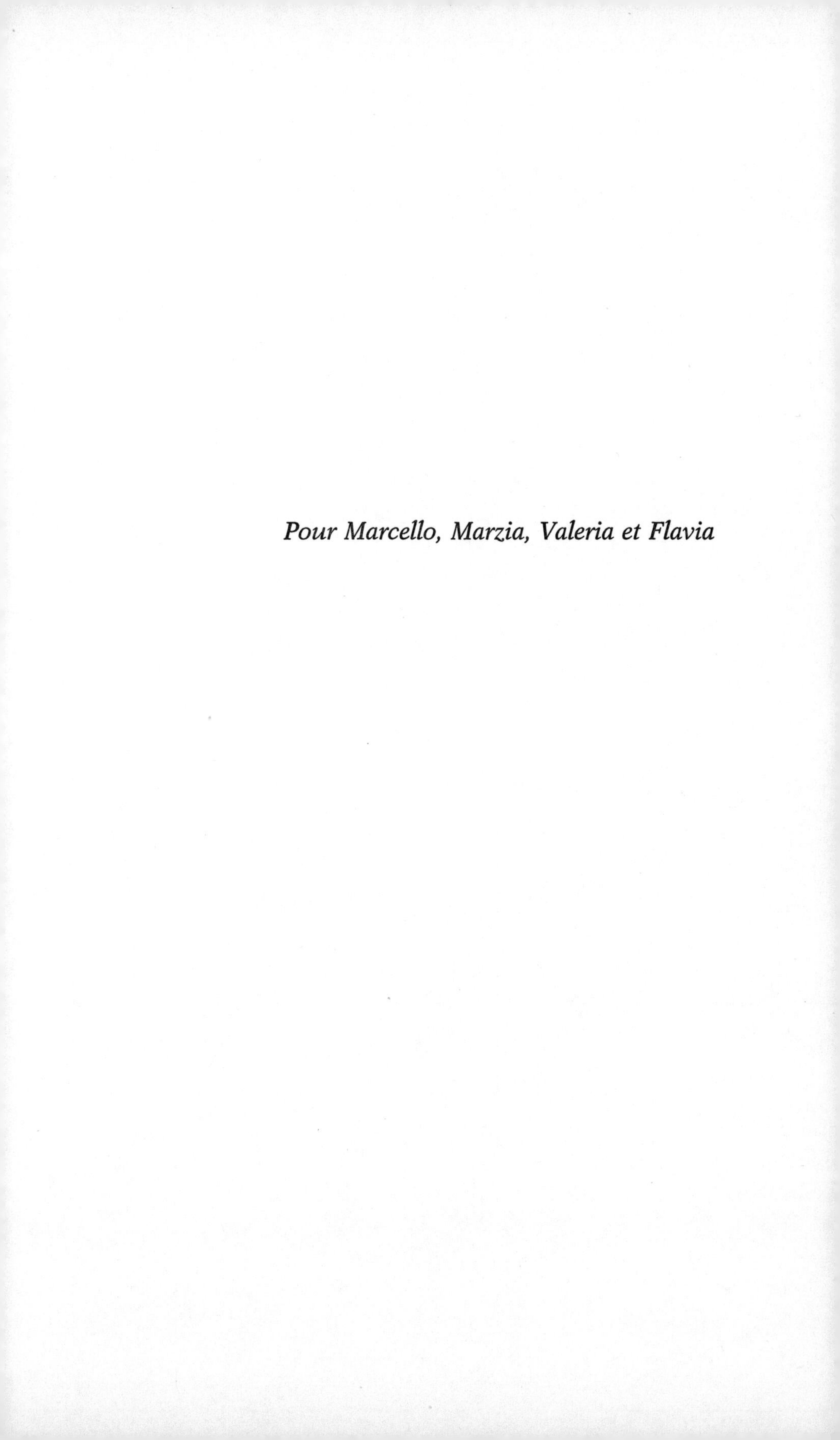

Pour Marcello, Marzia, Valeria et Flavia

« Et c'était le Seigneur qui passait.
Il était précédé d'un vent si fort
et violent qu'il fracassait
les monts et broyait les rochers.
Le Seigneur n'était pas
dans ce vent... »

Rois, XIX, 11

1

Jérusalem, an dix-huitième du règne de Nabuchodonosor, le neuf du quatrième mois. Onzième de Sédécias, roi de Juda.

Le prophète tourna ses regards vers la vallée constellée de feux, puis vers le ciel. Il soupira. Les tranchées ceignaient les abords de Sion, les béliers et les machines obsidionales menaçaient les remparts. Dans les maisons désolées, les enfants pleuraient, demandant du pain, et il n'y avait personne qui pût le rompre pour eux ; les vieillards se traînaient dans les rues, épuisés par le jeûne, et s'évanouissaient sur les places de la cité.

« C'est fini, dit-il, s'adressant à son compagnon qui le suivait. C'est fini, Baruch. Si le roi ne m'écoute pas, il n'y aura point de salut ni pour sa maison ni pour la maison du Seigneur. Je lui parlerai une dernière fois, mais je n'ai pas grand espoir. »

Il reprit son chemin par les rues désertées et s'arrêta bientôt pour laisser passer un groupe de personnes qui, d'un pas pressé, sans une larme, transportait un cercueil. Seul le corps se distinguait dans l'obscurité, à la couleur claire du linceul qui l'enveloppait. Le prophète les regarda quelque temps descendre comme en trottinant par la route en direction du cimetière que le roi avait fait ouvrir derrière les remparts et qui, depuis longtemps, ne suffisait plus à contenir les cadavres que la guerre et la disette y déversaient quotidiennement en grand nombre.

« Pourquoi le Seigneur soutient-il Nabuchodonosor de Babylone et lui permet-il d'imposer un joug de fer sur tous les peuples ? demanda Baruch, cependant que le prophète reprenait son chemin. Pourquoi s'allie-t-il avec lui qui est déjà le plus fort ? »

Le palais se dressait désormais à brève distance, près de la Tour de David. Le prophète s'engagea sur l'esplanade et se retourna cependant que la lune se frayait un espace entre les nuages, faisant émerger de l'obscurité la masse silencieuse du Temple de Salomon. Il le contempla, les yeux brillants, tandis que la lumière lunaire luisait sur les hautes colonnes, resplendissait sur la mer de bronze et les pinacles dorés. Il pensa aux rites solennels célébrés pendant des siècles dans cette cour, aux foules qui l'emplissaient les jours de fête, à la fumée des offrandes qui s'élevait des autels pour le Seigneur. Il pensa que tout allait finir, que tout allait mourir dans le silence de tant et tant de siècles et retint à grand-peine ses larmes. Baruch le secoua : « Partons, rabbi, il est tard. »

Le roi veillait, tenant conseil avec les chefs de son armée et ses ministres. Le prophète avança vers lui et tous se retournèrent au bruit de son bâton qui frappait les dalles.

« Tu as demandé à me voir ? interrogea le roi. Qu'as-tu à me dire ?

— Rends-toi, dit le prophète, s'arrêtant devant lui. Vêts-toi de toile, couvre-toi le chef de cendre et sors nu-pieds de la ville ; prosterne-toi devant Nabuchodonosor et invoque son pardon. Le Seigneur m'a dit : “J'ai remis le pays au pouvoir du roi de Babylone, mon serviteur ; je lui ai aussi remis le bétail dans les champs.” Il n'y a plus d'autre issue, ô mon roi. Livre-toi et implore sa clémence. Peut-être épargnera-t-il ta famille, peut-être épargnera-t-il la maison du Seigneur. »

Le roi baissa la tête et resta longuement sans mot dire. Il était hâve et amaigri et ses orbites étaient sombres et profondes.

« Les rois sont le cœur des nations, pensait en lui-même le prophète tout en scrutant son visage dans l'attente de sa réponse. Par nature, ils savent que plusieurs cuirasses les protègent : frontières et garnisons, forteresses et remparts. Aussi, quand un roi se sent atteint par l'ennemi, son désarroi et sa terreur croissent-ils démesurément, mille fois plus que chez le plus pauvre et le plus humble de ses sujets qui sait depuis toujours qu'il est nu. »

« Je ne me rendrai pas, dit le roi en redressant la tête. Je ne sais si le Seigneur notre Dieu t'a vraiment parlé, s'il t'a vraiment dit qu'il a remis son peuple entre les mains d'un tyran étranger, d'un adorateur d'idoles. Je suis plus enclin à croire qu'un serviteur du roi de Babylone ou le roi en personne t'a parlé et qu'il a corrompu ton cœur. Tu parles en faveur de l'ennemi envahisseur contre ton roi, oint du Seigneur.

— Tu mens, s'indigna le prophète. Nabuchodonosor t'avait accordé sa confiance en te faisant pasteur de son peuple sur la terre d'Israël et tu l'as trahi, tu as comploté en secret avec les Égyptiens qui jadis tinrent Israël en esclavage. »

Le roi ne réagit point à ces paroles. Il s'approcha d'une fenêtre et tendit l'oreille à un sourd grondement de tonnerre.

Le ciel s'était refermé sur les murs de Sion et le grand Temple n'était plus qu'une ombre dans le noir. Il passa sa main sur son front en sueur alors que l'orage s'éloignait vers le désert de Juda. Le silence était absolu car il n'y avait plus ni chien, ni oiseau, ni aucun autre animal à Jérusalem. Tous avaient été dévorés par la faim. Et il avait été interdit aux femmes de pleurer les morts pour que la ville ne retentît pas perpétuellement de lamentations.

Soudain il dit : « Le Seigneur nous a donné une terre éternellement disputée, enserrée entre de puissants voisins. Une terre qui nous est continuellement arrachée et que nous cherchons désespérément à reprendre. Et, à chaque fois, nous devons nous souiller les mains de sang. »

Le visage du roi était pâle comme celui d'un cadavre, mais ses yeux semblèrent un instant brûler de rêves : « S'il nous avait donné un autre lieu, écarté et sûr, riche de fruits et de bétail, pris entre les monts élevés et inconnu des nations de la terre, aurais-je comploté avec le pharaon ? Aurais-je eu recours à son aide pour affranchir mon peuple du joug de Babylone ? Réponds. Et réponds vite parce que le temps nous est compté. »

Le prophète le regarda et vit qu'il était perdu. « Je n'ai rien d'autre à te dire, répondit-il. Le vrai prophète est celui qui conseille la paix. Mais tu oses demander au Seigneur de rendre compte de ses actions, tu oses tenter le Seigneur ton Dieu. Adieu, Sédécias. Tu n'as pas voulu m'entendre et tu marcheras dans les ténèbres. »

Il se retourna vers son compagnon : « Allons, Baruch, il n'y a pas ici d'oreilles pour mes paroles. »

Ils sortirent et le roi entendit le bruit du bâton du prophète qui s'atténuait au loin dans l'atrium à colonnes jusqu'à se dissoudre dans le silence. Il regarda ses conseillers et vit qu'ils étaient atterrés : leurs visages étaient verts sous l'effet de la lassitude, de la longue veille et de la peur. « L'heure est maintenant venue, nous ne pouvons plus tarder, dit-il. Appliquez le plan que nous avons préparé et rassemblez l'armée dans le plus grand silence. Distribuez secrètement les dernières rations : les hommes auront besoin de toute leur énergie. »

Alors survint un officier de la garde : « Roi, dit-il, la brèche est presque ouverte. Une compagnie sous le commandement d'Etan franchit en ce moment la porte d'Orient pour attirer l'ennemi de ce côté. Il est l'heure. »

Sédécias acquiesça. Il quitta son manteau royal et mit son armure, suspendit son épée à son épaule. « Allons », dit-il. Il était suivi de la reine mère Camutal, de ses épouses, de ses eunuques, de ses fils Eliel, Achis et Amasaï, et des chefs de son armée.

Ils descendirent les marches jusqu'au quartier des femmes et, de là, entrèrent dans le jardin du palais. Un groupe de tailleurs de pierre avait presque terminé d'ouvrir un passage dans les remparts du côté de la piscine de Siloé et deux éclaireurs étaient déjà descendus en grand silence pour vérifier que la voie était libre.

Le roi attendit que les dernières pierres fussent enlevées, puis il sortit. De la vallée montait un vent sec et chaud qui avait traversé le désert ; il s'appuya aux pierres des remparts, cherchant à dominer l'angoisse qui l'étreignait. Pendant ce temps, les officiers faisaient sortir les hommes en grande hâte et les plaçaient à l'abri derrière les rochers.

Au loin retentit soudain le son des trompes et la clameur de la bataille : Etan avait attaqué les lignes des assiégeants babyloniens et aussitôt résonnèrent les cornes appelant les soldats de Nabuchodonosor. Le roi Sédécias reprit courage : le sacrifice de ses hommes ne serait pas vain et il pourrait peut-être franchir indemne les lignes ennemies et atteindre le désert où il serait en sécurité. Un long moment passa encore et soudain une lueur apparut au fond de la vallée, oscillant de droite à gauche.

« Le signal. Enfin ! dit le commandant de l'armée. La voie est libre, nous pouvons nous mettre en route. » Il fit passer le mot aux autres officiers pour qu'ils le transmettent aux soldats et il donna l'ordre du départ.

Le roi marchait au centre et à son côté marchaient ses fils les plus âgés : Eliel, l'aîné, qui avait douze ans et Achis, qui en avait neuf. Le plus petit, Amasaï, n'avait que cinq ans et c'est l'aide de camp du roi qui le portait dans ses bras pour qu'il ne pleurât pas et ne les fît pas découvrir au cas où des espions ennemis auraient rôdé dans la zone.

Ils atteignirent le fond de la vallée et le commandant tendit l'oreille vers l'orient. « Etan leur donne encore du fil à retordre et cela nous permettra peut-être de nous mettre à l'abri. Que le Seigneur lui donne la force et donne force aux héros qui se battent à son côté. Allons maintenant et le plus vite possible. »

Ils prirent vers le midi en direction d'Hébron avec l'intention d'atteindre Be'er Sheva et, de là, chercher le salut en Égypte. Mille cinq cents hommes environ suivaient le roi Sédécias : tous ceux qui étaient encore en état de porter les armes.

Mais les hommes d'Etan, épuisés par les privations, ne purent résister longtemps à la contre-attaque des Babyloniens, nombreux, bien nourris et bien armés, et ils furent bientôt mis en déroute et massacrés. Nombre d'entre eux furent faits prisonniers et torturés à mort. Certains, ne pouvant supporter ces atroces souffrances, révélèrent le plan du roi et aussitôt Nabuchodonosor en fut averti.

Il dormait sous son pavillon dans un lit de pourpre, entouré de ses concubines, quand il fut éveillé par un officier que lui envoyait son commandant Nabuzardan.

Le roi se leva et commanda aux eunuques de le vêtir, à son aide de camp, de lui apporter sa cuirasse.

« Fais préparer mon char et rassemble ma garde, dit-il. Je n'attendrai pas le retour de Nabuzardan. Je me mettrai moi-même sur les traces de Sédécias. » L'officier s'inclina et sortit pour donner l'ordre qu'il en fût fait comme le roi l'avait ordonné.

Peu après, le roi en personne sortit de son pavillon et monta sur son char. L'aurige fit claquer son fouet et tout l'escadron suivit, en colonne, soulevant un dense nuage de poussière.

Vers l'orient, les nuages s'étaient éclaircis et le ciel commença à pâlir à l'approche de l'aube. Le chant des alouettes s'élevait vers le soleil qui se montrait lentement à l'horizon. Les prisonniers juifs furent empalés. Leur commandant Etan, en raison de la grande bravoure dont il avait fait preuve, fut crucifié.

Le roi Sédécias parvint à la plaine d'Hébron alors que le soleil, déjà haut, resplendissait dans le ciel. Il s'assit à l'ombre d'un palmier pour boire un peu d'eau et manger un peu de pain et des olives salées avec ses hommes pour reprendre des forces. Pendant ce temps, ses officiers cherchaient des chevaux et des chameaux dans les écuries de la ville pour pouvoir se déplacer plus rapidement.

Quand il eut bu et mangé, le roi se tourna vers le commandant de l'armée : « Combien de temps penses-tu qu'il faudra pour que mes serviteurs rassemblent en nombre suffisant chevaux, mules et chameaux qui nous permettent de nous déplacer plus vite sur la route de Be'er Sheva ? Mes fils sont exténués et ne parviennent plus à marcher. »

Le commandant allait répondre, mais il resta soudain immobile, tendant l'oreille vers un bruit lointain, comme un bruit de tonnerre.

« Entends-tu toi aussi, ô mon roi ?

— C'est l'orage qui approchait Jérusalem cette nuit.

— Non, Seigneur, ces nuages sont désormais au-dessus de la mer. Cela n'est pas la voix de la tempête... » Et, comme il disait ces mots, son visage s'emplit de terreur et de désarroi parce qu'il avait vu, au sommet du plateau qui dominait la cité, une nuée de poussière et, au cœur de cette nuée, déployés en un vaste espace, les chars de guerre des Babyloniens.

« Ô mon roi, dit-il, nous sommes perdus. Il ne nous reste qu'à mourir en hommes, l'épée à la main.

— Je ne veux pas mourir, dit Sédécias. Je dois sauver le trône d'Israël et mes fils. Mets l'armée en rangs et fais venir des chevaux tout de suite : le Seigneur combattra à notre côté et, ce soir, vous me rejoindrez, victorieux, à l'oasis de Be'er Sheva. J'ai donné des instructions pour que la reine mère et mes épouses vous attendent à Hébron. Elles voyageront avec vous de manière plus confortable quand vous me rejoindrez à Be'er Sheva. »

Le commandant fit comme il le lui avait été ordonné et aligna son armée, mais les hommes sentirent leurs genoux se dérober dès qu'ils virent des centaines de chars fondre sur eux à grande vitesse, quand ils virent étinceler les faux qui saillaient des chars des assaillants pour mettre en pièces tous ceux qu'ils rencontreraient. Le sol vibrait, comme secoué par un tremblement de terre et l'air s'emplissait d'un grondement de tonnerre, retentissait du hennissement de milliers de chevaux et du fracas des roues de bronze sur le champ de bataille.

Certains d'entre eux se retournèrent et virent le roi qui cherchait à fuir avec ses fils ; ils s'écrièrent : « Le roi s'enfuit, le roi nous abandonne ! » Et aussitôt ce fut la déroute et la débandade, les hommes se mirent à fuir dans toutes les directions. Les guerriers babyloniens les poursuivaient sur leurs chars comme s'ils avaient chassé des animaux sauvages dans le désert. Ils les transperçaient de leurs lances et de leurs flèches comme s'il s'était agi de gazelles ou d'antilopes.

Le commandant Nabuzardan vit Sédécias qui s'enfuyait à cheval avec ses fils, tenant le plus petit serré contre sa poitrine. Il fit un signe de son étendard et un groupe de chars se déploya en demi-cercle, cessant de pourchasser les fuyards dans la plaine.

Bientôt Sédécias fut encerclé et dut s'arrêter. Les guerriers babyloniens le conduisirent devant Nabuzardan, qui le fit enchaîner ainsi que ses fils. On ne leur donna ni à manger ni à boire et on ne leur accorda aucun repos. Le roi fut traîné par la plaine parsemée des cadavres de ses soldats et dut marcher auprès des autres qui avaient été capturés et faits prisonniers et qui le regardaient avec mépris et haine parce qu'il les avait abandonnés.

La colonne des chars se dirigea de nouveau vers le septentrion, vers Rablé où le roi Nabuchodonosor les attendait. Sédécias fut conduit en sa présence, avec ses fils. Le plus grand, Eliel, cherchait à consoler le petit Amasaï qui pleurait désespérément, le visage souillé de morve, de poussière et de larmes.

Sédécias se prosterna face contre terre : « Je t'implore, ô grand roi. Du fait de mon inexpérience et de ma faiblesse, j'ai cédé aux flatteries et aux menaces du roi d'Égypte et j'ai trahi ta confiance. Fais de moi ce que bon te semble mais épargne mes fils. Ce sont des enfants innocents. Prends-les avec toi à Babylone, fais-les grandir dans ta splendeur et ils te serviront fidèlement. »

Le prince Eliel s'écria : « Relève-toi, père ! Relève-toi, ô roi d'Israël, ne souille pas ton front dans la poussière ! Nous ne craignons pas la rage du tyran, ne t'humilie pas pour nous. »

Le roi de Babylone était assis à l'ombre d'un sycomore sur un trône de cèdre et reposait ses pieds sur un tabouret d'argent. Sa barbe ondulée descendait sur sa poitrine et il portait la tiare criblée de pierres précieuses.

Il faisait chaud mais le roi ne transpirait point ; de temps en temps, soufflait un vent léger, cependant sa barbe et ses cheveux ainsi que ses vêtements étaient immobiles comme ceux d'une statue ; si le roi de Jérusalem gisait à ses pieds, le front dans la poussière, lui avait le regard fixé sur l'horizon comme s'il eût été seul au milieu du désert.

Il ne dit rien et ne fit aucun geste mais ses serviteurs intervinrent comme s'il avait parlé, comme s'il leur avait donné des ordres précis.

Deux d'entre eux prirent Sédécias par les bras et le relevèrent, un troisième, par-derrière, le retint par les cheveux de façon qu'il ne pût cacher son visage. Un autre prit le prince Eliel et le traîna devant lui, lui fit plier les genoux en le tenant en arrière par les bras et en appuyant un pied sur son dos. Le jeune prince n'émit pas une plainte et n'implora pas pitié ; il serra les lèvres quand le bourreau s'approcha, brandissant son sabre, mais il ne ferma pas les yeux. Et il avait encore les yeux ouverts quand sa tête, tranchée de son buste, roula aux pieds de son père.

Sédécias, broyé par l'horreur, était en proie à un tremblement convulsif, inondé d'une sueur sanglante qui ruisselait de son front et de ses yeux jusqu'à la racine de son cou. De ses entrailles montait un grondement informe et plein de terreur, un sanglot haché et dément. Ses yeux roulaient sans contrôle dans leurs orbites comme s'ils voulaient fuir la vue de ce tronc inerte qui déversait le sang et encore le sang, détrempant la poussière. Et le hurlement désespéré du petit Amasaï déchirait son âme et sa chair cependant que les serviteurs de Nabuchodonosor s'emparaient du second de ses fils, le prince Achis.

Il était lui aussi à peine plus qu'un enfant, mais la vue de cette abomination avait trempé son âme comme l'acier, ou peut-être le Seigneur Dieu d'Israël tenait-il en ce moment-là sa main au-dessus de sa tête innocente. Sur elle aussi s'abattit le sabre du bourreau et son corps s'effondra soudain, son sang se mêla en abondance à celui de son frère.

Amasaï était trop petit pour être décapité : le serviteur du roi lui ouvrit donc la gorge comme à un chevreau immolé sur l'autel de Pesakh. Le couteau fit taire dans un gargouillement ses pleurs d'enfant ; ses petits membres inertes pâlirent dans la poussière, ses lèvres se firent livides, ses yeux, encore pleins de larmes, se troublèrent et s'éteignirent comme sa vie s'enfuyait.

Sédécias, sans voix et sans force, sembla s'effondrer, mais, soudain, avec un regain d'énergie insoupçonné, il échappa aux mains de ses gardiens et, ayant pris le poignard de l'un d'entre eux, il se lança sur Nabuchodonosor. Le souverain ne fit pas un geste, resta immobile sur son trône de cèdre, les mains appuyées sur les accoudoirs cependant que ses serviteurs s'emparaient de Sédécias et le ligotaient au tronc d'un palmier. Le bourreau s'approcha, le saisit d'une main par les cheveux, lui immobilisant la tête contre le tronc de l'arbre et, de l'autre main, brandit un poignard acéré et lui arracha les deux yeux.

Sédécias se sentit brûlé d'un éclair rouge puis plongé

dans une obscurité sans fin cependant que lui revenaient à l'esprit, dans un reste de conscience, les paroles du prophète. Il se rendit compte que, à compter de ce jour, il marcherait en un lieu infiniment plus horrible que la mort et que, jamais plus, tant qu'il serait en vie, il ne sentirait les larmes couler sur ses joues.

Le roi Nabuchodonosor, sa volonté accomplie, fit enchaîner Sédécias avec des entraves de bronze et se mit en route pour Babylone.

La nuit suivante, le prophète parvint aussi à Rablé après avoir traversé les lignes ennemies par un chemin qu'il était seul à connaître. Il avait vu, en traversant la nuit, les corps mutilés des soldats d'Israël enfilés sur des pals qui les transperçaient et il avait vu le corps d'Etan pendant de la croix, couvert d'une nuée de corbeaux, encerclé de chiens faméliques qui avaient dénudé ses os jusqu'aux genoux.

Son âme était déjà pleine d'horreur quand il arriva à Rablé mais, quand il vit les corps déchiquetés et sans sépulture des jeunes princes, quand il sut que le roi avait été contraint d'assister à leur supplice avant qu'on lui arrachât les yeux, il se jeta dans la poussière et s'abandonna au désespoir. En ce moment atroce, il pensa aux peines infinies que son peuple devait supporter pour avoir été élu par Dieu, il pensa à l'intolérable poids que le Seigneur avait posé sur les épaules d'Israël tandis que d'autres nations qui vivaient dans l'idolâtrie jouissaient de richesses infinies, de plaisirs et de pouvoir, et qu'elles étaient l'instrument qu'il choisissait pour flageller les malheureux descendants d'Abraham.

En ce moment de profonde affliction, il fut pris par la tentation, il pensa qu'il vaudrait mieux que son peuple perdît jusqu'au souvenir d'exister, qu'il se confondît avec les gens de la terre comme une goutte d'eau dans la mer, qu'il disparût plutôt que de subir, à chaque génération, la douleur brûlante du fouet de Dieu.

Il repartit sans avoir bu et mangé, les yeux pleins de larmes, l'âme tourmentée et desséchée comme les pierres du désert.

Nabuzardan entra quelques jours plus tard à Jérusalem avec ses troupes et s'installa dans le palais royal avec ses officiers, ses eunuques et ses concubines. Quant à certaines des concubines de Sédécias, qu'il avait trouvées à Hébron ou qui étaient restées dans le palais, il les prit pour lui ou les distribua à ses officiers. Les autres furent envoyées à Babylone pour servir en tant que prostituées dans le temple d'Astarté. La reine mère, en revanche, fut traitée avec les honneurs dus à son rang et hébergée dans une demeure aux abords de la porte de Damas.

Pendant plus d'un mois, rien ne se passa : seuls les serviteurs de Nabuzardan parcouraient les rues de la ville et recensaient tous les habitants qui avaient survécu, notant particulièrement les forgerons et maréchaux-ferrants. La population se reprit à espérer parce qu'il fut permis aux paysans de faire affluer en ville de la nourriture que les habitants purent acquérir à grand prix. Toutefois, il n'était permis à personne de sortir : les portes étaient surveillées jour et nuit par des gardes et les rares personnes qui tentèrent de s'enfuir en jetant des cordes du haut des remparts furent capturées et crucifiées sur le lieu même où elles avaient été prises afin que leur sort servît d'exemple.

Les Anciens étaient pleins d'angoisse, sûrs que le pire devait encore arriver et que le châtiment inévitable était d'autant plus épouvantable qu'il était encore inconnu et enveloppé de mystère.

Une nuit, Baruch fut éveillé par l'un des serviteurs du Temple : « Lève-toi, le prophète t'envoie dire de le rejoindre immédiatement auprès de la maison du marchand de légumes. »

Baruch comprit ce que signifiait ce message qu'il avait reçu d'autres fois quand il avait été nécessaire de rencontrer son maître en un lieu isolé et à l'abri des regards indiscrets.

Il s'habilla, mit sa ceinture et s'achemina dans la ville sombre et déserte. Il suivait des itinéraires qu'il connaissait, passant souvent par les maisons de personnes de confiance ou marchant sur les toits, dans les souterrains, pour ne pas rencontrer les rondes des soldats babyloniens qui patrouillaient en ville.

Il atteignit le lieu du rendez-vous, une maison croulante qui avait appartenu à un marchand de légumes aux temps du roi Joachim et qui était ensuite tombée dans l'abandon par manque d'héritiers. Le prophète sortit de l'obscurité. « Que le Seigneur te protège, Baruch, suis-moi car un long voyage nous attend.

— Mais, rabbi, laisse-moi retourner chez moi pour prendre une besace et quelques provisions. Je ne savais pas que je devais partir.

— Nous n'en avons plus le temps, Baruch, dit le prophète. Nous devons partir maintenant car la colère du roi de Babylone va se déchaîner sur la ville et sur le Temple. Vite, suis-moi. » Il traversa la rue en hâte et s'engagea dans une venelle qui conduisait à la base du Temple. L'immense édifice se dressa devant eux quand ils tournèrent sur la place qui en flanquait le bastion ouest.

Le prophète se retourna pour s'assurer que Baruch le suivait, puis il prit une autre ruelle qui semblait s'éloigner de la place. Il s'arrêta devant une porte et frappa. On entendit des bruits de pas et, peu après, un homme vint ouvrir. Le prophète le salua, le bénit puis l'homme prit une lanterne et les guida le long d'un corridor qui s'enfonçait dans la maison.

Au bout, ils trouvèrent un escalier taillé dans le roc, qui descendait de plusieurs marches sous terre. Quand ils parvinrent au fond, l'homme s'arrêta. Il racla le sol avec une pelle et découvrit un anneau de fer et une trappe. Il enfila le manche de la pelle dans l'anneau et fit levier. La trappe s'ouvrit, découvrit un autre escalier, encore plus sombre et étroit que le précédent ; un souffle d'air s'exhala de l'ouverture, agitant la flamme de la lanterne.

« Adieu, rabbi, dit l'homme, que le Seigneur t'assiste. » Le prophète prit la lanterne qu'il lui tendait et commença à descendre dans le souterrain mais, à mesure qu'il avançait, on entendait un cri au loin, puis un autre et bientôt le souterrain retentit d'un chœur de lamentations, étouffé par les murailles épaisses de l'antique demeure. Baruch tressaillit et se retourna.

« Ne te retourne pas, ordonna le prophète. Notre Seigneur Dieu a détourné ses regards de Sion et l'a remise entre les mains de ses ennemis. »

Sa voix tremblait et la lueur de la lampe transformait

ses traits en un masque de souffrance. « Suis-moi, nous n'avons plus le temps. »

Baruch le suivit et la trappe se referma sur eux. « Comment cet homme retournera-t-il en arrière ? C'est nous qui avons sa lampe, demanda Baruch.

— Il trouvera la voie, à coup sûr, répondit le prophète. Il est aveugle. »

Le corridor était si étroit qu'il était parfois nécessaire de passer de côté, et si bas que souvent il fallait courber le dos. Baruch se sentait étouffer comme si on l'avait enfermé, vivant, dans une tombe, et son cœur battait tumultueusement dans sa poitrine, protestant secrètement contre cette intolérable oppression, mais il continuait à suivre le pas égal du prophète, qui semblait fort bien connaître cette voie secrète dans les entrailles de la terre.

Finalement, une faible clarté commença à se faire devant eux et ils se trouvèrent, au bout de quelque temps, dans une chambre souterraine où le jour entrait du plafond par un soupirail que fermait une grille de fer.

« Nous sommes à l'intérieur de la vieille citerne au-dessous du portique de la cour intérieure, dit-il. Viens, nous sommes presque arrivés. » Il alla au fond du grand hypogée et ouvrit une petite porte de fer qui donnait sur un autre corridor étroit et bas comme le précédent. Baruch cherchait à comprendre dans quelle direction ils se dirigeaient et se rendit bientôt compte que son maître le conduisait vers un lieu sacré et inaccessible, vers le cœur même du Temple, vers la demeure du dieu des Armées. Ils montèrent encore un escalier de pierre et, quand ils furent parvenus en haut, le prophète fit glisser une dalle et se tourna vers lui : « Maintenant, suis-moi et fais ce que je te dirai. »

Baruch regarda autour de lui et son cœur s'emplit de stupeur et d'émerveillement : il se trouvait à l'intérieur du Sanctuaire, derrière le voile de soie qui recouvrait la gloire du Seigneur ! Devant lui se trouvait l'Arche d'alliance et, au-dessus d'elle, deux chérubins d'or agenouillés soutenaient de leurs ailes le trône invisible du Très-Haut.

Maintenant les cris de désespoir de la ville parvenaient plus distinctement, plus proches, amplifiés par l'écho sous les arcades désertes des cours immenses.

« Prends tous les vases sacrés, dit le prophète, afin

qu'ils ne soient pas profanés, et mets-les dans une corbeille que tu trouveras dans cette armoire. Je ferai de même. » Ils prirent les vases et, ayant rapidement traversé le Sanctuaire, ils atteignirent une autre salle dans les appartements du souverain pontife.

« Maintenant revenons dans l'autre pièce, dit le prophète. Nous devons prendre l'Arche.

— L'Arche ?, dit Baruch. Mais nous ne réussirons jamais à l'emporter.

— Rien n'est impossible au Seigneur. Viens, aide-moi. Quand nous reviendrons, nous trouverons deux bêtes de somme. »

Ils atteignirent de nouveau le sanctuaire, enfilèrent les barres de bois d'acacia dans les anneaux de l'Arche et la soulevèrent, non sans efforts. Maintenant, les cris emplissaient les cours externes du Temple et c'étaient des cris étrangers, d'hommes ivres de vin et de violence. Le prophète marchait péniblement parce que ses membres n'avaient plus la vigueur d'antan et que la relique sacrée de l'Exode avait le poids de l'or et du bois.

Baruch ne fut pas étonné de voir, dans la chambre où ils avaient rangé les vases sacrés, deux ânes attachés à un anneau fixé au mur.

Le prophète les frappa de son bâton et ils se mirent à tirer fortement jusqu'au moment où l'anneau sembla s'arracher du mur. On entendit un déclic et une partie de la paroi pivota sur elle-même, découvrant un autre passage sombre qui descendait sous terre. Le prophète détacha alors les deux bêtes, les plaça l'une derrière l'autre puis relia leurs deux bâts avec les perches qui portaient l'Arche, y fixa celle-ci et rangea les vases sacrés dans les besaces qui pendaient des bâts.

« Suis-moi, dit-il à Baruch, veille à ce que nous ne perdions rien et referme derrière nous les passages que j'ouvrirai. Nous marcherons encore longuement dans le noir, mais, à la fin, nous sortirons en sécurité. Ces animaux ne nous trahiront pas : ils sont habitués à marcher sous terre. »

Ils s'engagèrent dans le passage et commencèrent à descendre une rampe creusée dans le roc, complètement plongée dans l'obscurité. Ils marchaient très lentement et

Baruch entendait le bâton de son compagnon qui tâtait le terrain devant lui avant chaque pas.

L'air était immobile à l'intérieur de l'hypogée et avait l'odeur pénétrante des excréments de chauve-souris.

Bien du temps passa et la rampe se fit presque complètement horizontale : le passage devait avoir atteint le niveau de la vallée située au-dessous de la ville.

Ils marchèrent en silence pendant presque toute la nuit ; vers l'aube, ils se trouvèrent face à un mur de pierre sèche au travers duquel filtraient les premières lumières du nouveau jour. Baruch déplaça les pierres une à une, en sorte que le petit convoi put franchir le seuil et se retrouver à l'intérieur d'une grotte exiguë.

« Où sommes-nous, rabbi ? demanda-t-il.

— En sécurité, désormais. Nous avons franchi les lignes des Babyloniens. Non loin d'ici passe la route pour Hébron et Be'er Sheva. Attends-moi et ne bouge pas ; remets en place les pierres de façon que nul ne puisse reconnaître ce passage. Je reviendrai bientôt. »

Il sortit à l'air libre et Baruch fit ce qui lui avait été ordonné. Quand il eut fini, il se mit à l'entrée de la petite grotte, masqué par des buissons de genêts et de tamariniers et il vit son compagnon qui lui faisait signe de descendre. Sur le bord du sentier, il y avait un chariot empli de paille. Baruch descendit, y cacha les objets du Temple et l'Arche, puis attacha les ânes. Lui et le prophète montèrent sur le chariot, tels deux paysans allant travailler et ils se remirent en chemin.

Ils parcoururent des sentiers écartés et des chemins muletiers inhospitaliers, évitant les routes les plus fréquentées et les villes, et ils s'enfoncèrent finalement dans le désert.

Le prophète semblait suivre une direction qu'il connaissait bien et un itinéraire précis. Tantôt il s'arrêtait pour observer le paysage, tantôt il descendait du chariot et grimpait sur le flanc d'une colline ou jusqu'à la cime d'une montagne pour observer d'en haut le territoire, puis il redescendait pour reprendre la route. Et Baruch l'observait tandis qu'il cheminait d'un pas rapide sur les crêtes rudes, tandis qu'il avançait parmi la pierraille noire des silex brûlants sous le soleil, tandis qu'il marchait sans crainte dans les domaines des serpents et des scorpions.

Ils passèrent six jours et six nuits presque sans parler car leur cœur était écrasé de tristesse à la pensée de Jérusalem et de son peuple, jusqu'au moment où ils atteignirent la vallée d'un large torrent à sec. À droite et à gauche s'étendaient deux chaînes de monts désolés, les flancs des collines et de la montagne étaient creusés de profondes ravines blanchâtres au fond desquelles végétaient de rares et maigres buissons verts de pruniers de Damas.

Soudain, à leur droite, Baruch remarqua une montagne à la forme étrange d'une pyramide, une forme si parfaitement découpée qu'elle semblait l'œuvre de l'homme.

« Là où nous allons, nous ne trouverons ni eau ni nourriture, rabbi. Notre but est-il encore lointain ?

— Non, répondit le prophète. Nous sommes presque arrivés. » Et il tira sur les rênes.

« Arrivés... où ?

— À la Montagne sacrée. Au Sinaï. »

Baruch écarquilla les yeux : « C'est ici le Sinaï ?

— Oui, mais tu ne le verras pas. Aide-moi à charger l'Arche et les vases sacrés sur un seul des ânes, en sorte que je puisse le conduire par le licol. Toi, reste ici avec l'autre. Attends-moi un jour et une nuit. Si, au bout de ce temps, tu ne me vois pas revenir, va-t'en, retourne sur tes pas.

— Mais, rabbi, si tu ne reviens pas, l'Arche ne sera jamais plus retrouvée et le peuple l'aura perdue pour toujours... »

Le prophète baissa la tête. L'endroit était plongé dans le silence le plus profond ; aussi loin que l'œil pouvait accéder, on ne voyait bouger aucune créature dans l'infini de la pierraille. Seul un aigle porté par le vent tournoyait dans le ciel en larges cercles.

« Et si cela était ? Le Seigneur la ferait surgir des entrailles de la terre quand viendrait de nouveau le moment de guider le peuple vers son ultime destin. Mais pour l'heure, mon destin est de la rapporter là où elle a pris son origine. N'ose pas me suivre, Baruch. Depuis les temps de l'Exode, seul un homme par génération a eu la révélation du lieu où se trouve la Montagne sacrée et seul un homme toutes les quatre générations a pu y faire retour. Le dernier avant moi fut Élie mais seul, depuis l'Exode, j'accéderai au lieu le plus secret de la terre pour y cacher l'Arche.

« Si Dieu le veut, tu me verras revenir au bout d'un jour et une nuit ; si tu ne me vois pas revenir, cela signifiera que ma vie a été le prix que notre Seigneur Dieu a exigé pour la sauvegarde du secret. Ne bouge pas d'ici, Baruch, pour aucun motif, et ne cherche en aucune manière à me suivre car il t'est interdit de fouler cette terre. Et maintenant, aide-moi. »

Baruch l'aida à charger celle des deux bêtes qui semblait la plus robuste et recouvrit ce chargement de son manteau. Il demanda : « Mais comment feras-tu, rabbi, tout seul ? Tu es faible et âgé...

— Le Seigneur me donnera la force. Adieu, mon bon ami. »

Il s'achemina dans la pierraille désolée entre les deux rangées de montagnes et Baruch resta immobile, le regardant sous le soleil brûlant et, cependant qu'il s'éloignait, il comprit pourquoi il avait voulu partir avec un seul âne, sans chariot. Il marchait parmi les pierres de façon à ne laisser aucune trace. Baruch eut peur, il pensa que le symbole même de l'existence d'Israël s'éloignait vers un lieu inconnu et s'évanouissait peut-être pour toujours dans le néant. Il regarda, désemparé, son maître devenir de plus en plus petit à mesure qu'il s'éloignait, jusqu'au moment où il disparut totalement de sa vue.

Le prophète avançait maintenant dans la désolation du désert, il marchait dans le royaume des serpents venimeux et des scorpions et il sentait sur lui le regard brûlant de Dieu qui le scrutait jusque dans ses entrailles. Il parvint en un lieu où la vallée s'ouvrait, dominée à droite par une montagne qui ressemblait à un sphinx accroupi et, à gauche, par une autre qui ressemblait à une pyramide. Alors un vent impétueux l'assaillit et le renversa presque et il dut serrer fortement le licol de son âne pour qu'il ne s'enfuie pas.

Il continua à avancer péniblement ; alors l'effort et la douleur qui blessaient son âme le plongèrent en une sorte de délire dans lequel il lui semblait sentir le sol trembler sous ses pas, comme secoué par un tremblement de terre, puis être comme enveloppé de bouffées de feu qui le dévoraient. Il savait que tout cela devait avoir lieu, comme cela avait eu lieu pour Élie.

Le prophète se trouva soudain, comme en rêve, à l'entrée d'une grotte, au pied d'une montagne dénudée et brûlée de soleil et il commença à monter vers le sommet. Quand il fut arrivé au milieu de l'ascension, il vit un signe gravé dans le roc qui représentait une verge et un serpent : il se retourna alors pour scruter la vallée et distingua clairement au fond un dessin fait de pierres placées de façon à former une figure rectangulaire. Ainsi lui était confirmé qu'il se trouvait dans le lieu le plus secret et le plus humble d'Israël, le lieu où Dieu avait pour la première fois choisi sa demeure parmi les hommes.

Il redescendit à l'entrée de la grotte, prit une lame de silex et commença à creuser jusqu'à ce qu'il découvrît une dalle qui masquait une rampe couverte de très fine poussière blanche. À grand-peine il traîna d'abord l'arche, qu'il déposa dans une niche creusée dans la paroi, puis les vases sacrés. Il allait revenir sur ses pas quand il glissa, heurtant le fond de la galerie souterraine, et entendit un écho retentissant, comme s'il y avait eu, de l'autre côté de la paroi, une autre cavité. Craignant que quelqu'un pût trouver un autre accès à sa cachette, il alluma une torche de poix, la fixa dans une anfractuosité pour avoir un peu de lumière puis il prit le morceau de silex et frappa à plusieurs reprises la paroi qu'il entendait résonner de plus en plus fort. Soudain, il entendit comme un déclic et, aussitôt après, un grand fracas, la paroi céda et il fut entraîné vers le bas comme dans une avalanche ; pendant un moment, aveuglé, à demi enseveli dans les décombres, il pensa sa dernière heure arrivée.

Quand il rouvrit les yeux et put voir à travers la poussière suspendue dans le souterrain, son visage se contracta en une grimace d'horreur parce qu'il avait vu ce que, pour rien au monde, il n'aurait voulu voir. Il cria en proie au désespoir et son cri jaillit de l'orifice du souterrain comme le rugissement d'un fauve pris au piège, éveillant l'écho sur les cimes nues et solitaires de la Montagne de Dieu.

Baruch s'éveilla en sursaut au milieu de la nuit, certain d'avoir entendu un cri : la voix de son maître brisée par les pleurs. Et il veilla longuement en prières.

Le lendemain, ne le voyant pas revenir, il se remit en route pour traverser le désert en direction de Be'er Sheva puis d'Hébron. Il rentra à Jérusalem par la même voie par laquelle il en était sorti.

La ville était vide !

Tous les habitants avaient été arrachés à leurs habitations et emmenés par les Babyloniens. Le Temple avait été détruit et incendié, le palais royal démoli, les puissantes fortifications jébuséennes démantelées.

Il attendit cependant, comptant les jours d'absence du prophète, comme pour calculer la distance qu'il pouvait avoir parcourue, jusqu'au moment où il le vit réapparaître, en haillons et amaigri, près de la maison du marchand de légumes.

Il s'approcha de lui, cherchant à le retenir par ses vêtements : « Rabbi, as-tu vu la désolation de Sion ? Vide désormais la ville naguère populeuse, ses princes dispersés. » Le prophète se retourna vers lui et Baruch en fut bouleversé : il avait le visage brûlé et les mains blessées, une lueur sinistre dans le regard comme s'il avait été précipité tout vivant dans les entrailles du She'ol. En cet instant, il fut certain que ce n'était pas le spectacle de l'anéantissement de Jérusalem, conséquence de la volonté du Seigneur, qui le plongeait dans ce noir désespoir : c'était quelque chose qu'il avait vu. Quelque chose de terrible au point d'effacer la destruction d'une nation tout entière, la déportation et le déracinement de son peuple, le massacre de ses princes.

« Qu'as-tu vu dans le désert, rabbi ? Qu'est-ce qui trouble si profondément ton esprit ? »

Le prophète tourna les yeux vers la nuit qui venait du septentrion : « Le néant..., murmura-t-il. Se trouver seul, sans début, sans fin, sans lieu, sans but, sans cause... »

Il allait s'éloigner, mais Baruch le retint encore par ses vêtements : « Rabbi, je t'en conjure, révèle-moi où tu as caché l'arche du Seigneur, car je crois qu'un jour il rappellera son peuple de l'exil de Babylone. Je t'ai obéi et j'ai détourné mes regards de tes pas, mais dis-moi où tu l'as cachée, je t'implore... »

Le prophète le regarda, les yeux pleins de ténèbres et de larmes. « Tout est inutile... mais, si un jour le Seigneur appelle quelqu'un, celui-ci devra marcher plus loin que la pyramide et plus loin que le sphinx, il devra affronter le vent, le tremblement de terre, le feu, jusqu'au moment où le Seigneur lui montrera où elle est cachée... Mais ce ne sera pas toi, Baruch, et peut-être jamais personne... J'ai vu ce que personne n'aurait jamais dû voir. » Il se dégagea et se mit en chemin, disparaissant bientôt derrière un amoncellement de ruines. Baruch le regarda tandis qu'il s'éloignait et remarqua sa démarche étrange, ondoyante, parce qu'il avait un pied nu. Il chercha encore à courir derrière lui, mais quand il arriva de l'autre côté, son maître avait disparu et il eut beau faire des efforts, il ne réussit en aucune manière à le retrouver.

Il ne le revit jamais plus.

2

Chicago, États-Unis d'Amérique, Fin du deuxième millénaire après Jésus-Christ.

William Blake se réveilla laborieusement, la bouche aigre, suite à une nuit agitée, à un sommeil procuré par un tranquillisant et à une digestion difficile. Il se traîna vers la salle de bains. Le miroir lui renvoya, éclairés par la lumière frontale du tube au néon, un visage verdâtre, deux yeux cernés, une tête ébouriffée. Il tira une langue couverte d'une patine blanchâtre et la ravala aussitôt avec une grimace de dégoût. Il avait envie de pleurer.

La douche brûlante dénoua ses crampes d'estomac ainsi que ses muscles et fit fondre ce qu'il lui restait d'énergie en une langueur profonde, en une faiblesse extrême qui l'abattit sur le dallage, comme évanoui. Il resta longuement sous le jet fumant puis, dans un grand effort, il tendit la main vers le mélangeur et tourna brusquement la poignée vers le bleu. L'eau jaillit, glaciale : il sursauta comme sous un coup de fouet mais chercha à résister suffisamment pour retrouver tonus et lucidité, pour retrouver la station debout et la conscience de la misère dans laquelle il était plongé.

Il se frictionna avec le peignoir et revint au miroir, se savonna soigneusement le visage, se rasa et se massa avec une lotion d'une bonne marque, une des rares choses qui lui restaient de sa vie passée. Puis, comme un guerrier qui endosse son armure, il choisit sa veste et son pantalon, sa chemise et sa cravate, ses chaussettes et ses chaussures, essayant à plusieurs reprises les assortiments les plus satisfaisants avant de faire son choix.

Il n'avait rien dans l'estomac quand il versa un verre de bourbon dans son café noir bouillant ; il en avala quelques gorgées. Cette puissante potion remplacerait le Prozac dont il n'avait que trop abusé et lui permettrait d'affronter les dernières étapes de son calvaire programmé pour la journée : la séance chez le juge de paix qui sanctionnerait son divorce d'avec Judy O'Neil, et son rendez-vous de l'après-midi avec le recteur et le doyen de l'Oriental Institute qui attendaient sa démission.

Le téléphone sonna alors qu'il s'apprêtait à sortir. Il décrocha :

« Will », dit une voix à l'autre bout du fil. C'était Bob Olsen, l'un des rares amis qui lui fût resté depuis que le sort lui avait tourné le dos.

« Salut, Bob. C'est sympa de m'appeler.

— Je m'en vais, mais je ne voulais pas partir sans te dire au revoir. Je dîne avec mon vieux à Evanston pour lui souhaiter un joyeux Noël, puis je prends l'avion pour le Caire.

— Veinard, fit Blake d'une voix éteinte.

— Ne le prends pas comme ça, Will. Laissons passer quelques mois, de façon à ce que les choses se calment ; ensuite, nous reprendrons tout depuis le début : le conseil de faculté devra réexaminer ton cas, il faudra bien qu'ils t'écoutent.

— Et comment ? Je n'ai rien à leur dire. Pas de témoins, rien...

— Écoute, tu ne dois pas te laisser abattre. Tu dois te battre parce que tu as raison : moi, je peux agir en toute liberté en Égypte. Je rassemblerai des renseignements, je ferai des recherches à tous mes moments libres et, si je réussis à trouver quelqu'un qui puisse témoigner en ta faveur, je l'amènerai ici, même si je dois lui payer le voyage avec mes propres deniers.

— Je te remercie, Bob. Merci beaucoup, même si je

ne crois pas que tu puisses faire grand-chose. De toute façon : merci. Bon voyage.

— Alors... je peux partir tranquille ?

— Oui, bien sûr. Tu peux être tranquille... » Il raccrocha, prit sa tasse de café et sortit.

Sur le trottoir enneigé l'accueillit un Santa Claus avec barbe et capuchon, agitant sa cloche, et une rafale de vent coupante qui devait avoir caressé d'un bout à l'autre la surface glacée du lac. Il alla jusqu'à sa voiture garée deux pâtés de maisons plus loin, tenant toujours sa tasse fumante, ouvrit la portière, s'assit, démarra et se dirigea vers le centre. Michigan Avenue était magnifiquement parée pour les fêtes de fin d'année ; les arbres dépouillés, ornés de milliers d'ampoules électriques, donnaient l'impression d'une floraison merveilleuse hors saison. Il alluma une cigarette tout en savourant la tiédeur qui commençait à gagner l'habitacle, la musique de la radio, le parfum du tabac, du whisky et du café.

Ces modestes sensations de plaisir lui rendirent un peu de courage, l'amenèrent à l'idée que le sort devrait bien changer un jour, que, ayant touché le fond, il faudrait bien qu'il commençât à remonter. Et boire de l'alcool l'estomac vide, fumer en conduisant, bref, faire en une seule fois toutes ces choses que lui avait interdites pendant des années sa femme. Tout cela lui faisait paraître presque tolérables la perte d'une femme qu'il aimait pourtant profondément, et celle d'un travail sans lequel il n'arrivait même pas à imaginer pouvoir vivre.

Judy était très élégante, parfaitement maquillée et coiffée, comme lorsqu'il l'emmenait dîner chez Charlie Trotter, son restaurant préféré, ou à un concert à Mac Cormick Place. Il fut agacé en pensant que bientôt elle allait utiliser sa séduction, ses décolletés, sa façon de croiser les jambes, sa voix, pour plaire à un autre, pour se faire inviter à dîner, pour coucher avec un autre.

Et il ne cessait de penser à ce qu'elle ferait au lit avec cet autre en se disant que lui aurait fait plus et mieux. Tout cela tandis que le juge les invitait à s'asseoir en leur demandant s'il y avait une chance de résoudre le conflit qui les avait conduits à la séparation.

Il aurait voulu dire que oui, que, pour lui, il n'y avait rien de changé, qu'il l'aimait comme la première fois qu'il l'avait vue, que sa vie allait être rebutante sans elle, qu'elle lui manquait mortellement, qu'il aurait voulu se jeter à ses pieds et la conjurer de ne pas le quitter, que, la veille au soir, il avait trouvé, oublié au fond d'un tiroir, une de ses combinaisons et qu'il l'avait approchée de son visage pour en humer le parfum, qu'il n'en avait rien à foutre de sa dignité, qu'il se ferait piétiner pour qu'elle lui revînt.

Il dit : « Cette séparation est méditée et acceptée par chacun de nous, Votre Honneur ; nous demandons le divorce par consentement mutuel. »

Judy acquiesça également et, peu après, ils signaient l'un après l'autre les actes de la séparation, le contrat pour la pension alimentaire, au demeurant tout à fait aléatoire, attendu que, depuis longtemps il n'avait plus de travail et que, dans quelques heures, sa démission serait effective.

Ils prirent l'ascenseur et descendirent pendant deux minutes exténuantes. Blake aurait voulu dire quelque chose de beau, d'important, une phrase qu'elle ne puisse plus oublier et, tandis que les numéros des étages défilaient inexorablement, il se rendait compte qu'il ne lui viendrait aucune phrase et que, de toute façon, cela n'avait plus aucun sens. Mais, quand elle sortit et s'engagea dans le hall sans même le saluer, il la suivit et lui dit : « Judy ? Un malheur peut arriver à tout le monde, une série de coïncidences négatives... maintenant que tout est fini, dis-moi au moins pourquoi. »

Judy le regarda un instant sans manifester le moindre sentiment, pas même de l'indifférence : « Il n'y a pas de pourquoi, Bill. » Il détestait qu'elle l'appelle Bill. « Après l'été, c'est l'automne, puis l'hiver. Il n'y a pas de pourquoi. Bonne chance. »

Elle s'en alla et il resta devant la porte vitrée de l'immeuble, immobile comme un mannequin au milieu de la neige qui tombait par grandes rafales. Par terre, assis sur un carton près du mur, il y avait un type fagoté dans une capote militaire, la barbe longue et les cheveux sales, qui demandait l'aumône : « Aide-moi, mon frère. Je suis un vétéran du Vietnam. Donne-moi de quoi manger quelque chose de chaud la nuit de Noël.

— Moi aussi, je suis un vétéran du Vietnam, dit-il en mentant, mais je ne suis pas là à casser les couilles aux passants. » Mais quand il le regarda un instant dans les yeux, il pensa que dans le regard de ce malheureux, il y avait sûrement plus de dignité que dans le sien.

Il trouva un quart de dollar dans la poche de sa veste : « Excuse-moi, je ne voulais pas te vexer, lui dit-il en jetant sa pièce dans le chapeau. Ce qu'il y a, c'est que j'ai eu une vacherie de sale journée.

— Bon Noël », fit l'autre. Mais William Blake ne l'entendit pas parce qu'il était déjà loin et parce que lui aussi, à ce moment-là, il tourbillonnait dans l'air glacial comme un flocon de neige parmi tant d'autres, sans poids et sans destin.

Il marcha longuement sans que lui vînt à l'esprit un endroit où il aurait aimé se trouver, une personne à qui parler, à part son ami Bob Olsen, qui l'avait soutenu et encouragé lors de ses récentes vicissitudes et qui aurait peut-être su inventer quelque pieux mensonge pour lui remonter le moral. Mais Olsen, à cette heure-là, était en partance pour l'Égypte, il allait vers la chaleur et le travail. Le veinard.

Il s'arrêta quand ses jambes refusèrent de le porter, quand il se rendit compte que, sous peu, il allait s'effondrer dans la boue neigeuse qui recouvrait l'asphalte et que les voitures lui passeraient dessus. Il pensa alors que le juge de paix devait avoir laissé la salle vide et le palais à moitié désert pour rejoindre sa maison où il avait probablement une femme aux fourneaux, des enfants assis devant la télé, presque certainement un chien, et un arbre de Noël couvert de boules de toutes les couleurs.

Et pourtant, malgré tout cela, malgré la neige, malgré le juge, malgré sa femme, et malgré les autos, malgré les boules sur l'arbre de Noël, le divorce et le whisky dans le café noir, le Vietnam et la paix sur la terre aux hommes de bonne volonté, malgré tout cela, son instinct l'avait guidé vers l'université, comme le sens de l'orientation guide un vieux cheval vers son écurie. La bibliothèque de l'Oriental Institute était là, à deux pas, à droite.

Quelle heure était-il ? Quatorze heures trente. Il était même à l'heure. Il n'avait qu'à monter cet escalier jusqu'au deuxième étage, frapper à la porte du bureau du recteur, saluer la vieille momie et le doyen et rester là comme un imbécile, à écouter leurs conneries, puis remettre sa démission que, compte tenu des circonstances présentes, ils ne pouvaient qu'accepter. Et ensuite, se tirer une balle dans les couilles ou dans la bouche, ça revenait au même. Aucune différence.

« Qu'est-ce que tu fais ici, à cette heure, William Blake ? »

C'était fait. Il n'avait plus de travail, le seul travail qui eût un sens pour lui et qui, probablement, n'en aurait jamais plus ; et il y avait quelqu'un qui avait le courage de lui demander qu'est-ce que tu fais ici, à cette heure, William Blake.

« Pourquoi ? Quelle heure est-il ?

— Six heures du soir. Il fait un froid mortel, tu es tout bleu et tu as l'air de quelqu'un qui va mourir.

— Laisse tomber. Ce n'est pas le moment, docteur Husseïni.

— Je n'en ai pas la moindre intention. Allez, viens. J'habite à deux pas. On va se faire une tasse de café bouillant. »

Blake chercha à se dégager, mais l'autre insista. « Si tu préfères, j'appelle l'ambulance et je te fais conduire au Cook County, vu que tu n'as plus de couverture sociale. Allez, ne fais pas l'idiot et remercie le ciel, parce que seul un fils d'Allah pouvait être dehors à cette heure-ci au lieu de se trouver avec toute sa petite famille autour de l'arbre de Noël. »

L'appartement de Husseïni était bien chauffé et sentait bon l'encens, les épices, les tapis.

« Déchausse-toi », lui dit-il. Ce qu'il fit avant de se laisser aller sur les coussins qui entouraient le living-room cependant que son hôte se mettait aux fourneaux.

Husseïni mélangea une poignée de grains de café avec des clous de girofle et un peu de cannelle : la pièce s'emplit d'un parfum pénétrant ; puis il commença à broyer le café dans le mortier sur un rythme varié et tambourinant, comme une musique, accompagnant de hochements de tête ce bizarre carillon de bois.

« Tu sais ce que c'est que ce rythme ? C'est un appel. Quand le Bédouin pile le café dans son mortier, cela fait ce bruit qui se répand à grande distance et quiconque passe, n'importe quel pèlerin qui erre dans la solitude et l'immensité du désert, sait qu'une tasse de café et une parole d'hospitalité l'attendent sous la tente.

— Très beau, approuva William Blake qui commençait lentement à refaire surface. Très émouvant. Le noble fils d'Allah fait retentir son mortier de bois dans le désert urbain et sauve d'une mort certaine le réprouvé abandonné par la cynique et décadente civilisation occidentale.

— Ne dis donc pas de conneries. Bois. Ça te remontera et ça fera circuler un peu de sang dans tes veines. Je te jure que tu étais en train de mourir de froid quand je t'ai trouvé. Peut-être ne t'en es-tu pas rendu compte, mais au moins deux de tes collègues sont passés devant toi et n'ont même pas daigné te saluer. Ils t'ont vu hébété et à demi-mort de froid, assis sur une pierre gelée, raide comme un bout de bois, et ils ne t'ont même pas demandé si tu avais besoin d'aide.

— Bah, ils étaient peut-être pressés. C'est la veille de Noël. Il y a plein de gens qui n'ont pas eu le temps de terminer leurs achats... les cadeaux pour les gosses, le gâteau. Tu sais ce que c'est...

— Bien sûr. C'est la veille de Noël. » Il prit le café qu'il avait pilé dans le mortier avec les épices et le versa dans le pot d'eau qui bouillait sur le feu ; l'arôme se fit plus intense mais plus doux et plus pénétrant. Blake se rendit compte que c'était cette senteur d'épices et de café qui imprégnait les tapis sur le sol en même temps que l'odeur d'encens indien.

Husseïni lui tendit une tasse fumante et lui offrit une cigarette ; il s'assit sur ses talons face à lui, fumant en silence et dégustant sa tasse de café aromatique.

« C'est comme ça sous ta tente dans le désert ?

— Oh non. Sous ma tente, il y a de belles femmes et des dattes grosses comme ça. Et il y a le vent d'est qui apporte le parfum des fleurs des plateaux et il y a le bêlement des agneaux ; et quand je sors, je vois devant moi les colonnades d'Apamée, pâles dans l'aube et rouges dans le couchant. Quand le vent forcit, elles résonnent comme les tuyaux des orgues de vos églises. »

Blake hocha la tête et but encore ; il aspira une bouffée de sa cigarette : « Et alors, pourquoi n'es-tu pas resté sous ta foutue tente dans le désert ? Qu'est-ce que tu es venu faire ici si ça te dégoûte tellement ?

— Je n'ai pas dit que ça me dégoûte. J'ai dit que c'est différent. Et je l'ai dit parce que tu me l'as demandé. Et si tu veux tout savoir, j'ai toujours vécu dans un camp de réfugiés du Sud Liban depuis l'âge de cinq ans : un endroit fétide et répugnant avec des égouts à ciel ouvert, où, quand nous étions enfants, nous jouions parmi les rats et les immondices.

— Mais... les colonnes d'Apamée pâles dans l'aube et rouges dans le couchant, qui résonnent comme les tuyaux des orgues de nos églises ?

— Je les ai rêvées, c'est tout. C'est ainsi que les décrivait mon grand-père, Abdallah al-Husseïni, qu'Allah le bénisse, mais moi... moi, je ne les ai jamais vues. »

Ils restèrent longtemps encore en silence.

« Je n'ai pas compris pourquoi ils t'ont viré, déclara Husseïni. D'après ce que je sais, tu étais un des meilleurs dans ton métier.

— Tu peux le dire à voix haute », répondit Blake en tendant sa tasse. Husseïni la lui remplit puis reprit :

« Je n'avais pas voix au chapitre parce que je ne suis pas professeur titulaire. Mais ton ami Bob Olsen, pourquoi n'est-il pas venu voter ?

— Olsen est parti pour l'Égypte : il ne pouvait donc pas être présent, mais il a envoyé son vote contre... le seul peut-être. De toute façon, si tu veux savoir comment ça s'est passé, c'est une longue histoire...

— C'est la veille de Noël et nous avons tout notre temps, me semble-t-il. »

William Blake se prit la tête entre les mains, assailli par une vague de souvenirs et par l'angoisse du présent : peut-être cela lui ferait-il du bien de parler, allez savoir, peut-être pourrait-il lui venir une idée pour une solution, une façon de retrouver quelque crédibilité.

« C'était il y a environ un an ; j'étais en train d'examiner des microfilms de textes du Nouvel Empire transcrits par James Henry Breasted peu avant qu'éclate la guerre de 14-18. C'était quelque chose de la période de Ramsès II ou de Mérenptah et il y était fait allusion à d'éventuelles connexions de ce texte avec l'histoire de l'Exode. À côté de la transcription, sur le bord de la feuille, il y avait une annotation portée d'une écriture plus hâtive. Tu as certainement eu l'occasion d'examiner l'écriture de Breasted.... »

Husseïni acquiesça : « Bien sûr. Continue...

— Tu sais que, d'ordinaire, elle est très régulière. Eh bien, cette annotation, comme je viens de te le dire, semblait rédigée en hâte et se référait à un autre fascicule dont les rapports avec l'épisode biblique de l'Exode semblaient avoir de nouveaux développements. Attention, l'annotation n'était pas explicite, mais l'idée m'intriguait : cela aurait pu être l'affaire de ma vie. Je cherchai ce maudit fascicule dans tous les coins de l'Oriental Institute, dans tous les sous-sols, dans tous les registres. Rien... »

Husseïni lui tendit une cigarette et lui donna du feu ; il en prit une lui aussi : « Tu es venu aussi chez moi, je m'en souviens très bien...

— En effet. En tout cas, rien. Rien de rien. Et pourtant, cette annotation devait bien avoir un sens. Pour moi, c'était devenu une idée fixe. À la fin, il me vint une idée : après tout, il n'était pas dit que Breasted avait tout laissé à l'Institute. Il pouvait y avoir des fonds privés, même s'ils n'étaient pas mentionnés.

« Je me mis à enquêter sur les héritiers ; par bonheur, l'état civil des grandes villes était déjà sur le Web et ma tâche en fut rendue moins difficile. À la fin, je dénichai le dernier descendant de Breasted : un avocat d'une cinquantaine d'années qui vivait et qui vit toujours, je crois, dans une belle villa vers Longwood, du côté de Beverly. Je me présentai en faisant état de mes références académiques et je lui parlai d'un fascicule qui aurait pu contenir la transcription de textes hiéroglyphiques d'un grand intérêt, sans toutefois dévoiler mon jeu.

— Et lui ?

— Il fut gentil. Il dit que je n'étais pas le premier qui cherchait ce fascicule et que je devais me faire une raison parce qu'il n'en avait jamais vu trace nulle part et que les papiers de son aïeul, ou ce qu'il en restait, avaient déjà été passés au peigne fin au moins une douzaine de fois au cours des années, à chaque fois que quelqu'un tombait, comme moi, sur cette annotation. Il me dit qu'en tout cas, je pouvais m'installer dans sa bibliothèque si je voulais reprendre cette recherche au début, avec un résultat prévisible. Bref, quoiqu'il y mît beaucoup de tact, je me sentis comme un imbécile.

« Ne fût-ce que pour éviter de me ridiculiser complètement, j'acceptai quand même son invitation et je me mis à examiner, sans grande conviction, les papiers de sa bibliothèque privée. Je revins le lendemain et encore le surlendemain parce que je suis têtu et que j'estime que les difficultés sont une provocation. Et, à la fin, je trouvai une trace qui aurait pu me faire repérer le début de la solution...

— Ça te dit de manger quelque chose ? l'interrompit Husseïni. C'est l'heure de dîner, somme toute. Je n'ai pas grand-chose, mais faisons comme dans le désert.

— Pour moi, ça marche. »

Husseïni mit au four quelques *pides*, sortit du frigo de la sauce piquante qu'il mit à chauffer, du *hommous*, des œufs durs, du fromage, des haricots bouillis.

« De la bière, tu en as ? demanda Blake, ou bien tu es très pratiquant ?

— Pas à ce point-là. Ma mère était libanaise. »

Blake reprit son récit entre deux bouchées. « Breasted avait une maîtresse. Une certaine Suzanne de Bligny, la veuve d'un diplomate français du consulat, établie à Minneapolis ; il y avait probablement eu entre eux une correspondance. Je réussis même à découvrir que Mme de Bligny, au cours de la carrière de son défunt mari, était allée en Égypte, à Louqsor.

— Je vois, fit Husseïni. C'était la belle époque de l'hôtel du Nil, d'Auguste Mariette et d'Emil Brugsch : l'égyptologie héroïque...

— Il y avait donc entre eux deux, très probablement, des affinités électives... Mme de Bligny avait une fille, Mary Thérèse, qui épousa un certain James O'Donnel, officier de l'aéronautique, mort au combat dans les cieux d'Angleterre.

— Une dynastie de veuves... » commenta Husseïni en apportant sur la table la sauce fumante. Blake la répandit sur sa *pide* et y ajouta des haricots bouillis. « Il semblerait... En tout cas, Mary Thérèse O'Donnel était encore vivante, elle avait quatre-vingt-cinq ans et veillait sur la correspondance entre James Henry Breasted et sa mère. Je lui demandai si je pouvais la consulter et, finalement, je trouvai le paquet de lettres que je recherchais depuis des mois.

« J'étais tellement pris par mon enquête que je ne me

rendais pas compte du temps qui passait et de mes négligences, reconnut Blake. En même temps, je n'imaginais pas que la tranchée abandonnée était aussitôt occupée par l'ennemi... » Le visage de William Blake s'assombrit soudain, comme si toutes les pensées angoissées, qui semblaient pour un temps avoir signé une trêve, se présentaient de nouveau à lui, toutes à la fois.

« Qu'est-ce que tu as trouvé dans ce dossier ? » demanda Husseïni.

Blake hésita, comme s'il éprouvait quelque réticence à révéler un secret qu'il avait jusqu'alors gardé pour lui seul. Husseïni baissa les yeux et se resservit.

« Tu n'es pas obligé de me répondre, ajouta-t-il. Nous pouvons aussi parler d'autre chose. De femmes, de politique. Avec ce qui se passe vers chez moi, il y aurait largement de quoi parler. »

Blake resta un moment en silence. Dans la rue, il s'était fait silence. Il n'y avait plus personne dehors à cette heure-là et la neige, qui avait recommencé à tomber en abondance, étouffait même les coups que sonnait l'horloge de l'université. Blake se leva et alla à la fenêtre : il pensa aux sables brûlants de la Vallée des Rois et, un instant, il crut avoir tout rêvé. Il se remit à parler :

« Le dossier se référait à la note que j'avais lue sur les papiers de l'Oriental Institute et comportait le début de la transcription d'un texte hiéroglyphique qui commençait par ces mots :

« "J'ai suivi les Khabiru, en partant de Pi-Ramsès, à travers la Mer des Roseaux puis dans le désert..." »

Husseïni hocha la tête : « Impressionnant, il n'y a pas à dire. Les coïncidences avec le livre de l'Exode sont remarquables. Cependant tu sais bien que l'ethnie Khabiru a été interprétée de façon contradictoire par la littérature scientifique. Il n'est pas dit que cela signifie "Hébreux" ; ce n'est pas dit du tout. J'espère que tu n'as pas mis l'Institute sens dessus dessous sur cette seule base... Ça voudrait dire que tu l'as dans le cul.

— Le style des idéogrammes était tout à fait semblable à celui de la stèle dite "d'Israël" », fit Blake, vexé.

Husseïni sembla accuser le coup : « Impressionnant, il n'y a pas de doute... Excuse-moi, je n'avais pas l'intention de mettre en question ta compétence. C'est que certaines choses semblent très difficiles à croire... Je refais du café, tu en veux ?

— Oui, à condition que tu ne te remettes pas à faire la musique du mortier.

— Américain, avec filtre, dit Husseïni en prenant la verseuse de la cafetière électrique. Sinon, nous ne dormirons plus.

— Cette transcription, avalisée par la réputation de Breasted, contenait le témoignage le plus explicite sur la valeur scientifique du livre de l'Exode qu'on ait jamais trouvé dans un texte non biblique. Arrivé là, j'étais décidé à aller jusqu'au bout. Breasted avait annoté avec diligence la provenance de l'original : un papyrus qu'il avait vu chez un certain Mustapha Mahmud à El-Gournah et qu'il avait négocié pour le compte de l'Oriental Institute... Il n'avait réussi à lire que la première ligne et à recopier les idéogrammes qui la composaient avant que le papyrus fût rangé...

— El-Gournah était le paradis des pilleurs de tombes, mais aussi des faussaires, mon cher. Je suis de plus en plus convaincu que tu t'es fait piéger...

— L'enjeu était trop gros pour que je laisse tomber. En tout cas, Breasted n'était pas né de la dernière pluie : s'il avait considéré ce document comme authentique, il y avait pour moi de bonnes possibilités qu'il le fût. Après avoir pesé le pour et le contre, je préférai prendre le risque et je convainquis le conseil de faculté d'affecter une somme importante à une recherche sur le terrain que je dirigerais personnellement. Le vote d'Olsen, entre autres, fut déterminant pour cette attribution.

— Et tu as raté ton coup. Et ils étaient tous là comme des vautours dans l'attente de déchiqueter ton cadavre. Exact ?

— Un instant, mon cher collègue. Je ne suis pas si sot. Le document existait. Et probablement, il existe encore. »

Husseïni tira une profonde bouffée de cigarette puis il secoua la tête : « Quatre-vingt-dix ans ont passé...

— Je te dis que le document existait, qu'il existe...

— Si tu ne peux pas le prouver, c'est comme s'il n'existait pas ; tu le sais mieux que moi. En tout cas, j'aimerais savoir comment tu peux en être aussi sûr. Ne me dis pas que tu as trouvé à El-Gournah les héritiers de Mustapha Mahmud...

— Je les ai trouvés, effectivement. Mais j'ai trouvé mieux.

— C'est-à-dire ?

— Une documentation photographique. Partielle, brouillée, mais, de toute façon, extrêmement significative. »

Ils restèrent silencieux, le chercheur arabe suivant du regard le mince filet de fumée qui s'élevait de la braise de sa cigarette, son hôte tournant et retournant dans ses mains sa tasse de café désormais vide. Une sirène de police retentit au loin entre les parois de verre des gratte-ciel, parvenant à travers le rideau de neige jusqu'à cette pièce lointaine comme un vagissement étranger, inquiétant.

« Continue, dit Husseïni.

— Je me rendais compte que je jouais gros, comme c'est le cas à chaque fois qu'on cherche un document qui se trouve être à la base d'une tradition parvenue jusqu'à nous au travers d'une stratification millénaire : le moindre risque, c'est le court-circuit ; le pire, c'est la catastrophe.

« J'ai donc agi avec circonspection, et jamais en mon nom propre : j'avais un disciple, Selim Kaddoumi. » Husseïni fit un signe de tête pour signifier qu'il le connaissait. « Un brave garçon qui faisait avec moi son Phd avec une bourse du gouvernement égyptien ; parfaitement bilingue, c'est lui qui prit tous les contacts pour moi, qui parla avec les vieux feddayins d'El-Gournah, qui distribua l'argent avec mesure et à bon escient, en gardant, c'est évident, un honnête pourcentage, jusqu'au moment où vint en sa possession une information importante. Le tam-tam du trafic clandestin d'Antiquités donnait pour imminente la mise sur le marché d'un certain nombre de pièces provenant d'un vieux fonds de l'âge d'or.

« J'entrai alors en scène. J'avais emporté un beau costume italien du bon faiseur, je louai une belle voiture et j'arrangeai un rendez-vous en me présentant comme un possible receleur.

— Pourquoi ?

— Comme je te l'ai dit, ce jeune homme avait vu les photos polaroïd d'une des pièces qui allaient être mises en vente et il me la reproduisit de mémoire en un dessin assez soigné. Il me sembla y reconnaître un des objets décrits par Breasted dans le fascicule que j'avais consulté à Minneapolis : un bracelet de bronze doré, avec de l'ambre, des hématites et de la cornaline.

« En outre, il apparaissait que seraient aussi mis en vente des papyrus. Il était raisonnable de supposer que le papyrus que je cherchais faisait aussi partie du lot, puisqu'on n'en avait plus entendu parler depuis l'époque de Breasted. Si je ne m'étais pas trompé, il m'arrivait un coup de chance tel que je n'aurais jamais osé l'espérer. En tout cas, ça valait la peine d'essayer. »

Husseïni secoua la tête : « Je ne te comprends pas, Blake ; un document réapparaît après environ quatre-vingt-dix ans, précisément quand tu es à sa recherche, et la chose ne t'étonne pas ?

— Ce n'est pas tout à fait comme ça. Je n'avais aucune certitude que ce papyrus que je cherchais fasse partie du lot. Et je n'étais pas tout à fait sûr non plus que l'objet que j'avais vu dessiné d'après une photo soit celui que décrit Breasted... »

Husseïni le regarda ébahi : « Mais alors...

— L'histoire se complique, fils d'Allah, l'interrompit Blake, conformément au meilleur scénario policier. Et, pour te raconter la suite, il me faudrait une petite goutte de quelque chose de fort, mais je crains de trop te demander...

— Effectivement. Mais je peux te donner une autre cigarette. Un peu de nicotine t'aidera à tenir. »

William Blake aspira profondément la fumée de la petite cigarette turque et se remit à parler : « J'avais fait la connaissance d'un fonctionnaire de notre ambassade au Caire que m'avait présenté Olsen pour le cas où j'aurais eu besoin qu'on me facilite les contacts avec les autorités égyptiennes, avec le département des Antiquités ou des choses de ce genre. Un soir, il me téléphone à la maison d'hôtes de l'Oriental Institute pour me donner rendez-vous à la cafétéria de l'hôtel Marriot. C'était son endroit préféré parce qu'on y sert des hamburgers, des biftecks et des frites. Et il y a des serveurs en chapeau de cow-boy, rends-toi compte.

« Il me conseilla d'être prudent parce qu'il y avait certains types, — il ne précisa pas davantage —, des gens puissants, dangereux, qui s'intéressaient à ce lot et ne le laisseraient pas leur échapper. En somme, cet avertissement était une espèce de service qu'il me rendait. C'était comme s'il m'avait dit "attention, cette affaire sent mauvais". Et, en revanche, ce fut pour moi un nouvel indice positif. S'il y avait des institutions puissantes dans le coup, cela voulait dire qu'il s'agissait de documents d'une importance exceptionnelle, comme, par exemple, le papyrus Breasted.

— Justement, approuva Husseïni. Comment as-tu pu penser que tu pourrais leur souffler ce papyrus sous le nez ?

— Avec une bonne dose de présomption, mais aussi avec un peu d'organisation. Si le jeu avait été loyal, c'est moi qui aurais gagné.

— Bien sûr... je n'en doute pas. Et au lieu de cela, ils t'ont fait trouver par la police égyptienne en possession d'objets compromettants sur toi, chez toi, dans ta voiture...

— Plus ou moins... Le vendeur était du métier et il connaissait les pièces une par une ; il était en mesure de les décrire avec les termes techniques appropriés, mais ce qui l'intéressait surtout, c'était de placer les bijoux : un bracelet, un pectoral, un anneau, tous de la XIXe dynastie. Il avait apporté des objets de moindre importance, encore que liés aux pièces principales : deux bracelets, un pendentif, des scarabées, des ankhs, des chaouabtis.

« Quand je commençai à parler des papyrus, il se mit à poser des questions : selon moi, il savait que quelqu'un d'autre rôdait autour de ce lot. Quand je lui eus fourni assez de renseignements pour lui prouver que je ne faisais partie d'aucun clan suspect, il se fit plus souple et me montra la photo. Je te jure que j'ai failli avoir une attaque. C'était ça, aucun doute : je connaissais par cœur la séquence et le style des idéogrammes de la première ligne et j'avais si souvent lu la description du papyrus dans la correspondance de Breasted. Il ne pouvait pas y avoir de doute.

« Je fis mon possible pour dissimuler mon agitation et je lui demandai s'il pouvait me laisser la photo. Ça aurait déjà été un résultat. J'aurais au moins pu lire le texte.

— Et lui ?

— Il a un peu hésité puis il a remis la photo dans la poche de sa veste. Il a dit quelque chose du genre : “Il vaut mieux pas. Si on trouvait ça chez vous ou sur vous, on vous poserait des questions.” Il me dit qu'il devait discuter de mon offre avec la personne pour qui il travaillait et qu'il me rappellerait. Ce fut la dernière fois que je le vis. Aussitôt, la police fit irruption. L'homme disparut dans la bousculade et je restai coincé devant une table avec toutes ces choses. Le reste est connu... »

Husseïni semblait réfléchir en silence, regardant son compagnon du coin de l'œil : « Est-ce qu'il faisait sombre quand la police est intervenue ?, demanda-t-il tout à trac.

— Ben, l'établissement où je me trouvais était une espèce de grand entrepôt en sous-sol à Kan el-Kalili, encombré de toutes sortes de marchandises et à peine éclairé par deux ou trois ampoules électriques. Quelqu'un qui aurait été un habitué des lieux aurait assez facilement pu s'évaporer mais je n'aurais même pas su de quel côté me tourner. Et puis, je n'avais aucune intention de m'enfuir.

— À ton avis, qui avait renseigné la police égyptienne ?

— Mes mystérieux concurrents ?

— C'est le plus probable. Surtout s'ils pensaient trouver ce papyrus. Celui qui commandait ces policiers était sûrement d'accord avec eux et agissait à leur instigation.

— Après mon arrestation, il y eut mon fichage comme *persona non grata*, puis mon expulsion.

— Et tu t'en es bien tiré. Tu as une idée de ce qu'est une prison égyptienne ?

— Je m'en suis fait une idée au cours des quatre ou cinq journées que j'y ai passées. Et pourtant, maintenant encore, j'y retournerais si je pouvais. »

Husseïni le regarda avec un mélange d'admiration et de compassion. « Ça ne t'a pas suffi, hein ? Écoute, il faut que tu oublies tout ça parce que tu n'auras pas une deuxième chance. Là, c'est un milieu dangereux : receleurs, voleurs, trafiquants de drogue, des gens qui ne pardonnent pas. Une autre fois, tu y laisseras des plumes.

— En ce moment, ça ne m'effraie pas plus que ça.

— Bien sûr, mais ça va te passer, sois tranquille. Un jour, tu te lèveras avec l'envie de repartir... »

Blake secoua la tête : « Repartir d'où ?
— N'importe. Tant qu'on vit, on est vivant... Et le papyrus ?
— Je n'en ai plus entendu parler. Quand je suis revenu, j'ai été emporté par les événements. La perte de mon poste, la perte de ma femme...
— Et alors ?
— Et alors... dans le sens de : "et maintenant ?"
— Exactement dans ce sens.
— Je vais m'en aller à pied jusqu'à ma voiture et rentrer chez moi. J'ai un coin à Bolton Lane, du côté de Blue Island. Je n'ai pas l'intention de me suicider, si c'est à cela que tu penses.
— Je ne sais pas... Je ne crois pas pouvoir faire grand-chose pour toi à la fac. Je ne suis qu'un enseignant associé, pas encore titulaire mais, si tu veux, tu peux dire à Olsen, quand il reviendra, que je suis disposé à te donner un coup de main, je ne sais pas comment...
— Merci, Husseïni. Tu m'as déjà aidé. Et dire que je ne t'avais jamais pris en considération...
— Normal. On ne peut pas avoir des relations avec tous les collègues.
— Allez, il se fait tard. Je m'en vais.
— Tu sais, tu ne me gênes absolument pas. Si tu veux, tu peux dormir ici, sur le divan. Ce n'est pas grand-chose mais...
— Non, merci. Je n'ai que trop profité de ton hospitalité. Il vaut mieux que je m'en aille. Merci encore. Et si tu veux me rendre visite à ton tour, tu me feras grand plaisir. Ce n'est pas un endroit aussi beau qu'ici, mais tu y trouveras toujours quelque chose à boire et... Bon, je t'écris l'adresse... si ça te va, bien entendu.
— Tu peux y compter. »

Blake s'approcha d'une table pour écrire l'adresse et il vit la photo d'un enfant d'environ cinq ans, avec un mot en arabe :

À Saïd. Papa

Il aurait voulu demander qui était cet enfant mais il griffonna son adresse, prit son manteau et se dirigea vers la sortie. Il neigeait encore.

« Écoute, je peux te poser une dernière question ?, demanda Husseïni.

— Bien sûr.

— D'où vient ce nom de William Blake ? C'est un peu comme s'appeler Haroun ar-Rachid ou Dante Alighieri ou Thomas Jefferson.

— Pur hasard. Et j'ai toujours interdit qu'on m'appelle Bill Blake parce que Bill Blake, ça me répugne, c'est un bégaiement, une cacophonie.

— Je comprends. Bon, alors, salut. Je viendrai certainement te voir. Et toi, viens quand tu veux, si tu as envie d'échanger quelques mots. »

Blake le salua d'un signe de la main et s'en alla vers la neige, déjà épaisse. Husseïni resta à l'observer tandis qu'il passait d'un cercle de lumière à un autre, que les réverbères projetaient sur la route. Jusqu'à ce qu'il disparût dans l'obscurité.

Il referma la porte et revint s'asseoir dans le séjour. Il alluma une autre cigarette et resta longtemps plongé dans la pénombre, pensant à William Blake et au papyrus de l'Exode.

À onze heures, il alluma la télé pour le journal de CNN. Plus que les infos sur la crise du Moyen-Orient, il aimait voir les lieux : les ruelles horribles de Gaza, la poussière, les tas d'immondices. Les souvenirs de son enfance revenaient : les amis avec qui il avait joué dans les rues, le parfum de thé et de safran dans le bazar, la saveur des figues à peine mûres, l'odeur de la poussière et de la jeunesse. Mais, dans le même temps, il éprouvait un plaisir inavouable à se trouver dans un confortable appartement américain avec un salaire en dollars et une secrétaire du bureau de la scolarité, douce et sans complexes, qui venait le voir deux ou trois fois par semaine et qui, au lit, ne mettait jamais aucune limite à ses initiatives.

Le téléphone sonna alors qu'il se préparait à aller dormir et il pensa que William Blake devait avoir changé d'avis et décidé de passer la nuit chez lui plutôt que d'affronter une longue marche dans la neige et le vent glacial.

Il décrocha et allait dire : « Ciao, Blake, tu as changé d'avis ? » Mais la voix à l'autre bout du fil le refroidit : « *As-salam 'aleyk*, Abou Ghaj, il y a longtemps que nous ne nous sommes pas parlé... »

Husseïni reconnut la voix, la seule au monde qui pouvait l'appeler de ce nom ; il resta un instant sans mot dire. Puis il se reprit et dit : « Je pensais que cette phase de ma vie était terminée depuis longtemps. Ici, j'ai mon travail, mes engagements...

— Il y a des engagements auxquels nous devons rester fidèles toute notre vie, Abou Ghaj, et il y a un passé auquel personne d'entre nous ne peut échapper. Tu ne sais peut-être pas ce qui se passe dans notre pays ?

— Je le sais. Mais j'ai déjà payé tout ce que je pouvais. J'ai fait mon devoir. »

La voix de l'autre bout du téléphone se tut un instant et Husseïni entendit en fond sonore le bruit d'un train. L'homme téléphonait sans doute d'une cabine proche du métro aérien ou bien dans le hall de La Salle Station.

« J'ai besoin de te rencontrer le plus tôt possible. Maintenant, si possible.

— Maintenant... ce n'est pas possible. Il y a quelqu'un avec moi, improvisa Husseïni.

— La secrétaire, hein ? Renvoie-la. »

Il savait même ça. Husseïni balbutia : « Mais... je ne peux pas. J'ai...

— Alors, viens me voir. Dans une demi-heure, au parking du Shedd Aquarium. J'ai une Buick Le Sabre grise, immatriculée dans le Wisconsin. Je te conseille de venir. » Il raccrocha.

Husseïni sentit le monde s'écrouler. Comment était-ce possible ? Il avait quitté l'Organisation après des années de durs combats, d'embuscades et de furieux conflits armés : il était parti en pensant qu'il avait totalement payé son tribut à la cause. Pourquoi cet appel ? Il aurait voulu ne pas y aller. D'un autre côté, il savait pertinemment, par expérience personnelle, que c'étaient des gens qui ne plaisantaient pas et surtout pas Abou Ahmid, l'homme qui l'avait appelé au téléphone et dont il ne connaissait que le nom de guerre.

Il soupira, puis éteignit la télé, mit un parka fourré, des gants ; il éteignit les lumières en fermant la porte derrière lui. Sa voiture était garée le long du trottoir, non loin de là. Il dut enlever avec la raclette la croûte de givre et de neige sur son pare-brise, puis il démarra.

Maintenant, la neige tombait, fine mais abondante,

poussée par le vent d'est, glacial. Il laissa sur sa droite les édifices néo-gothiques de l'université de Chicago et prit la 57e avenue jusqu'à Lake Shore Drive, quasi déserte à cette heure-là.

Il vit venir à lui le décor spectaculaire du centre-ville : vers lui s'avançait la silencieuse phalange de géants de verre et d'acier scintillant sur le ciel gris. Le sommet de la Sears Tower se perdait dans les couches basses des nuages et ses lumières les plus élevées palpitaient au cœur de la masse de brume comme des éclairs dans l'orage. Le John Hancock tendait ses antennes colossales au sein des nuées comme les bras d'un antique Titan condamné à soutenir le ciel pour l'éternité. Les autres tours, certaines d'entre elles incrustées de vieilles dorures sur leurs nervures de pierre noire, d'autres brillantes de métaux anodisés et de plastiques fluorescents, s'ouvraient comme en un éventail et défilaient sur les côtés comme d'énormes décors dans l'atmosphère magique de la neige qui tombait.

Il longea lentement le Museum of Science and Industry, spectral avec ses colonnes doriques, plongé dans une lumière verte qui lui donnait une couleur de bronze et il trouva peu après sur sa droite la longue presqu'île qui portait à un bout le Shedd Museum et, à l'autre, le tambour de pierre du Planétarium. Il la parcourut lentement, laissant de profonds sillons dans la couche blanche, suivant une trace précédente déjà partiellement effacée par la neige qui continuait à tomber sans cesse dans le pinceau lumineux de ses phares, dans le mouvement continu et régulier de ses essuie-glaces.

Il vit une voiture immobile, aux feux de position allumés. Il s'arrêta et sortit, se retrouvant les pieds dans la neige jusqu'aux chevilles. C'était bien cette voiture : il s'approcha, ouvrit la portière et s'assit.

« Bonsoir, Abou Ghaj. *As-salam 'aleyk.*

— *'Aleyk salam*, Abou Ahmid.

— Désolé d'avoir interrompu ta soirée...

— Tu n'as pas interrompu ma soirée, Abou Ahmid, tu as interrompu ma vie, dit Husseïni, la tête baissée.

— Il fallait t'y attendre. Nous retrouvons toujours les déserteurs, tôt ou tard, où qu'ils se trouvent...

— Je ne suis pas un déserteur. Quand je suis entré dans l'organisation, j'ai dit que je m'en irais quand je ne tiendrais plus le coup. Et tu as accepté ces conditions. Tu ne t'en souviens pas ?

— Je m'en souviens parfaitement, Abou Ghaj. Sinon, tu ne serais pas ici, maintenant, bien vivant, en train de parler avec moi... Reste que tu t'en es allé sans rien dire.

— Il n'y avait rien à dire. Tout était dans nos accords.

— Ça, c'est toi qui le dis ! rétorqua durement Abou Ahmid. C'est toujours moi qui décide. Et, ce jour-là, j'aurais pu décréter ta mort.

— Pourquoi ne l'as-tu pas fait ?

— Je ne prends jamais de décisions inconsidérées. Mais j'ai écrit ton nom dans mon registre, dans la colonne des débiteurs. »

Husseïni baissa la tête : « Et maintenant, tu es venu pour l'addition, non ? »

Abou Ahmid ne répondit pas mais, à ce silence, Husseïni comprit que sa vie ne suffirait pas pour régler cette addition.

« Ce n'est pas cela ? » demanda-t-il encore.

Abou Ahmid se mit à parler comme s'il commençait alors à exposer sa pensée : « Les circonstances sont si dramatiques et pressantes que nous sommes tous appelés à apporter notre contribution. Notre vie privée n'a plus aucune signification en ce moment.

— La mienne en a. Si c'est possible, laisse-moi hors de cela. Je n'ai plus ce type d'énergie ni de motivations. Je peux contribuer avec un peu d'argent, si tu veux, dans les limites de mes possibilités. Mais, s'il te plaît, laisse-moi hors de tout cela. Je ne peux vous être d'aucune utilité. »

Abou Ahmid se tourna brusquement vers lui : « Ton attitude pourrait pleinement confirmer une accusation qui, depuis longtemps, pèse sur toi : désertion ! Et j'ai le pouvoir de prononcer ta condamnation et la faculté d'exécuter la sentence ici, en cet instant précis. »

Husseïni aurait voulu dire : « Fais ce que bon te semble, salaud, et va en enfer », mais il regarda la neige qui tombait en dansant dans le rayon de lumière des réverbères et les mille lumières de la ville qui se reflétaient dans le cristal bruni du lac. Il dit : « Que veux-tu que je fasse ? »

Abou Ahmid commença à parler à voix basse, le menton baissé sur sa poitrine : « Quand je t'aurai dit ce qui va se passer, tu me remercieras de t'avoir recherché, de t'avoir donné la possibilité de participer à un moment historique pour nous et pour la nation. L'entité sioniste sera finalement effacée de la face de la terre, la ville sainte de Jérusalem sera restituée aux vrais croyants... »

Husseïni secoua la tête : « Je ne croyais pas possible que vous pensiez à un nouveau bain de sang, à d'autres massacres inutiles, comme si tout le sang versé ne suffisait pas.

— Cette fois c'est différent ; cette fois, la victoire est certaine.

— Mon Dieu... Vous avez toujours dit cela, à chaque fois, et à chaque fois la défaite a été plus humiliante. Regarde devant toi, Abou Ahmid. Tu les vois, ces tours colossales ? Chacune d'elles contient autant d'habitants que plusieurs de nos villages, chacune de ces tours est un monument élevé en hommage à une puissance économique souvent plus forte et plus riche que chacun de nos États. Elles sont le symbole d'un pouvoir impérial qui n'a, dans le monde, aucun point de comparaison et aucun rival, muni d'armes et d'engins si sophistiqués qu'en ce moment, ils pourraient entendre le moindre de nos mots et le moindre de nos souffles à des milles et des milles de distance. Et cette puissance veut que rien ne change dans l'actuel équilibre politique de notre région, malgré les provocations, malgré les violations des pactes. »

Abou Ahmid se tourna vers lui et le fixa avec un drôle de sourire : « On dirait que tu es devenu l'un des leurs...

— Je le suis, Abou Ahmid. Depuis des années, je suis un citoyen américain.

— La citoyenneté n'est qu'un bout de papier. Les racines de l'âme sont autre chose... quelque chose qu'on ne peut changer en aucune façon... Mais, quant à ce que tu as dit, tu te trompes. Cette fois, le combat sera à armes égales. Ils n'auront aucune possibilité de déployer leur potentiel destructeur. Cette fois, les armées islamiques libéreront Jérusalem comme aux temps de Salah ad-Din, elles se battront corps à corps sans que les hommes qui habitent le sommet de ces tours puissent changer le sort de la bataille. Cette fois, c'est nous qui l'emporterons, Abou Ghaj. »

Husseïni resta un instant silencieux ; le souffle qui sortait de ses narines se condensait en petits nuages de vapeur parce que la voiture s'était refroidie en restant à l'arrêt, moteur éteint, dans cette nuit hivernale. Il pensait à ce que pouvaient bien signifier ces mots : n'était-ce qu'un bluff ou bien Abou Ahmid cachait-il réellement un atout dans le jeu de l'histoire ? Husseïni n'arrivait pas encore à croire à ce qui lui arrivait.

Il chercha de nouveau à faire valoir ses faibles raisons : « Vous voulez vraiment commencer une guerre ? Déclencher la destruction de milliers d'êtres humains ? Je veux que tu saches que, pour moi, il n'existe pas de cause qui vaille cela... Je pense que l'Histoire enseigne quelque chose à l'humanité et que le plus grand de ces enseignements, c'est que la guerre est un prix trop élevé, dans tous les cas.

— Belles paroles, Abou Ghaj... Mais tu parlais différemment quand tu vivais dans les camps de réfugiés, quand, tous les jours, tu voyais la misère et la mort, la maladie et la faim, quand tu voyais ta famille exterminée par un bombardement ennemi... » Husseïni sentit sa gorge se nouer. « Alors, il te semblait que la seule issue pour les gens poussés au désespoir, c'était le combat. Penses-y bien, penses-y et tu verras que tes paroles si sages et conciliantes ne viennent que de ta vie confortable et tranquille. Elles ne sont que l'expression de ton égoïsme. Mais je ne veux pas insister ; ce n'est ni le lieu ni le moment de débattre de problèmes si complexes et difficiles. Je veux savoir de quel côté tu es.

— J'ai le choix ?

— Certainement. Mais ton choix, quel qu'il soit, a des conséquences.

— Bien sûr », dit Husseïni avec un signe de la tête ; il pensait : « Si je te donnais une certaine réponse, demain, on trouverait mon cadavre, rigide, étendu dans la neige tachée de sang. »

« Écoute, dit Abou Ahmid, nous avons besoin de toi ; je peux te garantir que tu ne seras pas mêlé à des opérations qui impliquent que soit versé du sang. Nous avons besoin d'une personne insoupçonnable, et moi seul connais ta véritable identité ; nous avons besoin d'un homme qui serve de repère ici, au sein du système, pour un groupe d'action qui va entrer dans ce pays.

— Et ce n'est pas pareil ?

— Non. Nous ne voulons pas répandre le sang inutilement. Nous voulons seulement pouvoir combattre notre ennemi à armes égales. Pour cela, nous devons immobiliser l'Amérique jusqu'à la fin du duel. Que cette fin soit notre victoire ou notre anéantissement, cela n'a pas d'importance, mais ce sera notre dernière bataille.

— Et moi, que devrais-je faire ?

— Trois groupes composés de nos meilleurs hommes, absolument insoupçonnables, devront agir à l'intérieur des États-Unis pendant le temps nécessaire. Ils ne se connaissent pas les uns les autres, ils ne se sont jamais vus, mais ils devront agir à l'unisson, en une coordination parfaite, chronométrique. Ils seront comme une arme meurtrière pointée sur la tempe du colosse, et toi, tu seras l'homme qui a le doigt sur la détente.

— Moi ? Pourquoi ?, demanda Husseïni, encore incrédule. Pourquoi pas toi, Abou Ahmid ?

— Parce que ma présence est requise ailleurs et parce que, ici, personne ne sait qui est Abou Ghaj. »

Husseïni se rendit compte que, désormais, tout avait déjà été fixé et programmé et qu'il n'avait aucune issue. Il suffisait qu'Abou Ahmid fournisse aux autorités américaines les preuves que le professeur Husseïni avait été en réalité Abou Ghaj, le terroriste recherché pendant des années par toutes les polices de l'Occident puis mystérieusement disparu dans le néant, et il finirait sur la chaise électrique.

« Quand devrait commencer cette opération ?, demanda-t-il.

— Dans cinq semaines : le 3 février. »

Husseïni baissa la tête en signe de reddition.

Abou Ahmid lui remit un appareil qui avait l'aspect d'une petite boîte noire : « Toutes les instructions codées arriveront sur ton ordinateur, qui les retransmettra aux destinations qui seront indiquées, mais ceci contient le système de réserve. Tu ne dois jamais le perdre et tu dois toujours l'emporter avec toi. Le mot de passe est celui de l'opération que nous allons déclencher : Nabuchodonosor. »

Omar al-Husseïni le rangea dans sa poche de veste, marcha jusqu'à sa voiture, démarra et disparut dans la neige qui tourbillonnait.

3

William Blake gara sa voiture en bas de chez lui à une heure du matin et alla vers la porte d'entrée du petit appartement qu'il louait. Ce serait la plus mauvaise nuit de Noël de toute sa vie, et pourtant le temps qu'il venait de passer chez son collègue lui avait un peu réchauffé le cœur, et pas seulement les membres engourdis par le froid. N'était un reste d'amour-propre, il aurait accepté son invitation à rester dormir sur le divan. Du moins, le lendemain, il aurait eu quelqu'un avec qui échanger quelques mots en prenant le café.

Il entendit un déclic sec au moment où il faisait tourner sa clé dans la serrure, mais ce n'était pas le bruit de la serrure de sa porte : c'était la portière d'une auto qui se fermait derrière lui. Il chercha à se glisser chez lui, craignant quelque mauvaise rencontre dans ce quartier qui n'était guère recommandable à cette heure, mais un pas silencieux l'avait déjà précédé et un bras venait se mettre en travers de l'entrée, lui interdisant le passage.

Il recula, cherchant à rejoindre sa voiture, mais il se heurta à une autre personne qui était déjà derrière lui.

« Ne craignez rien, docteur Blake, dit l'homme qui l'avait empêché d'entrer chez lui. Et excusez-nous pour l'heure indue, mais nous avons dû vous attendre jusqu'à maintenant parce que nous avons absolument besoin de vous parler.

— Je ne vous connais pas, fit Blake en regardant autour de lui avec inquiétude. Et si vous avez de bonnes intentions, vous pouvez aussi revenir dans quelques jours. Les gens passent généralement Noël en famille. »

L'homme qui lui avait parlé avait une quarantaine d'années, il portait un blouson en goretex et une casquette en fourrure synthétique. L'autre pouvait avoir cinquante ans, il portait un manteau de couturier et un très beau feutre.

« Ray Sullivan, se présenta-t-il en tendant la main. Je travaille pour la Warren Mining Corporation et je vous présente monsieur Walter Gordon. Nous avons un besoin urgent de vous parler. »

Blake réfléchit rapidement : des malfaiteurs n'auraient eu aucun intérêt à s'occuper de quelqu'un comme lui qui, par-dessus le marché, vivait en un lieu comme celui-là. De toute façon, il était libre, tant pour la nuit que pour le jour de Noël.

« Nous vous demandons de nous accorder quelques minutes, dit l'homme au manteau. Vous verrez que nous n'avions pas le choix. »

Blake acquiesça : « D'accord, entrez, mais la maison est petite, inconfortable et je n'ai rien à vous offrir.

— Il nous suffit d'échanger quelques mots », fit l'homme au blouson.

Blake alluma, les fit entrer et referma la porte.

« Asseyez-vous », dit-il, un peu rasséréné par l'aspect, somme toute civilisé, des deux personnages et par leur comportement respectueux.

« Nous vous prions encore d'excuser notre intrusion, docteur Blake. Nous pensions que vous rentreriez pour dîner : nous aurions préféré éviter une rencontre aussi déconcertante, en pleine nuit.

— Cela n'a pas d'importance. Et maintenant, j'espère que vous aurez l'obligeance de me dire le motif de votre visite parce que je suis très fatigué et je voudrais aller me coucher. »

Les deux visiteurs échangèrent un regard perplexe, puis celui qui avait été présenté comme Walter Gordon commença à parler.

« Comme vous l'a dit tout à l'heure mon ami Ray Sullivan, nous travaillons pour la Warren Mining Corporation et nous faisons actuellement une campagne de sondages au Moyen-Orient. Nous cherchons du cadmium. »

Blake hocha la tête : « Vous êtes complètement à côté de la plaque : je suis archéologue, pas géologue. »

Gordon poursuivit sans se décontenancer : « Nous savons parfaitement qui vous êtes, docteur Blake. Donc, je vous disais que nous sommes en train de réaliser cette campagne de sondages et, il y a trois jours, une de nos équipes, conduite par monsieur Sullivan était en train d'effectuer un carottage quand soudainement le terrain a commencé à s'ébouler comme s'il était englouti par un gouffre.

— Je m'approchai de l'ouverture ainsi créée, intervint Sullivan, pour me rendre compte du phénomène. Dans un premier temps, je pensai à un gouffre naturel : la zone où nous opérons en est pleine du fait de la présence de bancs de carbonate de calcium, mais il me suffit de jeter un regard de près pour me rendre compte qu'il s'agissait de tout autre chose. »

Le regard de Blake, voilé par la fatigue, se fit soudain attentif : « Continuez, je vous écoute, dit-il.

— La sonde avait perforé le plafond d'un hypogée artificiel et le soleil qui y pénétrait faisait briller quelque chose de métallique dans l'obscurité. J'éloignai l'équipe sous un prétexte quelconque et quand nous revînmes au camp pour dîner, je rendis compte de l'événement à monsieur Gordon, mon supérieur direct. Nous attendîmes que tout le monde dorme et nous retournâmes sur les lieux.

« C'était une belle nuit de lune et la couleur crayeuse du désert reflétait la lumière, de sorte qu'on pouvait s'y orienter presque comme en plein jour.

« Arrivés sur place, nous nous penchâmes sur le bord du trou pour éclairer l'intérieur avec une torche électrique. Le spectacle qui s'offrit à nos yeux nous coupa le souffle et nous restâmes quelques instants stupéfaits, sans savoir que dire. Bien que notre champ de vision fût restreint, nous pouvions nous rendre compte que, dans le souterrain, il y avait des objets de bronze, de cuivre, d'or, d'ivoire, et ce qu'on pouvait apercevoir avait toutes les caractéristiques du riche apparat d'une chambre sépulcrale.

— Je ne sais pas ce que vous éprouvez quand vous vous trouvez devant une grande découverte, intervint Gordon, mais je vous jure que, pendant quelques instants, je n'en crus pas mes yeux : j'étais dans un état d'émotion incontrôlable... Nous estimâmes que l'hypogée qui s'ouvrait au-dessous de nous était assez vaste, une chambre peut-être de quatre mètres sur cinq, haute de deux, d'où pouvaient partir d'autres chambres latérales.

« Ce que nous avons vu nous fait penser à une cavité naturelle adaptée par des hommes pour contenir cette fastueuse sépulture. La forme du sarcophage que nous réussissions partiellement à entrevoir, la présence de statues de divinités, le style des images ne laissaient aucun doute : nous étions dans la tombe d'un très haut dignitaire égyptien. Nous ne sommes pas des spécialistes mais, d'après ce qui s'offrait à nos regards, il aurait pu s'agir carrément d'un pharaon !

— Un pharaon ? Ce serait la première sépulture royale inviolée depuis que Carnavon et Carter ont ouvert la tombe de Toutankhamon.

— C'est ce que nous nous sommes dit. Mais alors...

— Cependant... Cela pourrait être une sépulture de l'époque hellénistique, quand les Ptolémées avaient adopté en tout point le cérémonial pharaonique. Mais, comme ça, sans voir directement le matériel, il est difficile de se prononcer. Vous n'êtes pas descendus à l'intérieur, si j'ai bien compris.

— Non, le trou n'était pas assez large. Et voici le motif de notre visite, dit Sullivan. Nous voudrions que vous vous occupiez de cette découverte que nous avons jusqu'à maintenant tenue absolument secrète. Le lieu est surveillé par des gardes armés qui ont ordre de tirer à vue. »

William Blake se passa la main dans les cheveux et soupira. Il était épuisé et cette journée interminable, au lieu de se conclure par le repos, se prolongeait par une suite d'émotions de plus en plus fortes. « Je vous remercie d'avoir pensé à moi, dit-il, c'est la dernière chose à quoi je me serais attendu en une journée comme celle que je viens de passer... mais je crains de ne pas pouvoir accepter. Pour deux motifs : en premier lieu, vous auriez dû informer les autorités ; c'est à elles qu'il revient de nommer un inspecteur qui prenne la direction des travaux d'identification et de recensement du matériel. En outre, du fait d'une série de vicissitudes dont je n'ai pas l'intention de vous accabler, je suis catalogué en Égypte comme *persona non grata*. Et, de toute façon, je n'arrive pas à comprendre la nécessité de cette espèce d'embuscade à une heure du matin...

— Pour répondre à votre première objection, docteur Blake, l'interrompit Gordon, notre activité se déroule sur un territoire absolument *off limits*. Et c'est précisément l'armée qui ne veut pas que la direction des Antiquités soit informée. Trop de gens interviendraient sur cette question et le bruit de la découverte attirerait trop l'attention sur cette zone. Aussi, d'un commun accord avec nos hôtes, nous avons décidé de nous fier, pour l'instant, à la collaboration d'un spécialiste de confiance qui puisse nous assurer la plus grande discrétion. Quant à la deuxième objection, nous sommes au courant de vos vicissitudes et le fait que vous soit interdite l'entrée en Égypte n'a absolument aucune importance. Vous devriez venir avec nous, maintenant. C'est pourquoi nous avons attendu que vous rentriez. »

Blake se retourna vers lui avec un regard étrange, comme s'il avait soudain compris le sens véritable de cette demande : « Maintenant ? » demanda-t-il.

Gordon confirma d'un signe de tête :

« Le jet privé de la compagnie doit absolument décoller de l'aéroport de Midway dans une heure. Si vous voulez mettre quelque chose dans une valise, il vous reste environ quinze minutes. »

Blake resta silencieux quelques instants. « Il va de soi, fit Sullivan, qu'une compensation est prévue pour votre travail. Et, compte tenu des circonstances et du désagrément que nous vous causons, il devra s'agir d'une compensation consistante. »

Blake ne répondit pas. Ce n'était pas l'argent qui l'intéressait tellement. Il aurait fait cela gratis pour reprendre son travail.

Il pensa à Judy qu'il ne reverrait probablement jamais plus et découvrit que cela ne le bouleversait pas plus que ça ; il pensa au docteur Husseïni qui lui avait offert l'hospitalité la veille de Noël : tout semblait maintenant incroyablement lointain, comme si cela s'était produit plusieurs jours auparavant. « Ça va, dit-il. Laissez-moi seulement le temps de prendre ma brosse à dents et de mettre quelques fringues et quelques outils dans une valise. »

Les deux hommes échangèrent un regard satisfait :

« Vous avez pris la meilleure décision, docteur Blake,

dit Gordon. Je peux vous assurer que ce qui vous attend est au-delà de tout ce que vous pouvez imaginer.

— Il y a une chose dont je veux qu'elle soit bien claire : l'argent ne m'intéresse pas. Je vois que vous êtes bien renseignés sur mon compte et vous savez sûrement que je suis à sec, mais ça ne veut rien dire. Je ne suis pas à vendre, à aucun prix : la seule chose qui m'intéresse, c'est la garantie que je pourrai rendre public le matériel découvert.

— Votre requête est plus que compréhensible, lança Sullivan. Mais ça, c'est une question dont vous devrez traiter avec nos dirigeants. Nous sommes toutefois certains que vous trouverez un accord raisonnable avec nos supérieurs de la Warren Mining. »

Blake se rendit parfaitement compte qu'il se fourrait dans un guêpier, mais il pensa que l'alternative, c'était de chercher un petit boulot dans quelque petite université de province ou dans quelque *high school* privée.

« *Alea jacta est* », dit-il en se levant pour aller dans sa chambre préparer son bagage. Le petit sourire perplexe de ses hôtes lui fit comprendre qu'ils ignoraient le latin, même celui des citations les plus courantes.

Il mit dans sa valise ses vêtements de fouilles, sa truelle et son grattoir, la grammaire égyptienne de Gardiner, ses sous-vêtements, sa trousse de toilette, sa crème solaire, une boîte de Tylénol et une de Maalox ; il prit aussi son Prozac, mais ensuite, il jeta le flacon dans la corbeille à papiers, sachant parfaitement qu'il n'en aurait plus besoin dès qu'il foulerait les sables du désert. Il prit son matériel de photo, le tout en cinq minutes, et rejoignit ses compagnons de voyage.

« Je ferme le gaz et je vous rejoins, dit-il. Pendant ce temps, mettez le moteur en marche. »

La Mercury noire prit le large dans la métropole déserte, et Blake, assis à l'arrière, semblait hypnotisé par le clignotant jaune d'un chasse-neige qui les précédait en soulevant un nuage immaculé qui retombait sur le côté droit de la route. Il avait désormais laissé derrière lui sa longue journée de bagarre et il pensait que ce Gordon, en fin de compte, avait été pour lui comme une espèce de Père Noël qui lui avait apporté son cadeau de très bonne heure : toute une tombe égyptienne inviolée et, éventuellement, quelque chose de plus.

Il était tout excité à l'idée que, dans quelques heures, il survolerait les eaux du Nil et qu'ensuite il se plongerait dans l'atmosphère aride et limpide du désert, sa dimension naturelle, que bientôt il respirerait la poussière des millénaires et qu'il réveillerait un important personnage endormi depuis trente siècles.

Ils arrivèrent à l'aéroport de Midway. Sullivan montra un document au responsable de la sécurité qui surveillait l'entrée et celui-ci le fit passer. Ils parcoururent une piste de service jusqu'à l'accès à un Falcon 900 EX en attente, moteurs en marche. Quand ils sortirent de la voiture, ils furent pris dans une bourrasque de neige fondante ; Gordon retint son chapeau sur sa tête jusqu'au moment où il fut à l'intérieur du jet. Blake le suivit et, avant d'entrer, il se retourna pour jeter un dernier regard sur la ville couverte de neige et pleine de lumières colorées. Il se rappela l'époque où il était enfant et où, la nuit du 24 décembre, il levait le nez vers le ciel dans l'espoir de voir le traîneau du Père Noël avec ses rennes, volant entre les gratte-ciel de la ville, dans une nuée de poussière d'argent comme dans les dessins animés ; il se demanda s'il remettrait jamais les pieds dans cette ville.

Sullivan monta derrière lui et ils s'installèrent tous les trois dans leurs confortables fauteuils.

Le Falcon roula rapidement sur la piste et jaillit comme une flèche vers le ciel gris. Peu après il planait dans la nuit cristalline, dans le ciel de Noël, parmi les froides constellations boréales.

La vieille Mercedes avançait dans un nuage de poussière, blanche dans la lumière lunaire sur le fond noir des roches et de la steppe, dans la direction des ruines colossales de Baalbek. Quand elle parvint à l'entrée de la vallée des Temples, elle s'arrêta et éteignit ses phares. Les six colonnes du temple de Jupiter Héliopolitain se dressaient vers le ciel étoilé, tels des piliers de l'infini : l'homme assis sur le siège arrière regarda cette merveille en silence, à l'écoute des pensées qui surgissaient en son esprit. Il pensait à tous ceux qu'il avait vu mourir au cours des innombrables conflits dont était constellée sa vie : mourir sous les bombardements, mourir au combat, fauché par une mitrailleuse, déchiqueté par une mine ou par une grenade. Il pensait à ceux qu'il avait vu mourir de faim et de désespoir, de maladie, de blessures, il pensait à leurs âmes qui erraient la nuit dans le désert, sans paix.

C'était là, malgré tout, un des rares moments où il pouvait reposer son corps et son esprit, le moment de l'attente. Il baissa la vitre et alluma la dernière des trois cigarettes quotidiennes que son médecin lui accordait comme extrême transgression et il regarda le ciel noir et étoilé. C'était en des moments comme celui-là qu'il se rappelait son enfance et sa jeunesse, ses parents qu'il n'avait connus que trop brièvement, les femmes qu'il n'avait pas pu aimer, les études qu'il n'avait pas pu porter à terme, les amis qu'il n'avait pas pu fréquenter. Parce qu'il n'avait jamais eu assez de temps.

Il se rappelait ses rapports et ses fréquentations avec toutes sortes de personnages : des princes et des émirs du pétrole, des tyrans avides uniquement de pouvoir et d'argent, des chefs religieux parfois cyniques, parfois visionnaires, des jeunes dévorés par la haine et par le fanatisme, uniquement du fait de la frustration de ne pouvoir posséder les fétiches du bien-être occidental, des agents des services secrets qui jouaient double jeu, des banquiers enrichis sur la misère des pauvres, sur les spéculations les plus répugnantes.

Il les avait tous utilisés, au moins autant qu'il les avait méprisés, et à aucun d'entre eux il n'avait jamais dévoilé sa véritable identité : il attendait le jour où l'on rendrait les comptes, quand le plan le plus ambitieux qu'un Arabe eût jamais conçu depuis les temps de la bataille de Poitiers se réaliserait en lui donnant la victoire sur ses ennemis, le leadership sur une nation qui s'étendrait de l'Himalaya à l'océan Atlantique et le contrôle d'un tiers des ressources énergétiques de toute la planète.

Il se ressaisit quand un homme vêtu d'un habit sombre émergea de l'obscurité et se dirigea à pied vers sa voiture. Il l'observa tandis qu'il s'approchait et se penchait à la portière et le saluait.

Il répondit à son salut, sortit de la voiture et le suivit

jusqu'à une maisonnette basse, crépie de boue séchée, et il entra derrière lui.

C'était un vieillard au dos courbé et aux yeux voilés par la cataracte.

« Bienvenue, *effendi*, lui dit ce dernier en le faisant entrer.

— Quelles nouvelles ?

— Bonnes nouvelles, répondit le vieillard. On m'a dit de te rapporter ceci : "Trois ânes ont été achetés au marché de Samarkand, comme tu l'avais ordonné, et ils ont été payés au juste prix. Maintenant, le muletier les conduit chacun à son écurie, comme tu l'avais ordonné." »

De la tête, l'hôte fit un signe d'approbation : « Allah soit remercié, dit-il. Tout se déroule pour le mieux. Maintenant, mon bon ami, dis à nos amis qui devront me suivre en pèlerinage de me rejoindre. Trois d'entre eux me verront à Bethléem, trois à Naplouse, trois à Gaza.

— Veux-tu que je fasse préparer votre hébergement à La Mecque, *effendi* ?

— Non, mon ami. Ceci est un pèlerinage que nous effectuerons à l'ancienne, à dos de chameau. Ne te soucie de rien d'autre. »

Ils se donnèrent l'accolade et l'hôte retourna vers la voiture qui l'attendait au pied des colonnes de Baalbek. Le vieillard suivit du regard la silhouette qui s'éloignait, à peine plus qu'une ombre pour sa vue incertaine, puis il tourna ses regards vers le grand temple et ses six colonnes lui apparurent comme six colosses montant la garde en silence dans le cœur de la nuit afin que nul regard indiscret ne se posât sur le petit homme voûté qui s'éloignait.

Il ne l'avait jamais vu auparavant, il n'aurait pas pu le décrire plus tard, à part son keffieh à carreaux blancs et noirs, une veste grise portée sur une djellaba blanche, mais il savait qu'il avait parlé à l'homme le plus recherché sur terre, celui que les ennemis auraient voulu avoir entre leurs mains plus que tout autre.

Abou Ahmid.

L'air de Bethléem était embaumé d'encens et la ville était encore plongée dans l'atmosphère de Noël : des milliers de pèlerins grouillaient sous le soleil par les rues de la ville et le long des éventaires et des boutiques du bazar.

Parmi la foule qui parlait toutes les langues passa un prêtre orthodoxe vêtu de noir, coiffé du *polos* couvert du long voile noir, portant au cou les icônes d'argent ; passa un humble frère franciscain aux sandales poussiéreuses et à la ceinture de corde, puis encore un mullah, la tête enveloppée du turban blanc. Les gens les regardèrent : ils étaient le témoignage de la multiplicité des diverses voies suivies par l'homme pour atteindre l'unique Dieu.

Personne ne regarda l'homme au keffieh à carreaux blancs et noirs, à la veste grise portée sur une djellaba blanche et à la sacoche de laine en bandoulière, qui sortait de la ville et entrait dans une maisonnette à deux étages, au crépi écaillé, située au croisement entre Souk el-Berk et Aïn Aziza.

Une femme, une veuve âgée, l'attendait dans la maison déserte et l'accompagna à la pièce principale : une modeste chambre au dallage recouvert de vieux kilims et de quelques coussins. La femme souleva l'un des kilims, découvrant une trappe de bois qui donnait sur un sous-sol qu'éclairait la faible lumière d'une lampe électrique ; l'homme descendit une échelle de bois tandis que la femme refermait la trappe derrière lui et replaçait le kilim.

L'homme parcourut un petit couloir fort étroit puis entra dans une autre pièce d'environ deux mètres sur trois, éclairée elle aussi par une seule lampe qui pendait du plafond, et dont le pavement était couvert d'une natte. Il se trouva face à trois hommes, assis sur leurs talons, le visage entièrement couvert de leur keffieh.

L'homme avait lui aussi le visage couvert et sa voix résonna sourdement à travers le tissu qui couvrait sa bouche, sous le bas plafond : « Frères, dit-il, votre mission va commencer et elle est d'une telle importance que d'elle dépendra la réussite de l'opération Nabuchodonosor et la victoire de notre cause. Nous avons médité pendant des années sur les causes de nos défaites et nous ne répéterons pas les erreurs du passé.

« Cette fois, nous ne bougerons que lorsque nous parviendra le signal que les paquets sont bien arrivés à destination. Et nous bougerons à coup sûr. Comme vous le savez, il s'agit de paquets volumineux qui attireraient l'attention : ils seront donc divisés en trois parties, une pour chacun de vous. »

Il porta la main à sa sacoche et en tira trois enveloppes qu'il remit à chacun des trois hommes : « Voici de l'argent liquide, des cartes de crédit de l'International City Bank et les instructions relatives au retrait et à la remise de votre paquet.

« Vous les apprendrez par cœur ici, devant moi, et quand ce sera fait, je les détruirai. Les instructions vous indiquent aussi comment vous mettre en contact avec le coordinateur de l'opération sur le sol américain. Son nom de code est Nabuzardan et, avec lui aussi, vous ne communiquerez qu'en code et vous ne le rencontrerez personnellement qu'en cas d'absolue nécessité ou à ma demande explicite.

« Si vous êtes découverts, vous ferez exploser les charges que vous porterez sur vous en cherchant à faire le plus grand nombre possible de victimes parmi nos ennemis. Vous n'aurez pitié ni des vieillards, ni des femmes, ni des enfants, pas plus qu'ils n'en ont eu pour nos pères, nos fils, nos épouses. Une fois votre mission menée à terme, vous rentrerez à la base parce qu'il y aura besoin de combattants valeureux et bien entraînés comme vous pour la dernière bataille. » Il scanda les derniers mots comme s'il prononçait une formule sacrée : « Le siège et la conquête de Jérusalem. »

Les trois hommes prirent les enveloppes, en retirèrent l'argent et les cartes de crédit ; ils lurent attentivement les instructions puis, l'un après l'autre, celui qui semblait le plus jeune venant en dernier, ils rendirent leurs feuilles, qui furent aussitôt brûlées dans un plat de cuivre posé sur la natte.

« *Allah Akbar* ! » dit l'homme.

« *Allah Akbar* ! » répondirent les trois autres.

Peu après, il marchait sous le soleil de la belle journée hivernale au milieu de la foule du bazar de Bethléem. Il passa sous une banderole qui disait, en trois langues :

Paix sur la terre aux hommes de bonne volonté.

Les trois combattants d'Allah sortirent en revanche l'un après l'autre à intervalles d'environ une heure.

Ils partirent, chacun vers sa destination, tels les chevaliers de l'Apocalypse. Le premier avait pour instruction de rallier Beyrouth et, de là, par avion, Limassol, où il s'embarquerait sur un navire marchand chypriote pour New York.

Le deuxième devait parvenir en voiture à Alexandrie, où il s'embarquerait sur un pétrolier pour New Haven, dans le Connecticut.

Le troisième devait embarquer à Jaffa pour Barcelone où il prendrait un vol Iberia pour San José de Costa Rica et, de là, par Puerto Limòn, un bananier de la United Fruits qui allait à Miami, en Floride.

Deux jours plus tard, Abou Ahmid prit contact avec trois autres jeunes gens à Naplouse, dans une mosquée de la vieille ville ; et deux jours plus tard encore, il en rencontra trois autres à Gaza, dans une baraque d'un camp de réfugiés.

Tous les six, de même que les trois de Bethléem, étaient des combattants-suicide, voués à la mort et entraînés à affronter n'importe quelle situation. Ils eurent eux aussi leurs instructions et l'itinéraire de leur voyage.

Dès le premier moment de leur départ, ils étaient des pions sur l'échiquier d'Abou Ahmid, chacun d'eux était interchangeable avec les autres en cas de nécessité et chaque groupe, une fois sa mission accomplie, pourrait détacher l'un de ses membres pour compenser les pertes subies par les autres groupes, au cas où il y en aurait eu, jusqu'au moment où les trois objectifs fixés seraient atteints.

Ils parlaient tous l'anglais sans accent, ils savaient utiliser n'importe quel type d'arme blanche ou d'arme à feu, ils connaissaient les arts martiaux, étaient capables de piloter un avion ou un hélicoptère, de sauter en parachute, d'escalader une paroi rocheuse ou en béton, de nager sous l'eau avec ou sans bouteille.

Ils n'avaient pas de nom et n'étaient identifiés que par des numéros, ils n'avaient ni père, ni mère, ni frère, et leurs papiers étaient aussi faux que parfaitement imités. Ils ne tenaient aucun compte de leur propre vie parce que, pendant des années, ils avaient été éduqués à la dépenser, à tout instant, pour leur cause, à un simple signe de leur chef. Ils pouvaient survivre des jours et des jours avec un biscuit et quelques gorgées d'eau, ils étaient capables de supporter la faim et la soif, le chaud et le froid, d'affronter toutes les souffrances, de supporter la torture.

Chacun des trois groupes dépendait un leader qui avait tout pouvoir sur ses compagnons, y compris de décider de la vie et de la mort.

Du début à la fin, l'opération Nabuchodonosor reposerait sur leur résistance.

Quand ils seraient tous arrivés à destination avec leur chargement, ils avertiraient « Nabuzardan » qui, à son tour, l'avertirait, lui, Abou Ahmid. Alors serait déclenchée la deuxième phase de l'opération, celle de l'action militaire proprement dite, étudiée jour et nuit, pendant deux ans, dans ses moindres détails.

Il ne lui restait plus qu'à attendre d'un bon lieu d'observation et à récapituler tout le plan du début jusqu'à la fin. Il rejoignit Damas et, de là, se fit conduire à sa tente dans le désert, non loin de Deir ez-Zor.

C'est là qu'il était né environ soixante-dix ans plus tôt et sa petite tribu bédouine était encore fidèle à la mémoire de son père et à lui-même qu'ils connaissaient sous le nom de Zahed al-Walid. Il se levait le matin au lever du soleil et contemplait les eaux de l'Euphrate incendiées par l'éclat de l'astre naissant, il regardait les troupeaux partir pour leur pâturage à la suite de leurs bergers, les femmes descendre au fleuve pour laver le linge et d'autres allumer le feu dans les fours de boue séchée pour y cuire le pain qu'on servait parfumé, odorant de feu et de cendre. Le soleil faisait scintiller les pièces de monnaie qu'elles portaient comme ornement sur le front et elles semblaient, dans leur beauté brunie, d'antiques reines du passé : Balkis qui avait séduit Salomon ou Zénobie qui avait charmé Aurélien.

Il faisait de longues chevauchées dans le désert, dans la direction de Kamechliyé, et il s'éloignait tellement qu'il ne voyait plus rien, où qu'il portât son regard. Se sentir seul entre ciel et terre sur la croupe de sa bête lui donnait une sensation profonde et terrible de puissance. Alors, il descendait de cheval et marchait nu-pieds sur la surface désertique qui, autrefois, avait été la terre luxuriante du jardin d'Éden, ou bien, assis sur ses talons, les genoux croisés, il méditait en silence, pendant des heures, les yeux fermés, accédant à une concentration quasi totale, atteignant une dimension quasi transcendantale, comme si, dans ses membres ainsi resserrés, se distillait la force du ciel et celle de la terre.

Il rentrait d'ordinaire au soleil couchant et dînait sous la tente en compagnie des chefs de famille, avec du pain, du sel et de la viande d'agneau rôtie, puis il restait jusque tard dans la nuit, assis sur les coussins, à boire de l'ayran et à bavarder de choses futiles et insignifiantes, comme la grossesse des chamelles et le prix de la laine au marché de Deir ez-Zor. C'est ainsi qu'il retrouvait ses forces et qu'il affûtait son esprit à l'approche de la plus grande partie qu'on eût jamais jouée sur terre depuis le temps où Esaü avait perdu son droit d'aînesse pour un plat de lentilles. Il ne voulait pas l'admettre, mais il savait très bien, au fond de son cœur, que, de l'autre côté de l'échiquier, il y avait un joueur tout aussi habile et dangereux, un homme à l'aspect humble et soumis comme lui, capable de contrôler dans le même instant mille situations différentes, méfiant et insomniaque, probablement dépourvu de quelque sentiment qui ne fût la considération de soi-même et de sa propre habileté : le chef du Mossad, Gad Avner. En fin de compte, la partie se conclurait entre eux deux et l'enjeu serait la ville de Dieu : Jérusalem.

Cela ne rendrait le monde ni meilleur ni pire, quel que fût le vainqueur, mais on joue pour vaincre, on combat pour l'emporter, les offenses doivent être vengées, les torts réparés.

À des millénaires de distance, Ismaël revenait du désert où il avait été relégué, pour revendiquer son rôle de premier-né d'Abraham.

Abou Ahmid resta dix jours sous sa tente dans le désert puis il revint, d'abord à Damas puis à Amman, pour reprendre les contacts avec les hommes qui conduiraient la bataille sur le terrain : les fous, les tours, les cavaliers de son gigantesque échiquier.

Il attendit quelques jours dans un hôtel du centre jusqu'au moment où il reçut le message qu'il attendait : l'heure et le lieu d'un rendez-vous au milieu du désert, à trente milles au nord-est d'une station de pompage de l'oléoduc F7.

Il partit en taxi vers le soir et voyagea sur la route de

Bagdad jusqu'au-delà de la frontière, puis il quitta le taxi dans une station-service et se joignit à une petite caravane de Bédouins qui partait en direction du sud-est, vers l'oléoduc.

Ils le laissèrent à l'endroit convenu et il attendit, seul, jusqu'au moment où lui parvint, venant de l'orient, le vrombissement du moteur d'un hélicoptère, un gros MI 24 de combat de fabrication russe, armé de missiles, de canons et de lance-torpilles. Il volait à quelques mètres du sol, soulevant un épais nuage de poussière sur son passage, puis il survola l'oléoduc, s'arrêta, immobile et, enfin, descendit et toucha terre à une distance d'une centaine de mètres. Les pales du rotor tournèrent encore quelques minutes, puis ralentirent, s'arrêtèrent. La porte s'ouvrit et il en sortit un officier portant un béret de conducteur de char et un blouson d'aviateur ; il s'avança à pied. L'hélicoptère éteignit ses lumières et la zone fut plongée dans l'obscurité et le silence.

Les deux hommes se trouvaient maintenant face à face.

« *As-salam 'aleyk*, général Taksoun, dit Abou Ahmid.

— *'Aleyk salam*, répondit l'officier avec un léger signe de tête.

— Je suis heureux que vous ayez accepté de me rencontrer. »

Un vent froid soufflait et la pluie menaçait. Le général était un homme bien bâti, d'un peu moins de cinquante ans, au visage brûlé et aux grosses mains de paysan du Sud, mais d'une fierté remarquable dans le port et dans le regard.

« Cette rencontre est très dangereuse, Abou Ahmid, dit-il. Elle devra durer le moins de temps possible.

— Je suis d'accord, général. J'ai demandé cette rencontre parce que ce que j'ai à vous dire est d'une telle portée qu'aucun message ni aucun émissaire n'aurait eu le poids et l'effet que requiert une telle communication. En outre, la réponse ne peut en aucune manière être portée par un intermédiaire, mais je dois absolument l'entendre de votre bouche.

« Vous allez abandonner votre... collaboration avec les Américains et passer de notre côté. »

L'homme eut un sursaut : « Je ne resterai pas une minute de plus si vous...

— Ne vous fatiguez pas, général, nous avons une documentation incontestable sur ce que je viens de dire et nous sommes prêts à la transmettre à votre raïs si vous ne vous calmez pas et si vous ne m'écoutez pas très attentivement. »

Taksoun le regarda avec stupéfaction, sans mot dire. Il ne voyait que les yeux de son interlocuteur parce que le reste du visage était couvert et il ne parvenait que par moments à capter l'expression de ce regard, une lueur incertaine et fuyante qui engendrait l'inquiétude.

« Vous ne devrez pas modifier votre plan d'une virgule et vous pourrez même compter sur notre collaboration, bien plus fiable que celle de vos amis, qui ne connaissent ni les hommes ni le territoire... Rassurez-vous, poursuivit-il, en voyant l'expression décontenancée de son interlocuteur. Personne d'autre que moi, et une personne en qui j'ai toute confiance, n'est au courant de cette situation, vous n'avez donc rien à craindre. Vous jouissez au contraire de la considération de nombreux milieux importants dans cette zone du monde ; vous avez en particulier la sympathie des Iraniens du fait de votre foi chiite. Et vous avez aussi la mienne, pour ce qu'elle peut valoir. Pour vous le prouver, je vous ai apporté un cadeau. » Il sortit de sa poche une photo et la lui remit.

« Qu'est-ce que c'est ? demanda le général.

— Un combattant du Djihad voué au suicide, un soldat de la garde présidentielle. C'est lui qui fera sauter votre raïs le jour de la parade de façon bien plus sûre que ce que pourrait faire le commando que vous aviez préparé. Il y a de multiples possibilités que vous soyez découvert avant de pouvoir agir, ce qui vous ferait presque certainement fusiller dans le dos. Donc, ne bougez pas, nous nous occupons de tout.

« Dès que Bakri aura explosé, vous ferez solennellement ensevelir les quelques restes que vous réussirez à ramasser sur toute la place d'armes, puis vous prendrez le commandement suprême des forces armées et vous vous ferez le jour même élire chef d'un gouvernement provisoire dans l'attente d'élections qui auront lieu à une date à déterminer.

« Puis vous engagerez immédiatement des contacts diplomatiques avec les Américains pour établir aussitôt après, secrètement, un plan d'alliance étroit avec le nouveau président syrien, qui adhère à notre projet. Il prendra des contacts avec les Iraniens, qui nous appuient de toute manière, et avec les groupes intégristes que nous leur indiquerons en Égypte et en Jordanie.

« C'est moi qui fixerai les rendez-vous et rencontres en des lieux secrets. »

Le général Taksoun leva les yeux au ciel, lequel se couvrait de nuages ; puis il chercha encore du regard son interlocuteur caché dans l'obscurité, le visage à demi masqué par son keffieh.

Abou Ahmid fit un signe de tête en regardant lui aussi les nuages noirs qui s'accumulaient, poussés par le chamsin. « Il va y avoir une tempête..., dit-il, semblant un instant écouter le souffle du vent qui forcissait. Une tempête comme le monde n'en a jamais vu depuis la fin de la dernière guerre. Et ce sera Armagueddon. »

Taksoun secoua la tête : « Vous voulez déclencher une nouvelle guerre, Abou Ahmid ? Ce n'est plus possible. Il n'est resté qu'une super-puissance au monde et sa suprématie militaire est écrasante. Il n'y a pas d'alliance qui tienne... Les temps de Salah ad-Din et de Haroun ar-Rachid ne reviendront pas... Mon choix n'était pas une trahison de la cause arabe mais le seul moyen pour arracher mon pays à sa misère actuelle et à son état d'abjection civile et politique.

— Je vous crois, général. Mais écoutez : cette fois, il n'y aura pas de super-puissance en lice. Le combat ne sera disputé que par les forces présentes sur le terrain dans cette région du monde. Pour le moment, je ne peux vous dire comment cela se fera avant que la partie initiale de mon plan ne se soit réalisée, mais vous vous en rendrez compte en son temps. Ce que je peux vous garantir de la façon la plus absolue, c'est que l'Amérique sera ligotée de l'autre côté de l'océan, sans pouvoir déplacer ni un navire, ni un avion, ni un seul homme. L'Amérique aura un pistolet pointé sur sa tempe et c'est moi, moi personnellement, qui aurai le doigt sur la détente. »

Taksoun le regarda fixement, cherchant à imaginer ce qui passait par la tête de son interlocuteur, lequel poursuivit : « À ce moment, vos forces interviendront de façon foudroyante dans deux directions. » De la pointe de sa canne, il esquissa un tracé sur le sol sableux : « L'une au sud, avec l'appui iranien, avancera jour et nuit jusqu'aux puits de pétrole du Koweït et de l'Arabie saoudite, qui seront tous minés. Nous aurons ainsi entre les mains un tiers des ressources pétrolières de la planète. Le gros des forces se dirigera vers l'ouest et rejoindra celles des autres États arabes sous les murs de Jérusalem.

« Vous, vous conduirez l'ensemble de cette armée et je peux vous garantir que vous en serez le commandant suprême. »

Quelques gouttes de pluie tombèrent sur le sable avec de petits bruits sourds et, dans l'air, se répandit une odeur agréable de poussière refroidie.

« Que me répondez-vous, général ? »

Taksoun se mordit nerveusement la lèvre inférieure :

« Et après, que se passera-t-il ? Une menace comme celle que vous avez élaborée ne peut être brandie indéfiniment. Si je tiens un pistolet sur la tempe d'un homme sans jamais appuyer sur la détente, tôt ou tard il réussira à me surprendre et à me désarmer.

— Cela aussi, c'est prévu, rétorqua Abou Ahmid. Qu'il vous suffise de savoir que, lorsque nous serons prêts, nous négocierons en position d'avantage absolu. Alors, que me répondez-vous, général ?

— Vous avez l'air très sûr de vous, Abou Ahmid. Mais, si moi, maintenant... »

Abou Ahmid regarda sa main qui s'appuyait sur la crosse de son pistolet.

« Vous oubliez qu'il y a quelqu'un d'autre que moi qui sait tout de vous et, au cas où vous voudriez prendre ce risque, vous n'arriveriez jamais à votre quartier général, mon ami. Votre pilote n'est-il pas, par hasard, un jeune lieutenant originaire de Zacko, qui a servi il y a encore deux semaines à la base d'Erbil, et qui a l'habitude de porter son revolver sur la hanche droite ? »

Taksoun se retourna stupéfait vers l'hélicoptère puis il sembla méditer quelque temps en silence. « D'accord, fit-il. C'est d'accord. Vous pouvez compter sur moi, lâcha-t-il finalement.

— Et vous sur moi, à toute heure du jour et de la nuit et par n'importe quel temps. »

Le vent souffla plus fort et un éclair illumina soudain les nuages lourds qui pesaient sur l'horizon.

« Mais comment ferai-je...

— Vous ne pourrez jamais prendre contact avec moi pour la simple raison que vous ne savez pas qui je suis ni où je me trouve. C'est toujours moi qui vous chercherai. Et qui vous trouverai.

— Alors, adieu, Abou Ahmid.

— À bientôt, général Taksoun. Le jour de la parade militaire est proche. *Allah Akbar.*

— *Allah Akbar* », répondit le général. Il s'inclina pour saluer et se dirigea vers l'hélicoptère que le pilote mettait en route. Les pales du rotor commencèrent à tourner, de plus en plus vite, la machine s'éleva en l'air. En bas, l'homme enveloppé dans son keffieh devint tout petit puis disparut derrière un voile de pluie. Le général détourna le regard du sol et resta longtemps à méditer, tandis que l'hélicoptère survolait les rives désertes de l'Euphrate. Puis, soudain, il s'adressa au pilote : « D'où êtes-vous, lieutenant ?

— De Zacko, mon général. »

Le même jour, au cœur de la nuit, Gad Avner sortit de la réunion du conseil de sécurité de l'État, la rage au ventre. Les politiciens, comme d'habitude, avaient passé la plus grande partie de leur temps à s'entre-déchirer et à se contrarier sans prendre aucune mesure sérieuse quant aux demandes qu'il avait formulées concernant un financement supplémentaire des services de renseignements.

Ils lui avaient demandé des preuves, des indices solides qui pussent justifier un engagement financier d'une telle importance et lui n'avait pu opposer que le flair du limier, l'intuition, la sensation du péril imminent. Rien de concret, selon eux. Des mouvements de personnages étranges, la nervosité de certains milieux financiers, des déplacements suspects et massifs de capitaux, une inquiétante euphorie chez les prisonniers politiques. Et deux mots : « opération Nabuchodonosor ».

« Et vous demandez un financement exceptionnel de

cinq cents millions de shekels pour deux mots ? lui avait demandé le leader de l'opposition. C'est idiot.

— Vous savez qui était Nabuchodonosor ? lui avait rétorqué Avner. C'est le roi de Babylone qui prit Jérusalem en 586 av. J.-C., qui détruisit le Temple et déporta la population en Mésopotamie. » Après quoi, il s'était levé et était sorti en claquant la porte.

Il se trouvait maintenant à quelques pas du mur des Lamentations, à l'entrée d'une cour intérieure où il avait garé sa voiture. Un grand silence régnait sur tout le quartier et on ne voyait presque personne dans les rues.

Il démarra et passa sur la place du Mur, gardée par des soldats en tenue de combat et combinaison camouflée et, de là, il poursuivit en direction du King David Hotel où l'attendait un de ses hommes pour lui communiquer une information importante.

C'était une recrue récente mais plutôt bonne : un sous-lieutenant des services secrets d'origine italienne, fils du rabbin de Venise, un beau garçon du nom de Fabrizio Ferrario, qui travaillait en ayant pour couverture un travail d'opérateur et assistant social dans une confrérie internationale de charité dont le siège était à l'hôtel Jerusalem Plaza. Il était habillé avec élégance, la chemise Armani toujours assortie au blazer ou à la saharienne.

Ils se rencontrèrent au bar et Avner alluma une cigarette et commanda pour lui une Maccabì glacée : « Alors, que se passe-t-il de si urgent que tu n'aies pas pu attendre la fin de la réunion ?

— Deux choses. La première, c'est que l'opération Nabuchodonosor existe et qu'elle est probablement sur le point de démarrer...

— La seconde ? demanda Avner sans même lever le nez de son verre.

— Il faut que nous allions nous promener. Vous devez vous rendre compte vous-même, et tout de suite.

— Nous promener ? Et où donc ?

— Suivez-moi, quand vous aurez fini votre bière. Ce n'est pas loin.

— Qu'est-ce que tu sais d'autre sur l'opération Nabuchodonosor ?

— Pas grand-chose. Ce que je sais n'est que le résultat d'impressions d'ambiance, surtout dans les prisons. Des paiements sont en cours dans certaines banques du Moyen-Orient, comme la banque du Liban et la Saudi Arabian, et il s'agit de sommes élevées.

— Des paiements ? Vers qui ?

— Des comptes suisses. Nassau. Mais nous enquêtons pour découvrir les destinataires. Même dans les milieux des mafias russe et sicilienne. Nous ne devrions pas avoir trop de mal. »

Avner avait terminé sa bière et suivait à présent son compagnon tandis que le barman s'occupait de clients américains qui n'avaient pas encore envie de monter se coucher. Le tourisme avait beaucoup diminué à Jérusalem ces derniers temps.

Ils parcoururent la rue déserte jusqu'au grand arc de la forteresse Antonia.

« Selon toi, qu'est-ce qu'on achète avec cet argent ?

— Des armes, des dispositifs d'interception électroniques, des systèmes de missiles, des armes bactériologiques et chimiques... Difficile à dire.

— Je suis sceptique, déclara Avner. Ce type d'achats dans notre région s'effectuent par l'intermédiaire des États et de leurs ministères. L'autorité palestinienne n'a pas un sou et les terroristes du Hamas sont déjà financés par les Iraniens et les Libyens ; en outre, le plastic s'achète désormais à bas prix sur toutes les places. J'ai oublié quelque chose ?

— L'arsenal ex-soviétique vend aussi d'autres choses à bas prix.

— Eh oui », fit Avner en remontant le col de son manteau. Il était maintenant au centre du grand passage souterrain et on pouvait entrevoir un faible halo lumineux qui filtrait d'un mur entre deux soldats armés de pistolets-mitrailleurs Uzi.

« Nous sommes presque arrivés, dit le lieutenant. Par ici. »

Avner le suivit à l'intérieur d'une espèce de tunnel creusé d'abord dans le soubassement du rempart de la fortification puis dans le roc lui-même. On entendait des voix provenant de l'intérieur et le passage était éclairé par quelques lampes au néon fixées sur les murs latéraux.

« Qu'y a-t-il ? » demanda Avner.

Ils étaient arrivés à la fin du parcours et il vit un petit

groupe de personnes coiffées de casques et équipées d'outils de chantier : parmi elles, il reconnut l'archéologue Ygael Allon, ancien membre du cabinet de Shimon Peres.

Le lieutenant le présenta : « Ingénieur Nathaniel Cohen, du Génie civil.

— Enchanté », dit Avner en serrant sa main couverte de poussière. Puis il regarda le tunnel partiellement obstrué par un éboulement :

« Mais qu'est-ce que c'est ? » demanda-t-il encore.

Alors, l'archéologue lui fit voir quelques fragments de céramique et éclaira un graffiti où était tracée une brève inscription alphabétique :

« Un tunnel de l'époque des rois de Juda. Et il semble mener au Temple. »

4

William Blake s'était assoupi quelques heures, cherchant à se reposer un peu avant l'atterrissage ; il fut éveillé par une voix qui, à l'interphone, souhaitait un joyeux Noël à tous les passagers et leur demandait d'attacher leurs ceintures. Quand il ouvrit les yeux, il vit que tous les hublots de l'appareil étaient fermés et constata que Gordon n'était pas là : il devait être encore dans la cabine de pilotage.

« Où sommes-nous ?, demanda-t-il à Sullivan.

— Nous sommes presque arrivés, docteur Blake. » Telle fut la réponse, c'est-à-dire la non-réponse. Mais Blake pensa qu'ils devaient se trouver quelque part à l'ouest de Louqsor, en se fiant aux descriptions les plus détaillées que ses compagnons de voyage lui avaient faites des caractéristiques du vol pendant ses premières heures.

Sullivan et Gordon avaient quelques photos prises à l'intérieur de la tombe, mais il était très difficile de se faire une idée de l'ensemble, du fait de leur champ réduit. Ce qu'on pouvait dire à coup sûr, c'était que la tombe se trouvait, au moment de sa découverte, telle qu'elle avait été agencée au temps de l'inhumation du personnage qui dormait à l'intérieur de l'hypogée.

Quelques minutes passèrent encore et il sentit que l'avion se posait et inversait ses moteurs pour freiner sa course. Quand il fut presque immobile, le pilote ouvrit les portes latérales pour faire descendre les passagers. Blake se présenta à la sortie et respira profondément l'air sec et parfumé du désert. Puis il regarda autour de lui pour se rendre compte du lieu où il se trouvait.

L'avion était arrêté sur une piste de terre battue, assez plane et régulière pour permettre un atterrissage sans problèmes, située au milieu d'une vallée que dominaient à droite et à gauche deux lignes de collines. Celles-ci étaient sillonnées d'une série de petites vallées parallèles débouchant sur un oued qui serpentait en bas, à côté de la piste, complètement à sec, mais bordé et ombragé çà et là par une végétation basse d'épineux et de petits buissons de genêts et de tamaris.

Un camping-car s'approcha de la passerelle de l'avion, prit les passagers et leurs bagages puis repartit tandis que le Falcon était conduit au bord de la piste, vers une petite colline au pied de laquelle s'ouvrait alors le portail d'un hangar.

Ils roulèrent dans le camping-car pendant une demiheure environ, remontant le cours de l'oued, jusqu'au moment où ils arrivèrent en vue d'un ensemble de baraques de chantier : le centre résidentiel de la Warren Mining Corporation. D'un côté, il y avait un générateur que faisait fonctionner un moteur à essence, de l'autre une grande tente de type bédouin, probablement destinée aux repas et aux réunions.

Derrière le camp, à mi-pente, une citerne roulante reliée à des tuyauteries distribuait l'eau aux différentes baraques. L'une de ces dernières était nettement plus grande que les autres et Blake en déduisit que c'était la résidence du directeur et du chef de chantier.

Dans un espace rectangulaire délimité par une rangée de pierres, étaient alignés les moyens de transport de la société : un trépan monté sur chenillettes, un camion-benne, trois 4x4 de location, un camion et deux véhicules tout-terrain à trois roues.

À une distance d'à peu près deux cents mètres du campement, on voyait une petite baraque ; à côté, un sac plein d'une poudre blanche qui s'était répandue tout autour sur le sol. Ce devaient être les latrines et le sac de chaux vive à jeter dans la fosse à la place de la cascade de la chasse d'eau. Il décida aussitôt qu'il n'y aurait pas recours et qu'il se retirerait, à l'écart, dans le désert : il n'y a rien de plus horrible que les latrines communes dans les campements.

Sur la droite, presque à l'à-pic de la vallée principale, la montagne prenait la forme d'une espèce de lion couché ou de sphinx. Le terrain était celui d'une hamada, formation géologique commune à tout le Proche-Orient et à toute l'Afrique du Nord : de la terre et du sable compactés, couverts de silex et de calcaire.

Mais le soleil à son couchant faisait aimer ce paysage de calanques de calcaire et de pierre noire, en les voilant d'une lumière rosée et en faisant briller comme des pièces d'argent les fruits séchés des lunarias.

Le ciel était d'un bleu de cobalt au centre de sa voûte et une grosse lune immaculée s'élevait en cet instant du côté opposé au soleil couchant, et elle s'élargissait sur la crête des monts déserts et silencieux comme si elle roulait sur leurs profils rugueux. L'auto s'arrêta devant la baraque principale et un homme vêtu d'une saharienne kaki s'approcha pour souhaiter la bienvenue aux nouveaux arrivants.

« Je suis Alan Maddox. Bienvenue à Ras Udash, docteur Blake. J'espère que vous avez fait bon voyage.

— Bonjour, monsieur Maddox, répondit Blake. J'ai fait bon voyage et je suis en moins mauvais état que je m'y attendais. »

Maddox était un homme d'une soixantaine d'années, robuste, avec de gros sourcils noirs, la barbe et les moustaches grisonnantes. Il portait un chapeau de ranger australien, un pantalon de coton gris, des chaussures militaires : « Voici votre logement, lui dit-il en indiquant une baraque grise à gauche. Vous avez sans doute envie de prendre une douche : ici, l'eau est toujours prête, bien chaude. On sert le dîner dans une demi-heure chez moi. J'espère que vous nous ferez l'honneur de vous asseoir avec nous.

— Vous pouvez y compter, monsieur Maddox. J'ai une petite faim. Je n'arrive jamais à manger en avion. Même dans des appareils luxueux comme votre Falcon. Je serai là dans une demi-heure. »

Gordon et Sullivan se retirèrent eux aussi dans leurs logements situés de l'autre côté, à droite de la résidence principale.

Blake entra dans son logement qui sentait la poussière froide : quelqu'un avait passé une serpillière humide sur le sol, nettoyé sommairement les toilettes et le miroir au-dessus du lavabo.

Il se mit sous la douche et laissa l'eau couler sur son corps ; il ne put s'empêcher de penser à la dernière douche qu'il avait prise, recroquevillé comme un chien sur le dallage, les mains crispées sur son estomac noué par les crampes.

Il se frictionna avec la serviette, se peigna soigneusement, rangea en bon ordre ses objets de toilette tandis que la télévision montrait les troubles et les heurts dans la banlieue de Jérusalem et à Hébron ainsi qu'un attentat-suicide qui avait fauché quinze enfants israéliens, des élèves d'une école primaire. Il y avait de quoi s'inquiéter sérieusement : il ne se rappelait pas que la situation eût jamais été aussi grave et difficile au Proche-Orient.

Une cinquième guerre allait-elle éclater entre les Arabes et Israël ? Et si cela se produisait, quelles en seraient les conséquences ? Il éteignit la télé, jeta une veste sur ses épaules et sortit.

Le campement était désert mais on voyait de la lumière dans les baraques et on entendait au loin le ronronnement continu d'un générateur. Un instant, sur la crête de la montagne en face de lui, il lui sembla voir bouger des hommes, probablement armés de fusils.

Puis, soudain, il vit deux traînées de feu sillonner le ciel cependant que le silence était déchiré par un grondement de tonnerre : deux avions se poursuivaient à basse altitude, comme s'ils simulaient un duel aérien ; l'un d'eux lâcha deux leurres et réussit à dérouter son poursuivant. Les leurres tombèrent dans le désert, rayant l'obscurité de deux cascades d'étincelles d'argent.

« Ne touchez jamais rien qui ne soit pas en pierre ou en bois dans cette zone, dit une voix derrière lui.

— Et vous, Gordon, d'où sortez-vous ?

— De mon logement, la baraque jaune, là-bas à gauche. Le temps de me doucher. Maddox tient à la ponctualité. Il est d'une vieille famille de Virginie et chez lui, on a toujours dîné avec du cristal et de l'argenterie. Quelle impression vous a-t-il faite ?

— Il m'a semblé affable.

— Oui, mais ne vous laissez pas tromper. C'est un homme dur, à l'ancienne, tout d'une pièce. Pour lui, il n'y a qu'une chose qui compte : l'intérêt de l'entreprise et le travail qui doit être mené à terme.

— Il sait tout à propos de la tombe, n'est-ce pas ? »

Gordon acquiesça : « Tout.

— Il l'a même vue ?

— Oui. Nous l'y avons conduit un soir avant de partir pour Chicago. Il en a été très impressionné. De toute façon, vous allez tout savoir de sa propre bouche. Venez, il doit nous attendre. »

Ils se dirigèrent ensemble vers la baraque qui faisait office de quartier général. À un moment donné, Blake s'arrêta : « Vous avez vu ces deux avions de chasse, Gordon ?

— Oui, je les ai vus, pourquoi ?

— Deux Jaguars, si je ne me trompe pas. Des engins de fabrication française. Qu'est-ce qu'ils font par ici ? C'étaient deux avions israéliens. »

Gordon ne sut que répondre. « Je ne sais pas, dit-il, je ne connais rien aux armements. En tout cas, la situation est très tendue dans tout le Proche-Orient : rien ne pourrait m'étonner. De toute façon, je vous le répète, nous sommes dans un lieu pratiquement inaccessible. Personne ne vous dérangera. »

Ils étaient arrivés devant la baraque de Maddox. Gordon frappa et le maître de maison en personne vint ouvrir. Il avait encore les cheveux humides — lui aussi avait pris une douche — et il s'était changé : il portait un complet de natté, une chemise bleu ciel et un foulard de coton. « Joyeux Noël à tous !, lança-t-il. Salut Gordon, salut, docteur Blake. Entrez, je vous en prie, j'étais en train de préparer un drink. Un Martini, ça vous va ?

— Pour moi, ça va très bien, répondit Blake.

— Pour moi aussi », dit Gordon.

Sullivan était assis dans un coin de la pièce, déjà en train de boire son cocktail ; il les salua d'un signe de la tête. La table était dressée, avec de vraies assiettes, de vrais couverts ; sur la nappe blanche étaient posées une corbeille de pain bédouin qui sortait du four, une carafe d'eau et une de vin blanc. Sur une table d'angle, il y avait un petit arbre de Noël en plastique, paré de fruits secs du désert peints à la main et de petites ampoules colorées qui s'allumaient et s'éteignaient par intermittence.

Maddox les pria de s'asseoir et plaça Blake à sa droite : « Je suis content que vous ayez accepté de venir, docteur Blake. Monsieur Sullivan a déjà dû tout vous expliquer, j'imagine.

— Effectivement.

— Qu'en pensez-vous ? »

Blake but une gorgée de son Martini : il avait été réalisé de façon rudimentaire, le verre simplement mouillé de vermouth puis rempli de gin pur et de glace.

« Il est difficile de se prononcer comme ça, sans avoir rien vu, mais d'après ce que m'a dit Gordon, il me semble qu'il devrait s'agir de quelque chose de très important. Trop important pour s'en occuper de cette façon. »

Maddox le fixa droit dans les yeux : « Vous êtes très franc, docteur Blake. Tant mieux, les circonlocutions sont inutiles, en effet. Cela veut dire que vous ne vous sentez pas à la hauteur ou simplement que vous n'approuvez pas nos méthodes ? »

Arriva un garçon arabe qui commença à servir les commensaux. « J'espère que vous aimerez le couscous. Nous n'avons rien d'autre.

— Le couscous, c'est parfait, j'en raffole. Monsieur Maddox, si j'ai bien compris la situation, ce que je pense n'a pas d'importance et je ne crois pas que cela pourrait vous faire changer d'idée. D'autre part, je suis virtuellement un homme fini et, très honnêtement, je remercie le sort d'avoir mis vos hommes sur mon chemin. Je ne suis donc pas en mesure d'avancer des prétentions. Je veux seulement que vous sachiez que j'ai accepté de faire ce travail par pur intérêt scientifique et avec l'espoir de pouvoir publier les résultats de mes recherches et des études qui s'ensuivront. »

Maddox se versa un verre de vin : « Je ne suis pas sûr que vous aurez la possibilité de faire autre chose que de voir la tombe et les objets qu'elle contient...

— Mais je le dois, monsieur Maddox. Vous ne pouvez pas penser que je sois capable de tout comprendre, comme ça, sur-le-champ, et permettez-moi de vous dire que, très probablement, personne n'en serait capable. »

Maddox resta quelque temps silencieux et Sullivan leva les yeux de son assiette, le regardant en dessous.

« Je pourrais libérer une ligne Internet sur notre micro, sous notre contrôle, naturellement : cela vous suffirait-il ?

— Je pense que oui, répondit Blake. Je pourrais consulter ma bibliothèque à l'Oriental Institute et d'autres instituts de recherche. Je pense que oui...

— Quant à la publication..., reprit Maddox, c'est un problème que nous ne pouvons examiner aujourd'hui. Je dois y réfléchir et examiner quelles en seraient les conséquences. Mais, je vous en prie, affrontons les problèmes l'un après l'autre. »

Le serveur arabe passa avec des légumes et servit du vin.

« Un chablis de Californie, indiqua Maddox. Il n'est pas mal. Donc, disais-je, un problème après l'autre. Nous voulons que vous examiniez la tombe, que vous déterminiez, si possible, à quelle époque elle a été construite, que vous fournissiez une description et une évaluation du mobilier funéraire. Je vous assure que nous n'avions pas l'intention de commettre quoi que ce soit d'illégal. Le fait est que cette découverte n'était pas prévue et qu'elle interfère lourdement sur nos programmes. Nous continuerons à faire notre travail pendant que vous vous occuperez des fouilles. Vous pourrez recourir à la collaboration de notre personnel qui, entre-temps, s'est occupé de l'accessibilité de l'endroit, et vous pourrez utiliser les moyens techniques dont nous disposons. Vos besoins économiques seront satisfaits, comptant, quand le travail sera fini, sur le compte que vous voudrez bien nous indiquer, aux États-Unis ou à l'étranger.

— Une question, l'interrompit Blake.

— Je vous en prie.

— Où est-ce que je me trouve ?

— Au campement de la Warren Mining Corporation, à Ras Udash.

— Je veux dire : dans quelle région ?

— Ça, je ne peux pas vous le dire.

— Alors, je dois vous avertir que l'impossibilité de situer géographiquement la tombe pourrait gêner son identification. »

Maddox le regarda sans ciller : « C'est un risque que nous devons prendre, docteur Blake. »

Le serveur arabe commença à débarrasser la table et Maddox se leva : « Je proposerais de prendre le café dehors, sous la tente bédouine. On y est plus au frais et ceux qui veulent fumer peuvent le faire. » Ses hôtes le suivirent sous la tente et s'assirent sur les sièges de rotin disposés autour d'une table de fer. Le générateur était placé à contre-vent et son bruit était emporté par la brise du soir.

Maddox fit passer une boîte de cigares. « De plus en plus difficiles à trouver en Amérique, commenta-t-il. Si on ne lève pas ce maudit embargo sur Cuba. Mais ici, c'est différent. Tous les chefs d'État, tous les ministres, tous les députés de la "demi-lune fertile" les fument.

— Ils fument aussi autre chose », ricana Gordon.

Blake but son café et alluma un cigare : « Quand voulez-vous que je commence ?

— Demain même, si vous voulez, répondit Maddox. Si vous n'avez pas de problèmes dus au décalage horaire. Le plus tôt sera le mieux. »

Tandis qu'ils étaient encore en train de parler, Blake remarqua qu'une lumière s'approchait dans un nuage de poussière sur la piste qui menait au campement ; peu après, le bruit du moteur à deux temps d'un véhicule tout-terrain s'imposa sur celui du générateur. La voiture s'arrêta au parking et il en descendit une silhouette casquée, vêtue d'une combinaison sombre. Quand elle quitta son casque, une cascade de cheveux blonds déferla sur ses épaules et apparut le visage d'une jeune femme, de trente ans peut-être, qui s'approcha de la tente d'un pas rapide et léger. Maddox se leva pour aller à sa rencontre : « Viens, Sarah. Tu as mangé ? Assieds-toi avec nous, je vais te faire apporter quelque chose. »

La jeune femme quitta sa combinaison et l'accrocha à un piquet, restant en jeans et T-shirt. Blake la regarda, admiratif, tandis qu'un souffle de vent soulevait ses cheveux, voilant son visage.

« Je te présente notre hôte, le docteur William Blake.

— L'égyptologue, fit la jeune femme en lui tendant la main. Enchantée. Sarah Forrestall. Bienvenue à Ras Udash. J'espère que vous vous plairez dans cet enfer. Il fait trente degrés le jour et moins deux, moins trois, la nuit, mais ça peut être pire. En ce moment, c'est la seule heure acceptable : il ne fait ni trop chaud ni trop froid.

— J'ai l'habitude, dit Blake.

— Sarah est notre topographe. Elle pourra vous être utile, précisa Maddox.

— Bien sûr. C'est exactement d'un topographe dont j'aurais besoin, à condition qu'elle réponde à mes questions. »

Maddox ne releva pas l'allusion et la jeune femme ne sembla pas accorder d'importance non plus à la remarque de Blake ; elle s'assit pour manger le sandwich au poulet froid que le serveur arabe lui avait apporté en même temps qu'une bouteille d'eau minérale.

« Le docteur Blake commencera son travail dès demain matin. Tu peux le conduire et l'assister s'il en a besoin ? demanda Maddox.

— Volontiers. Je vous attendrai au parking à sept heures, si ça vous va. De quoi avez-vous besoin ?

— De peu de choses. Pour commencer : une échelle, même une échelle de corde, un harnais, une torche électrique, une pelote de ficelle et du papier millimétré. Le reste, je m'en occupe. Demain, je voudrais m'en tenir à une reconnaissance générale et à l'organisation de mon travail. Je n'ai pas encore une idée précise de ce que je vais rencontrer, des problèmes que je devrai résoudre. Ensuite, vous pourrez m'aider à taper toutes les cotes et à situer les objets à l'intérieur de la tombe. »

La femme sembla déçue : « Je m'imaginais que vous arriviez avec un chargement d'outils sophistiqués et, au lieu de cela, tout ce dont vous avez besoin, c'est une échelle de corde et une torche électrique.

— Je suis un archéologue à l'ancienne, dit Blake, mais quand le moment sera venu, je vous montrerai quelques méthodes d'investigation d'avant-garde. Pour l'instant, ça va comme ça. Je veux seulement me rendre compte de l'identité de la personne ensevelie dans cette tombe loin de tous et de tout. »

Gordon se leva et salua, se dirigeant vers son logement, imité peu après par Sullivan. Maddox regarda sa montre : « Ici, nous nous couchons de bonne heure. Et demain, une dure journée m'attend. Bonne nuit, docteur Blake.

— Bonne nuit, monsieur Maddox. »

La jeune femme se leva et s'approcha du fourneau : « Je vais me faire du café. Vous en voulez ?

— Volontiers », répondit Blake.

« Cela va vous empêcher de dormir. Vous n'êtes pas fatigué ?

— Mort de fatigue, mais je n'ai pas sommeil. Et je sais par expérience que le sommeil viendra quand il voudra. Un café de plus ou de moins n'y changera rien.

— De toute façon, nous n'avons pas plus de dix minutes, un quart d'heure. Ensuite, ils vont éteindre le générateur. Maddox n'arrive pas à dormir avec le bruit du moteur.

— Je vois.

— Et tout de suite après, il fait un sacré froid. Ici, la température tombe d'un instant à l'autre. » Elle lui versa le café bouillant dans un gobelet de plastique. « Comment vous sentez-vous ?

— Tout électrisé. J'ai peur de ne pas fermer l'œil de la nuit. Je n'arrive pas encore à croire à ce qui m'arrive. » Il but une gorgée de café et observa la jeune femme, assise dans le cercle de lumière que projetait l'ampoule unique, sa combinaison jetée sur les épaules. Elle était très belle et elle le savait.

« Que fait une femme comme vous en cet endroit ? lui demanda-t-il.

— On me paie bien. Et vous ?

— Vous aimez le feu ? lui répondit Blake.

— Vous avez envie de faire du feu ?

— Il y a plein de bois sec tout autour de nous et il commence à faire froid. »

À cet instant, le générateur s'arrêta et le campement resta éclairé par la seule lumière de la lune.

« Si vous voulez. »

Blake alla vers l'oued, arracha un vieux tronc desséché et le traîna jusqu'aux abords de la tente, puis il rassembla une brassée de broussaille, des branches sèches de tamaris et de genêts autour et y mit le feu avec son briquet. Les flammes s'élevèrent en crépitant et enveloppèrent le feu d'un globe de lumière orange très vif.

« C'est beau, non ? » Il prit sa chaise et alla s'asseoir près du feu en allumant une cigarette.

« Et vous ? Que fait un homme comme vous en cet endroit ? » demanda de nouveau la femme.

Blake se tourna vers elle et observa sa silhouette svelte dans le reflet des flammes.

« J'étais égyptologue à l'Oriental Institute de Chicago et je n'étais pas le dernier de la classe. J'ai été grillé par une initiative imprudente et par mes supérieurs ainsi que par mes collègues qui n'attendaient que ça. J'ai accepté ce travail parce que j'étais à sec.

— Vous êtes marié ?

— Divorcé. Depuis... deux jours.

— Blessure récente... » Elle le regarda avec une expression étrange où Blake vit de la compassion.

« Il pleut toujours où c'est mouillé, dit-il. Ce sont des choses qui arrivent, mais on survit. Ça me fera du bien de changer d'air et de recommencer à travailler. »

La jeune femme croisa un instant son regard traversé par la lumière du feu et y lut quelque chose de bien plus fort que les phrases de circonstance qu'il lui avait dites. Elle sentit qu'il la désirait plus que tout en cet instant et elle réagit instinctivement.

« Vous pouvez compter sur mon aide technique, dit-elle. Pour ce qui est du reste, ôtez-vous ça de la tête. »

Blake ne réagit pas, rassembla les braises autour de la souche et se leva. « Merci de m'avoir tenu compagnie », dit-il. Et il s'en alla.

Quand il entra dans sa baraque, il se sentit pris d'une sensation de claustrophobie, mêlée à la rage que la phrase inutilement méprisante de Sarah Forrestall avait provoquée en lui et il pensa qu'il ne réussirait pas à dormir.

Il prit son sac de couchage et s'éloigna dans l'obscurité par la petite porte de derrière, marchant le long des collines qui bordaient le campement à l'est.

Il entra peu après dans le cône d'ombre de la montagne en forme de sphinx et s'enfonça le long d'un petit oued qui descendait vers l'aval. Il trouva dans une anse une langue de sable fin et propre et s'y étendit, restant longuement à regarder les constellations qui brillaient, incroyablement limpides et lumineuses.

Il pensa rageusement aux cheveux blonds de Sarah et à son corps sculpté par la lumière du bivouac, il imagina les pensées qui devaient lui être passées par la tête sur son compte jusqu'au moment où le silence du désert, le silence cosmique de la solitude, pénétra son esprit et le calma.

Tous les fantasmes qui l'agitaient s'évanouirent et il commença à sentir la proximité des créatures de la nuit, à percevoir dans l'ombre le pas trottinant du chacal et celui, timide et méfiant, de la gazelle.

Il pensa qu'il ne pouvait pas être à l'ouest de Louqsor et qu'il allait peut-être s'endormir dans quelque recoin caché du désert de l'oued Hammamat, où l'on disait que se trouvaient les mines d'or des pharaons.

Il fixa longuement l'image céleste de Râ sur sa ceinture resplendissante d'étoiles jusqu'au moment où ses yeux se fermèrent.

Tout de suite après son départ, Sarah Forrestall était passée et avait frappé à sa porte : « Blake, je suis désolée, je ne voulais pas vous blesser. Blake... » Elle n'avait pas obtenu de réponse et était alors retournée auprès du feu pour jouir du reste de chaleur du feu qu'il avait allumé. Le docteur Blake s'annonçait différent de ce à quoi elle s'attendait : ce devait être un *loser* tout à fait particulier, pas un de ceux qui attendent patiemment sur la rive du fleuve que passe le cadavre de leur ennemi. Lui devait être de ceux qui reviennent tôt ou tard, et qui, quand ils reviennent, font un massacre.

Blake rejoignit le parking le lendemain matin avant sept heures et vit que Sarah Forrestall était déjà prête et faisait chauffer le moteur du 4x4.

« Vous auriez pu m'ouvrir hier soir, lui dit-elle. Je voulais vous expliquer...

— Vous vous êtes très bien expliquée. De toute façon, je n'étais pas chez moi, j'ai dormi dans l'oued.

— Dans l'oued ? Mais vous êtes fou. Les scorpions et les serpents sont attirés par la chaleur : vous avez pris de gros risques.

— J'ai préféré.

— Vous avez déjeuné au moins ?

— J'ai bu de l'eau. Ça m'aide à compenser le décalage horaire. »

Sarah démarra et se dirigea vers le sud sur une piste à peine visible qui, de temps en temps, disparaissait complètement, laissant place au lit de l'oued.

« Vous auriez dû manger quelque chose. Regardez dans mon sac, s'il vous plaît, il y a à manger : des sandwiches, des fruits. J'avais pris ça pour le déjeuner mais il y en a plus qu'assez.

— Merci », dit Blake. Mais il ne fit pas un geste. Il n'avait que rage et angoisse dans l'estomac. Il n'y avait place pour rien d'autre.

« Accrochez-vous, lança Sarah. Nous devons sortir de l'oued ici. » Elle enclencha les crabots et accéléra à fond. La voiture grimpa la paroi escarpée de l'oued en projetant vers l'arrière une grêle de cailloux et se retrouva finalement en position horizontale.

Ils se tenaient maintenant devant une vaste étendue plate et noire, brûlée de soleil.

« C'est par ici ? demanda Blake.

— Oui, à environ une heure de route. À part la chaleur, le moment le plus dur est passé. »

Blake avait sorti du papier millimétré ainsi qu'une boussole et, regardant continuellement au compteur les kilomètres parcourus, traçait une espèce d'itinéraire et esquissait des éléments du paysage.

« Vous ne vous résignez pas, hein ? demanda Sarah.

— Non. Et je ne comprends pas pourquoi vous ne voulez pas me dire où nous sommes. Vous, vous le savez très bien, j'imagine.

— Non. Je suis arrivée moi aussi plus ou moins comme vous et je me garde bien de faire la curieuse. Maddox ne plaisante pas et moi aussi je dois être sur mes gardes, qu'est-ce que vous croyez ?

— De toute façon, je le découvrirai quand même. Je connais ce pays comme ma poche. Dans trois ou quatre jours, au plus, je vous ferai la surprise. » Mais, au fond de lui-même, il n'en était pas aussi sûr. Maudite précipitation ! Si seulement il avait pensé à emporter son GPS : en deux secondes, le navigateur satellitaire aurait fait le point.

La piste s'était maintenant rapprochée de la crête montagneuse qui bordait la plaine à l'est et, tout à coup, Blake remarqua quelque chose sur les roches. « Arrêtez-vous, s'il vous plaît. » Sarah s'arrêta et coupa le moteur.

« Qu'est-ce qu'il y a ?

— Des gravures rupestres. Là, sur ce rocher.

— Il y en a des centaines par ici. J'en ai même fait

des dessins. Si vous voulez les voir, j'en ai un plein album au camp.

— Je les verrai bien volontiers. Mais, pour le moment, laissez-moi jeter un coup d'œil à celles-ci, dit-il en s'approchant du rocher.

— Je ne vous comprends pas, fit la jeune femme. Il y a une tombe égyptienne inviolée qui vous attend et vous vous arrêtez pour regarder ces gribouillages sur les rochers ?

— Ces gribouillages ont été tracés pour transmettre un message à ceux qui passaient par ici et je voudrais chercher à les comprendre. Tout témoignage sur le territoire est précieux. »

Le terrain proche du rocher était parsemé de rocs et certains d'entre eux étaient entourés de pierres plus petites, comme si on avait voulu les mettre particulièrement en évidence.

Blake s'approcha de la paroi rocheuse et observa la gravure. Elle avait été réalisée par percussion avec un caillou pointu et représentait une scène de chasse au bouquetin. Les chasseurs avaient dans leurs mains des arcs et des flèches et cernaient l'animal, représenté avec de grandes cornes en croissant de lune, recourbées vers l'arrière. Il prit quelques photos et reporta la position sur sa carte. Puis ils remontèrent en voiture.

« Vous n'êtes jamais montée de l'oued vers la montagne ? » demanda-t-il soudain.

— Quelquefois.

— Et vous n'avez jamais rien remarqué d'étrange ?

— Il ne me semble pas. Il n'y a que des pierres, des serpents et des scorpions.

— Sur les roches, il y a des traces de feu à température très élevée.

— Et qu'est-ce que cela signifie ?

— Je ne sais pas, mais j'ai vu du sable pétrifié en quelques endroits.

— Peut-être des bombes au phosphore. Il y a eu tant de guerres dans ces régions.

— Je doute qu'il s'agisse de bombes. Le sable pétrifié était au fond de quelques puits creusés artificiellement dans le roc et, sur les parois de ces puits, il y avait des gravures du genre de celles que nous venons de voir.

— Et qu'est-ce que cela signifie ?

— Que quelqu'un était en mesure d'allumer des feux à haute température il y a plus de trois mille ans au milieu de cette désolation.

— Intéressant. Mais à quelle fin ?

— Je ne le sais pas. Mais j'aimerais le découvrir. »

Le paysage était devenu encore plus rude et nu et l'air surchauffé créait au loin l'illusion d'un sol mouillé.

« En été, cet endroit doit être une fournaise, affirma Blake.

— Effectivement, répondit Sarah. Mais en cette saison, le temps pourrait aussi changer. Il passe parfois des nuages, il peut y avoir des baisses soudaines de température et des orages peuvent se produire, même violents. Les oueds s'emplissent brusquement parce que le terrain n'a aucune capacité de rétention et il peut y avoir des inondations désastreuses. Nous sommes plongés dans une nature résolument hostile. »

Le paysage changea encore avec l'affleurement d'une croûte calcaire blanchâtre et dure sur les aspérités de laquelle la voiture se mit à cahoter. Sarah ralentit et rétrograda, puis elle se dirigea de nouveau vers les collines qui se trouvaient sur sa gauche.

« Vous voyez ce creux dans la paroi, dit-elle en indiquant une zone d'ombre à quelques centaines de mètres. C'est là. Nous sommes arrivés. »

Blake poussa un profond soupir. Il était sur le point de vivre la plus forte émotion de sa vie.

Dès que l'auto se fut arrêtée, il descendit et jeta un regard sur le terrain environnant. Il remarqua une petite dépression au centre d'une plaque calcaire sur laquelle étaient amassés des cailloux et du sable.

« C'est là, n'est-ce pas ? »

Sarah acquiesça.

« Je ne comprends pas... tout ce secret et l'endroit est laissé complètement sans surveillance.

— Il n'est pas laissé sans surveillance, dit Sarah. Personne ne peut même s'approcher de cette zone si Maddox ne le veut pas. » Elle le regarda droit dans les yeux : « Et surtout, personne ne peut s'en éloigner. Pour atteindre le centre le plus proche, il faut traverser ce désert sur cent milles, sans un brin d'herbe, sans une goutte d'eau. »

Blake ne dit rien, quitta sa veste, prit la pelle de la voiture et s'approcha de la petite dépression en commençant aussitôt à déplacer les cailloux et le sable. Au bout de peu de temps, apparut une tôle qui devait fermer l'ouverture.

« Pourquoi avez-vous percé ici précisément ? demanda-t-il.

— Pur hasard. Nous faisons des sondages et nous prélevons des carottes, soit sur la base de prospections géologiques effectuées précédemment, soit sur une base statistique. C'est tout, je peux vous le garantir. Un hasard extraordinaire. Rien de plus. »

Il y avait un anneau au centre de la lourde tôle. Blake y accrocha le câble de la jeep et fit signe à Sarah de la tirer en arrière. Une ouverture cylindrique apparut, qui perforait la couche calcaire. Sur les parois, on voyait encore les traces de la tarière, mais le fond était complètement obscur.

« Vous êtes déjà descendue là-dessous ?

— Pas encore », dit Sarah en sortant de la jeep l'échelle de corde et la torche électrique. Le soleil commençait à être haut sur l'horizon, mais la chaleur n'était pas insupportable du fait de la totale absence d'humidité. Blake but quelques longues gorgées de sa gourde puis il enfila le harnais. Il prit la pelote de ficelle, en attacha l'une des extrémités à sa ceinture et déposa la pelote à côté du siège du conducteur dans la jeep.

Il accrocha la torche électrique à l'un des mousquetons de sa ceinture puis il dit : « Remontez en voiture et mettez le moteur en marche. Je vais attacher le câble du treuil à mon harnais et vous allez me descendre très lentement dans le souterrain. Tenez l'autre bout de la ficelle et arrêtez le treuil quand vous sentirez que je tire la ficelle. Quand je tire de nouveau, faites-moi encore descendre. Vous avez bien compris ?

— Très bien. Mais pourquoi n'utilisez-vous pas l'échelle de corde ? demanda Sarah.

— Parce que, en la déroulant, je pourrais heurter ou briser quelque objet fragile ou en déséquilibre. Il faut d'abord que je me rende compte de la situation. »

Il accrocha le câble du treuil à son harnais et commença à descendre à l'intérieur du puits.

Il descendit deux ou trois mètres et sentit qu'il était suspendu à l'intérieur de l'hypogée : il tira la cordelette. Sarah stoppa le treuil et il alluma sa torche électrique.

Un monde endormi depuis trente siècles se révéla à ses yeux stupéfaits et, dans le silence profond de l'hypogée, le battement de son cœur lui parut amplifié jusqu'à l'invraisemblable ; des odeurs prisonnières depuis des millénaires frappèrent ses narines de senteurs étranges et inconnues, des sensations violentes et contradictoires se bousculèrent en son esprit, éveillant des émotions extrêmes, d'émerveillement, d'angoisse, de crainte.

Un rayon de soleil traversait une poussière très fine qu'avait soulevée le seul déplacement d'air causé par l'ouverture de l'entrée et par sa descente et, sur le fond de la tombe, éclairait en plein une panoplie faite d'un casque couvert de cuivre et d'émail, d'un pectoral d'or en forme d'ailes de faucon déployées, incrusté de pierres dures, ambre, quartz, lapis-lazuli. Il y avait un baudrier de mailles d'or, avec une fibule, elle aussi de lapis-lazuli, en forme de scarabée, à laquelle était suspendue une épée à la poignée d'ébène constellée de bossettes d'argent. Il y avait aussi deux lances et deux javelots à la pointe de bronze et un grand arc avec son carquois encore empli de flèches.

Sarah serra le frein à main et vint au bord du puits en appelant : « Blake ! Blake ! Tout va bien ? »

Elle n'entendit que sa voix étouffée murmurer : « Oh, mon Dieu... »

Blake projeta alors le rayon lumineux de sa torche pour éclairer le reste de l'hypogée. Sur le côté septentrional de la chambre mortuaire, se tenait un char de combat démonté. Les deux roues à quatre rayons gisaient l'une sur l'autre dans un coin tandis que le caisson était posé, le fond contre le mur et le timon en l'air, touchant presque le plafond. De ce timon pendaient les restes des rênes tandis que les deux mors de bronze étaient tombés au sol des deux côtés du caisson.

Contre la paroi septentrionale, il y avait d'autres objets de luxe : un candélabre de bronze, un trône de bois peint, un repose-tête, la hampe d'un chandelier à quatre flammes, un coffre qui devait probablement contenir des étoffes précieuses. Il tourna sa torche vers la paroi méridionale et eut un geste de désappointement : de ce côté-là, le sarcophage était presque entièrement recouvert d'une masse de débris et de pierres, dont certaines étaient même d'une taille respectable.

Il était tellement stupéfait et abasourdi qu'il en avait oublié de se faire descendre sur le sol. Il tira la cordelette et appela Sarah : « Vous pouvez me faire descendre jusqu'en bas, miss Forrestall. Au-dessous de moi, il n'y a rien. Si vous voulez descendre vous aussi, fixez l'échelle de corde et envoyez-la, je vais l'attraper. »

Sarah mit en marche le treuil et Blake toucha terre tout de suite, doucement, presque au centre de la tombe, sur le tas de débris tombés lors de la perforation. La jeune femme lança l'échelle de corde et, peu après, descendit elle aussi.

« Incroyable... », dit-elle en regardant autour d'elle.

Blake pointa le faisceau lumineux vers l'éboulis : « Vous avez vu ? Malheureusement, le sarcophage est à moitié recouvert par cet éboulis. C'est très probablement le résultat d'un tremblement de terre. Il va falloir plusieurs jours de travail pour le dégager et bien s'organiser pour l'enlèvement de la terre. Cela va former à l'extérieur un amas assez gros et d'une couleur très différente du terrain environnant, susceptible d'attirer l'attention même de loin. »

Il s'approcha des parois et les examina attentivement : elles avaient été creusées au burin dans un calcaire pas très dur et assez friable, mais il n'y avait pas de traces de décoration, si ce n'est un début d'inscription hiéroglyphique sur le côté gauche du sarcophage. Il regarda sur le dallage devant le sarcophage : « C'est étrange, dit-il, il n'y a pas de vases canopes : c'est un cas très étrange, unique même.

— De quoi s'agit-il ? demanda Sarah.

— C'étaient des vases destinés à contenir les organes internes du défunt, après que les embaumeurs les avaient enlevés de la cage thoracique. C'est comme si le corps de ce personnage n'avait pas subi les rites traditionnels d'embaumement. Ça aussi, c'est un fait anormal, étant donné son rang social certainement très élevé. À moins que les vases ne se trouvent à l'intérieur du sarcophage. »

Il s'approcha de l'éboulis et l'examina avec attention.

Celui-ci aussi était étrange : s'il avait été causé par un tremblement de terre, comment se faisait-il que tout le mobilier funéraire fût en ordre parfait, comment se faisait-il que les roues du char posées contre le mur ne fussent pas tombées, et comment se faisait-il que l'armure ne fût pas tombée au sol ?

Il remarqua encore d'autres anomalies : quelque chose de disparate dans ce mobilier, fait d'objets mélangés d'époques différentes, quelque chose de hâtif dans la taille des parois et de l'espace en général, comme si on avait adapté et agrandi une cavité naturelle préexistante ; le sarcophage lui-même semblait taillé dans la roche. Les sculpteurs avaient taillé la pierre jusqu'à obtenir un parallélépipède qui, à son tour, avait été creusé à l'intérieur. Mais c'était là une considération prématurée qu'il ne pourrait confirmer qu'après avoir complètement débarrassé l'éboulis.

Il chercha à monter sur l'amas de débris, mais ceux-ci s'écroulaient sous ses pieds, emplissant la chambre mortuaire d'une très fine poussière.

« Bon sang ! » jura-t-il.

Sarah s'approcha et lui tendit la main pour l'aider à se relever : « Tout va bien ?

— Oui, tout va bien. Ce n'est rien. »

Il attendit que la poussière se fût un peu déposée et il s'approcha de nouveau. Le petit éboulement avait découvert, en haut à droite du sarcophage, un recoin sombre de ce qui semblait être un couloir latéral. Il tenta encore de monter, avec d'infinies précautions, et arriva presque au niveau de l'ouverture.

On ne parvenait à rien voir parce que le couloir s'incurvait presque aussitôt, mais, quand il se retourna pour éclairer le reste de la paroi, il vit, en bas à droite, au pied de l'éboulis, quelque chose qui saillait sur le terrain.

« Qu'est-ce qu'il y a ?, demanda Sarah.

— Éclairez-moi, s'il vous plaît », dit Blake en lui tendant la torche. Puis il sortit sa truelle de sa poche et commença à racler et à nettoyer tout autour. Un fémur apparut, puis un crâne et, au bout de quelques minutes, vint au jour un petit groupe de squelettes amassés en un enchevêtrement impressionnant.

« Qui cela pouvait-il bien être ? demanda Sarah.

— Je n'en ai pas la moindre idée. Les corps ont été brûlés puis recouverts de quelques pelletées de terre. »

Il était bouleversé et désorienté. Cette première reconnaissance sommaire soulevait d'énormes problèmes de compréhension et d'interprétation. Réussirait-il jamais à découvrir l'énigme du personnage enseveli comme un pharaon au milieu du néant ?

Il sortit son appareil photo et photographia tous les détails visibles de la tombe, puis se mit à mesurer et dessiner tous les divers objets, un à un, cependant que Sarah se mettait à faire le relevé en situant chaque élément de la sépulture sur le papier millimétré.

Il cessa de travailler quand la chaleur et la fatigue l'arrêtèrent. Près de trois heures avaient passé, presque sans qu'il s'en aperçût. Il se sentit soudain très faible et terriblement las et, regardant Sarah, il se rendit compte qu'elle aussi devait être épuisée.

« Allons-y, dit-il. Nous en avons assez fait pour aujourd'hui. » Ils remontèrent par l'échelle de corde et, quand il fut arrivé à la surface, Blake dut s'appuyer à la jeep pour ne pas perdre l'équilibre.

Sarah Forrestall s'approcha de lui, comme pour lui donner un coup de main :

« Blake, vous êtes une vraie tête de mule : vous êtes resté dans ce trou pendant des heures sans rien dans l'estomac et avec dix heures de vol derrière vous, sans compter le reste. Même les divorces, c'est fatigant, me semble-t-il.

— C'est comme ça », dit Blake. Il alla s'asseoir à l'ombre de la voiture et demanda quelque chose à manger. Un souffle de vent apportait un peu de fraîcheur.

« Alors, qu'en dites-vous ? »

Blake but une demi-bouteille d'eau avant de répondre car il se sentait déshydraté, puis il commença : « Miss Forrestall...

— Écoutez, Blake, cela me semble idiot de continuer avec toutes ces formalités, attendu que nous allons probablement travailler côte à côte pendant plusieurs jours. Si vous n'êtes plus en colère à cause de ma phrase malheureuse d'hier soir, j'aimerais que vous m'appeliez simplement Sarah et que nous nous tutoyions.

— D'accord, Sarah, bien volontiers. Mais ne me traite

plus ainsi. Tu es une belle fille et tu sembles également plutôt intelligente, mais je veux que tu saches que je peux tenir sans femme pendant quelques semaines sans devoir ramper devant personne. »

Sarah accusa le coup mais Blake sourit comme pour dédramatiser et revint au sujet principal : « Résumons : l'ensemble est d'un intérêt extraordinaire, bien plus que ce à quoi je m'attendais, mais l'écheveau est très embrouillé. Cette première reconnaissance m'a mis devant une masse énorme de problèmes.

— C'est-à-dire ?

— En premier lieu, le fait de ne pas savoir avec précision où je me trouve me crée des problèmes d'interprétation pratiquement insurmontables.

— Et... à part ça ?

— Le mobilier est hétérogène, la tombe elle-même est différente de toutes celles que j'ai vues jusqu'à maintenant et trahit une grande hâte dans son exécution. Quelqu'un a été tué à l'intérieur avant que la tombe soit close ; en outre l'éboulement que tu as vu n'a pas été provoqué par un tremblement de terre, sinon la panoplie serait tombée par terre, de même que les roues du char de combat qui sont en équilibre très instable.

— De quelle époque, selon toi ? »

Blake prit une pomme dans le sac et mordit dedans.

« Difficile à dire avec précision, mais les éléments que j'ai vus m'incitent à la situer dans le Nouvel Empire, au temps de Ramsès II ou de Mérenptah, mais je peux me tromper. J'ai observé, par exemple, sur un appuie-tête, le cartouche d'Aménémath IV qui remonte à une époque bien plus ancienne. Bref, c'est un puzzle.

— Aucune idée du personnage enseveli à l'intérieur ?

— Pas pour l'instant. Mais il faut que j'achève la lecture des textes, que j'enlève l'éboulis et que j'ouvre le sarcophage. Les caractéristiques de la momie et des objets que je trouverai sur elle pourraient être la clé pour découvrir l'identité du personnage. Je peux dire seulement qu'il s'agit d'un homme de très haut rang, peut-être même d'un pharaon. Dis-moi où nous nous trouvons, Sarah, et je comprendrai tout bien mieux... Nous sommes dans l'oued Hammamat, n'est-ce pas ? »

Sarah secoua la tête : « Je regrette, je ne peux pas t'aider. Ne me le demande plus, s'il te plaît.

— Comme tu voudras », dit Blake en jetant le trognon de la pomme. Il alluma une cigarette et resta à regarder silencieusement le soleil qui commençait à décliner sur l'étendue désertique infinie. Il n'y avait pas une pierre, pas un accident de terrain où il pût reconnaître quelque chose de familier. Tout était étranger et inconnu, il lui semblait que même le soleil était différent en ce milieu et en cette dimension, plus absurde d'heure en heure.

Il enterra le mégot de sa cigarette dans le sable et dit : « Pour aujourd'hui, nous pouvons refermer et revenir au campement. Je suis très fatigué. »

Ils arrivèrent à l'heure du couchant et Blake alla au rapport chez Maddox après une douche rapide dans sa baraque. Il lui exposa son point de vue et les doutes qu'avait suscités cette reconnaissance.

Maddox parut très intéressé et suivit avec attention chaque mot de son compte-rendu. Quand il eut terminé, il le raccompagna jusqu'à la porte.

« Détendez-vous, un peu, Blake, lui dit-il, vous devez être mort de fatigue. Le dîner est à six heures et demie sous la tente bédouine, si cela vous fait plaisir d'être avec nous. Hier soir, nous avons dîné plus tard pour vous attendre, mais d'ordinaire, nous dînons plus tôt, à l'américaine.

— Je serai là, dit Blake, avant d'ajouter : J'ai besoin de développer et de tirer des photos.

— Nous avons tout l'équipement nécessaire : nous faisons souvent des photos aériennes avec le ballon captif et nous développons le matériel dans notre laboratoire. Sarah Forrestall vous montrera où c'est. »

Blake remercia et sortit, faisant quelques pas dans le campement, puis il descendit l'oued vers le sud pour attendre l'heure du dîner. Il était trop fatigué pour travailler.

L'atmosphère s'était un peu rafraîchie : les tamaris et les genêts allongeaient leurs ombres sur le gravier clair du fond. Blake suivait du regard les lézards qui couraient se cacher à son passage et, un instant, il vit un bouquetin et ses grandes cornes recourbées se détacher sur le disque du soleil qui descendait derrière les collines. L'animal sembla l'observer un instant, immobile, puis il fit un écart, se retourna et disparut, comme dissous dans l'air.

Blake marcha presque une heure avant de revenir, et ce long parcours lui mit l'âme en paix et relâcha la tension qui saisissait sa nuque à chaque fois qu'il se concentrait sur son terrain de recherche. Le soleil avait presque disparu derrière la ligne des collines, mais ses rayons rasants sculptaient encore les profils qui émergeaient de la plaine, les vêtant d'une lumière fauve et limpide.

En cet instant, alors qu'il reprenait le chemin du campement, son regard fut attiré par une hauteur à sa gauche, distante d'un kilomètre peut-être et dont le sommet était encore éclairé par les rayons du couchant.

Elle avait l'aspect tout à fait spécifique d'une pyramide. Et les striures horizontales de sa stratigraphie en accentuaient le réalisme, au point de donner l'illusion presque parfaite d'une construction artificielle. Il pensa aussitôt à l'autre montagne qui dominait le camp et qui ressemblait à un lion couché. Ou à un sphinx ?

Quel lieu était-ce donc que celui-ci où la nature et le hasard étrange avaient en quelque sorte recréé les formes les plus emblématiques et les plus suggestives de l'ancienne Égypte ? Il rumina longuement un doute cependant que, sur la vallée de Ras Udash, descendait lentement l'ombre du soir.

5

William Blake mit plusieurs jours à photographier, décrire et relever, avec l'aide de Sarah, tout le matériel de la tombe, mais il ne déplaça aucun objet et préféra réaliser une sorte de diaphragme en planches doublées d'une feuille de plastique pour isoler le sarcophage et l'éboulis qui le recouvrait pour une bonne part.

Avec l'aide de Ray Sullivan, il réussit à construire une sorte de sorbonne pour aspirer en continu la poussière quand il commencerait à enlever l'éboulis et à transporter à la surface les matériaux inertes. Pour ce deuxième objectif, il construisit au-dessus de l'orifice une petite charpente avec une poulie sur laquelle il fit rouler le câble du treuil de la jeep, auquel il accrocha un récipient fabriqué tout exprès par l'atelier du camp. Quand il fut prêt à commencer à ôter l'éboulis, il se rendit, comme il en avait l'habitude, auprès de Maddox, un peu avant l'heure de dîner.

« Comment vont vos affaires, docteur Blake ?

— Elles vont bien, monsieur Maddox. Mais il y a un problème dont je désire discuter avec vous.

— De quoi s'agit-il ?

— Le travail préliminaire, de relevé, est terminé. Il s'agit maintenant de libérer le sarcophage des matériaux de l'éboulis. J'estime qu'il y a là une vingtaine de mètres cubes de matériaux inertes : de la poussière, des cailloux, du sable, qu'on ne peut enlever qu'à la main. Or, je me demande combien de personnes devraient être au courant de ce que vous avez découvert : vous, Sullivan, Gordon, miss Forrestall, et moi, ça fait cinq. Il va falloir des ouvriers si nous voulons mener le travail à bien dans un délai raisonnable, mais cela impliquera de mettre d'autres personnes au courant de la découverte. C'est à vous de décider combien, me semble-t-il.

— Vous avez besoin de combien de personnes ?

— Deux au déblaiement, pas plus, pour ne pas créer un encombrement inutile, un à la sorbonne, un au treuil.

— Je vous donnerai trois ouvriers. Sullivan peut s'occuper du treuil.

— Combien d'autres personnes du campement sont-elles au courant de la découverte ?

— Aucune, à part celles que vous avez mentionnées. Quant aux trois ouvriers, nous n'avons pas le choix, me semble-t-il.

— Effectivement.

— Combien de temps pour dégager le sarcophage ?

— Si les ouvriers travaillent comme il faut, ils peuvent enlever jusqu'à deux ou trois mètres cubes par jour, ce qui veut dire qu'en un peu plus d'une semaine nous pourrions être prêts pour l'ouverture du sarcophage.

— Parfait. Vous pouvez commencer dès demain. Je choisirai moi-même les ouvriers qui vous assisteront. Demain matin, à sept heures, ils vous attendront au parc des véhicules. Vous avez encore besoin de miss Forrestall ? »

Blake hésita un instant puis il répondit : « Oui. Elle m'est d'un grand secours. »

Au dîner n'étaient présentes, certainement pas par hasard, que les personnes qui étaient au courant de l'existence de la tombe du désert et la conversation se poursuivit donc sur ce sujet jusqu'au café sous la tente bédouine. En les écoutant et en les observant attentivement, Blake se rendit compte que Sullivan était non seulement un technicien de grande valeur, mais aussi un homme de confiance de Maddox, peut-être même son garde du corps. Gordon, au contraire, semblait être l'intermédiaire entre Maddox et le sommet de la compagnie, et Maddox lui-même avait l'air parfois de le tenir en grande considération, si ce n'est même de le redouter. Il ne faisait aucun doute que la personne la plus indépendante était Sarah Forrestall, mais la chose n'était pas facile à expliquer.

À un moment donné, après que Gordon et Sullivan se

furent retirés, Maddox demanda : « Docteur Blake, selon vous, quelle peut être la valeur des objets contenus dans cette tombe ? »

C'était une question à laquelle Blake s'attendait depuis longtemps : « En théorie, la valeur est inestimable : certainement plusieurs dizaines de millions de dollars », répondit-il, cherchant à déceler la réaction que ses paroles suscitaient chez ses deux interlocuteurs.

« En théorie ? » demanda Maddox.

« En effet. Il est quasiment impossible de déplacer et de transporter une telle masse de matériaux. Il vous faudrait corrompre la moitié des fonctionnaires de la république arabe d'Égypte et cela ne suffirait pas encore, en admettant que vous y parveniez. En théorie, vous pourriez utiliser le Falcon, mais vous devriez le transformer pour le transport, ici, là où nous nous trouvons, ce qui ne serait pas simple. Sans compter que chaque pièce nécessiterait un emballage approprié et donc très volumineux. Bien des pièces n'entreraient même pas par la porte.

« Mais, même en admettant que vous réussissiez à exporter un certain nombre d'objets, disons, ceux qui ne sont pas trop volumineux, il ne vous serait possible ensuite ni de les exposer ni de permettre que d'éventuels acquéreurs en fassent état de quelque façon que ce soit. L'apparition soudaine d'un mobilier si riche, complètement inédit, provoquerait immédiatement une demande d'éclaircissements, puis de restitution de la part de la République égyptienne et je pense qu'il serait très difficile d'éviter de donner des explications.

« Mon conseil, encore une fois, monsieur Maddox, est d'annoncer la découverte et de permettre d'en rendre les objets publics. »

Maddox ne répondit pas ; quant à Sarah Forrestall, elle continua à siroter son café, comme si la chose ne la concernait pas.

« Cela ne dépend pas de moi, docteur Blake, dit finalement Maddox. En tout cas, nous avons besoin d'une évaluation détaillée et la plus précise possible du mobilier de la tombe.

— Je la ferai, mais seulement quand j'aurai mené à bien les fouilles. Pour l'instant, ça n'a pas de sens. Nous ne savons même pas ce que contient le sarcophage.

— Comme vous voudrez, Blake, mais tenez compte du fait que nous ne resterons plus très longtemps ici. Je vous souhaite une bonne nuit.

— À vous aussi, monsieur Maddox », répondit Blake. Puis, quand il fut parti, il se retourna vers Sarah : « Qu'est-ce que c'est que cette histoire d'évaluation ?

— Tu veux faire quelques pas avant d'aller te coucher ? » lui demanda la jeune femme. Blake la suivit : ils traversèrent le campement, passant devant les tentes des ouvriers qui s'attardaient autour des tables sur lesquelles ils avaient dîné et jouaient aux cartes en buvant de la bière. Le générateur allait bientôt s'éteindre.

« Ça me paraît assez logique, reprit Sarah. Il y a là-dessous quelques dizaines de millions de dollars d'antiquités et il est plus que compréhensible que la Warren Mining Corporation tente de faire une affaire.

— Je pensais que la recherche et le travail du cadmium étaient le noyau du business de la Warren Mining.

— C'est le cas, mais la compagnie est dans une mauvaise passe.

— Comment le sais-tu ?

— Des bruits.

— Seulement ?

— J'ai eu accès à un dossier réservé dans l'ordinateur central. Ces gens-là me doivent beaucoup d'argent. J'avais bien le droit de me renseigner sur la situation financière de la compagnie.

— Ça me paraît fou. Tu crois vraiment qu'ils pensent résoudre leurs problèmes financiers par l'archéologie ?

— Pourquoi pas ? Pour eux, ce ne sont que des produits d'une grande valeur commerciale dont la vente pourrait les sauver de la faillite. Sinon, dis-moi pourquoi ils auraient organisé toute cette histoire, pourquoi ils auraient fait appel précisément à toi.

— Tu veux dire : à un raté ?

— Je veux dire à un homme hors-jeu, isolé, déprimé... »

Blake ne répondit pas. À ce moment, on arrêta le générateur et le campement disparut dans l'obscurité, ne laissant que la cime des monts soutenir le miracle du ciel étoilé. Blake laissa son regard errer dans le fourmillement infini de lumières, le long du voile diaphane de la galaxie :

« Tu as peut-être raison, dit-il. Mais ce que je suis n'a que bien peu d'importance au regard de l'énigme que cache cette tombe. Il faut que tu m'aides à sauvegarder ces témoignages que le hasard a laissé arriver jusqu'à nous à travers les millénaires.

— Et comment ? Tu ne t'es pas rendu compte de la ceinture de contrôle qui nous entoure ? Nous sommes constamment surveillés quand nous sortons du campement et je peux te garantir qu'à chaque fois que nous rentrons, quelqu'un vérifie jusqu'au kilométrage parcouru par notre voiture. Comment penses-tu pouvoir traverser le désert dans une telle situation en emportant un chargement d'un tel volume, et avec quel véhicule ?

— Bon sang ! vociféra Blake, se rendant compte de sa totale impuissance. Bon sang !

— Viens, lui dit Sarah. Rentrons. Demain, une dure journée de travail nous attend. »

Ils marchèrent en silence jusqu'à la baraque de Sarah et, tandis qu'elle mettait la clé dans la serrure, Blake lui posa une main sur le bras : « Sarah. »

Elle se retourna vers lui en cherchant son regard dans le noir : « Qu'y a-t-il ?

— Tu ne peux pas ne pas avoir une carte topographique de cette zone. »

Sarah sembla déçue de cette question :

« Si, mais elle ne te servira à rien. Toutes les coordonnées, tous les repères, ont été effacés. Tous les noms de localité sont en arabe et cet endroit, comme tu le sais, s'appelle Ras Udash, mais il ne me semble pas que cela t'ait servi à grand-chose de le savoir.

— Effectivement. Je voudrais quand même voir cette carte. S'il te plaît.

— Ce n'est pas une excuse pour entrer nuitamment chez moi, docteur Blake ?

— Il ne faut rien exclure. Alors, je peux entrer ? »

Sarah ouvrit la porte : « Attends que j'allume la lampe à gaz », dit-elle tout en fouillant dans un tiroir pour chercher des allumettes. Elle alluma ensuite la lanterne et la plaça sur le côté de la table à dessin sur laquelle était fixée la carte topographique : « Voilà. Comme tu vois, c'est ce que je t'avais dit : pas un point de repère et, en tout, une dizaine de toponymes, y compris celui de Ras Udash. »

Blake mit ses lunettes et examina attentivement la carte : « C'est bien ce que je pensais. Cette carte est sortie de l'imprimante d'un ordinateur. C'est comme ça qu'ils ont effacé les repères. On peut cependant supposer qu'ils aient quelque part un original qui comporte aussi les coordonnées.

— C'est très probable.

— Tu as un disque dur auxiliaire ?

— Oui.

— Quelle capacité ?

— Deux giga.

— Excellent. Plus que suffisant.

— Compris, dit Sarah. Tu veux trouver l'original, copier la carte sur le disque, la transférer sur ton ordinateur, la mémoriser puis l'imprimer. Exact ?

— C'est l'idée.

— Ce serait une bonne idée mais je ne sais pas où chercher cet original, en admettant qu'il existe. Et, de toute façon, je ne crois pas que je réussirais à effectuer une telle opération sur l'ordinateur de Maddox sans que personne s'en aperçoive ou s'en doute.

— Tu m'as dit que tu avais eu accès à un dossier réservé de l'ordinateur central. Alors, si tu voulais m'aider, tu pourrais réussir encore une fois.

— Ce n'est pas la même chose. Tu me demandes une opération qui pourrait nécessiter un temps assez long. Le responsable de l'ordinateur central est un homme de Maddox, un technicien nommé Pollack. C'est une personne de confiance et il est toujours au travail, tant que le générateur est allumé.

— Mais comment as-tu fait pour trouver ton dossier ?

— Pollack vit toujours au même rythme : chaque matin, vers dix heures, il va aux toilettes et il y reste au moins une dizaine de minutes, parfois plus. Ça dépend s'il emporte des journaux, mais, pour ton problème, dix minutes, quinze même, ça ne pourrait pas suffire : la carte topographique, ça prend un temps fou, il faut du temps pour la trouver, du temps pour la copier...

— Je sais, dit Blake. Mais je dois absolument savoir où je me trouve. Il n'y a que comme ça que j'arriverai à savoir ce que cache cette tombe et pourquoi elle se trouve en cet endroit si solitaire... Si ce que tu m'as dit est vrai, il est très probable que, quand j'aurai terminé les fouilles, ils me renverront pour procéder au pillage et au transfert de tout le mobilier funéraire en toute tranquillité. Sarah, je ne suis pas venu ici pour aider des voleurs mais pour ne pas laisser m'échapper l'occasion unique d'une extraordinaire découverte scientifique. Aide-moi, pour l'amour de Dieu.

— Demain, je ferai un essai. J'ai un début d'idée.

— Je te remercie beaucoup. Si nous réussissons, je pourrai enfin commencer à réfléchir. » Il se tourna vers la porte : « Bonne nuit, Sarah. Merci.

— Bonne nuit, Will. Il n'y a pas de quoi.

— Tu sais ? »

Sarah le regarda, intriguée : « Quoi ?

— Cette histoire d'éteindre le générateur à cette heure me paraît totalement stupide.

— C'est Maddox, dit Sarah. Il ne parvient pas à s'endormir avec ce bruit. Ou peut-être n'arrive-t-il pas à s'endormir s'il sait que quelqu'un fait quelque chose à son insu... Toutefois, la chose pourrait avoir des développements intéressants. Comme on dit, à quelque chose malheur est bon. »

Blake la regarda comme s'il la voyait pour la première fois, puis il baissa la tête, confus : « J'imagine que tu plaisantes, mais si ce n'est pas le cas, il est bon que tu saches que je ne suis pas le genre d'homme qui pourrait avoir une aventure avec une fille comme toi sans en sortir en miettes le jour où elle finirait. Rappelle-toi qu'il y a à peine plus d'une semaine, j'étais prêt à dégager et à laisser sans regrets cette vallée de larmes. Mon équilibre est encore très précaire. »

Il effleura sa main d'une caresse, puis la salua d'un signe de tête et se dirigea vers son logement. Au loin, on entendait le battement du rotor d'un hélicoptère et dans la même direction, on voyait palpiter des lumières derrière le profil des collines. Il entendit le bruit de quelques jeeps qui parcouraient la montagne et vit un instant les traînées de quelques balles traçantes, C'était certainement le terrain d'exploitation minière le plus étrange qu'on eût jamais vu.

Dès son entrée dans sa baraque, il alluma la lampe à gaz et se mit à étudier les inscriptions du Livre des Morts qu'il avait photographiées et relevées sur les parois de la tombe. Il y avait quelque chose d'étrange, ou de particulier, dans ces hiéroglyphes, quelque chose qu'il n'arrivait pas, pour le moment, à identifier, quelque chose de familier en même temps, qui lui revenait à la mémoire. Peut-être certaines expressions, des façons de parler ? Ou bien le style des caractères et des idéogrammes ?

Il se prépara un thé bouillant et alluma une cigarette en allant et venant dans la petite pièce, cherchant à donner forme à cette intuition confuse.

Il se versa le thé sombre et brillant dans un verre, à l'orientale, il y fit dissoudre deux morceaux de sucre et but quelques gorgées, savourant la boisson forte et douce ; il aspira une bouffée de fumée et, un instant, il lui sembla être dans l'appartement d'Omar al-Husseïni à Chicago, en cet après-midi glacial et désespéré. Il éprouva soudain un choc au cœur : le papyrus Breasted !

Voilà ce que lui rappelait cette écriture sur la paroi de la tombe ! L'emploi de certains idéogrammes à la signification déterminée, la façon dont le copiste traçait les signes « eau » et « sable ». Était-il possible que ce fût la même personne ? Ou bien n'étaient-ce que des coïncidences, l'écriture de Breasted qui en venait à ressembler d'une certaine façon à celle du scribe qui avait décoré les parois de la tombe du désert ?

Il s'assit à sa table de travail, prit un stylo et du papier et se mit à écrire un message à envoyer le lendemain par la messagerie électronique. Ses mains tremblaient d'émotion.

Communication privée

Dr Omar Ibn Khaled al-Husseïni
The Oriental Institute, Chicago
de la part de William Blake.

Cher Husseïni,

Je suis en train d'étudier des textes muraux appartenant, en grande partie, au Livre des Morts. Mais ce qui est intéressant, c'est qu'ils semblent avoir été tracés par la même main qui a tracé le papyrus Breasted. Peut-être s'agit-il d'une impression ou d'une étrange coïncidence mais je dois abso-

lument vérifier si mon intuition est juste. Je te demande donc :

a) de m'envoyer par courrier électronique, le plus tôt possible, une reproduction exacte des trois premières lignes que nous possédons de ce papyrus ;

b) de vérifier, si possible, si la transcription de Breasted doit être considérée comme une reproduction fidèle ou approximative de l'original.

Je t'en remercie à l'avance et je reste en attente d'une réponse rapide de ta part. Merci encore mille fois de m'avoir hébergé chez toi la nuit de Noël. Peut-être m'as-tu sauvé la vie. Ou peut-être me l'as-tu détruite, qui peut le savoir, mais, certainement, le bon Samaritain n'était pas meilleur que toi.

Blake

Le lendemain, Blake, dès qu'il fut réveillé, alla frapper à la porte de Sarah, qui se présenta en pyjama ; il lui tendit une disquette.

« Sarah, il y a là un dossier à envoyer par courrier électronique. Pourrais-tu l'emporter en allant dans le bureau de Maddox ; si Pollack devait entrer tant que tu y es encore, tu pourrais lui dire que tu es venue pour lui demander d'expédier un dossier par courrier électronique. Qu'en penses-tu ?

— Ça me semble une bonne idée, même si toute cette histoire est folle.

— Merci, Sarah. Je crois que nous ne nous verrons pas aujourd'hui aux fouilles.

— Non, j'ai à faire ici, au campement.

— Tu me manqueras, dit Blake.

— Toi aussi », dit Sarah. Et elle semblait sincère.

Blake gagna la tente bédouine où les autres membres de son groupe étaient déjà en train de prendre leur petit déjeuner ; il prit une tasse de café au lait avec des céréales et des dattes. Puis il emporta des provisions pour le déjeuner et se dirigea vers le parking, suivi de Ray Sullivan : « Miss Forrestall ne viendra pas aujourd'hui au champ de fouilles, monsieur Sullivan, lui dit-il avant de monter dans la jeep. Elle a un travail important à faire ici. Nous nous débrouillerons tout seuls.

— Bien, docteur Blake », répondit Sullivan en démarrant et en faisant monter les deux nouveaux ouvriers.

Le ciel était partiellement couvert par un front nuageux qui montait du nord-est et un peu de vent soufflait sur l'étendue vide du désert. Au bout d'une demi-heure de route, Blake se retourna et vit distinctement la montagne en forme de pyramide et, au loin, l'autre, en forme de sphinx. Si Sarah réussissait à lui procurer la carte topographique avec les coordonnées, il saurait certainement donner une valeur à ces bizarres phénomènes de la nature.

Ils arrivèrent à la tombe vers neuf heures du matin ; le soleil était déjà assez haut. Blake descendit dans l'hypogée avec les trois hommes qui devraient creuser et actionner la sorbonne ; il ne manqua pas d'observer la stupeur des deux nouveaux. Ce qui lui confirma que la découverte était vraiment tenue secrète et réservée à un nombre restreint de personnes.

Il laissa Sullivan dehors, à actionner le treuil et vider les seaux qui remontaient l'un après l'autre à la surface. À chaque coup de pelle, il observait les débris qui ruisselaient vers le bas et, tout doucement, la surface latérale du sarcophage qui venait au jour. Il était en proie à une émotion croissante chaque fois qu'il contemplait la massive tombe de pierre, comme s'il percevait le réveil d'une voix restée silencieuse pendant des millénaires, comme si un cri allait exploser de l'intérieur de ce roc.

Les deux hommes qui travaillaient à la pelle gardaient un bon rythme et remplissaient un conteneur toutes les trois ou quatre minutes.

Soudain, Blake remarqua quelque chose de sombre au niveau du sol de la tombe et arrêta les deux hommes. Il s'agenouilla, sortit sa truelle de sa poche et commença à déplacer les débris et à nettoyer avec sa brosse. C'était du bois, noirci par le temps et l'oxydation : on aurait dit une sorte de plancher.

Il en préleva un petit fragment puis ordonna de reprendre le travail en faisant la plus grande attention à ne pas abîmer cette espèce de revêtement de bois, qui, apparemment, n'avait pas de raison d'être. Alors qu'on approchait de la pause du déjeuner, l'un des ouvriers l'appela : il avait vu quelque chose émerger des débris.

« Fais voir », dit Blake en s'approchant. À peu près à mi-hauteur de l'éboulis qui résultait du glissement de la partie supérieure des matériaux, était apparu un objet d'une forme indéfinissable qui avait l'air d'être fait de cuir. Blake le retira avec les pinces de bois et l'observa : c'était ce qui restait d'une sandale ! Il l'enveloppa soigneusement dans du papier d'étain et le rangea avec l'échantillon de bois.

Sarah resta dans son logement, surveillant attentivement les faits et gestes de Pollack. Maddox s'était éloigné avec Gordon vers le nord dans sa jeep, comme presque tous les jours, et il était peu probable qu'il revînt avant le coucher du soleil. Le campement était pratiquement désert hormis les hommes de garde sur les hauteurs environnantes, à quelques centaines de mètres de distance.

Vers dix heures du matin, Pollack sortit, un exemplaire de *Playboy* à la main, avec un rouleau de papier hygiénique et une bouteille de plastique pleine d'eau, et il se dirigea vers les latrines.

Sarah sortit au même moment par la porte arrière, passa le long de la rangée de baraques et se dirigea vers le logement de Maddox, espérant que Pollack n'avait pas fermé à clé derrière lui. Elle poussa la porte, elle était ouverte. Elle estima qu'elle avait entre dix et quinze minutes et jeta un regard à l'horloge électronique accrochée au mur. L'ordinateur était allumé et sur l'écran se dessinaient des diagrammes qui se rapportaient aux analyses minéralogiques du terrain dans diverses zones de la vallée de Ras Udash.

Sarah s'assit devant la console et commença à examiner les dossiers du disque dur. Elle avait emporté une paire de jumelles et réussissait à voir au loin, par la fenêtre du mur en face d'elle, au-dessus de l'ordinateur, les latrines et les pieds de Pollack, son pantalon descendu sur les chaussures. C'était un excellent point de contrôle.

Il y avait une série de répertoires protégés qui contenaient certainement des documents confidentiels. Sarah sortit une disquette de la poche de son chemisier et lança un programme de déchiffrage des clés de protection qu'elle avait précédemment soustrait elle-même du bureau de Maddox. Les répertoires commencèrent à s'ouvrir l'un après l'autre et Sarah les recopia sur un disque dur mobile qu'elle avait apporté, sans savoir si l'un d'entre eux pouvait contenir l'original de la carte topographique. Il commençait à faire chaud en cette heure de la journée et on sentait la chaleur irradier des tôles surchauffées de la baraque.

Elle observa les latrines à la jumelle et vit que Pollack remontait son pantalon. Elle n'avait dès lors plus que trois minutes avant qu'il entrât.

Elle éteignit l'ordinateur et sortit au moment où Pollack refermait la porte des latrines derrière lui et se mettait à répandre la chaux. Elle attendit quelques minutes après qu'il fut rentré dans son bureau et frappa.

« Entrez », dit Pollack.

Sarah entra et ne put s'empêcher de froncer le nez : Pollack avait apporté avec lui l'odeur des latrines.

« Je vois que vous êtes restée au campement aujourd'hui, miss Forrestall.

— En effet. J'ai du travail à faire au bureau. » Elle sortit une disquette de sa poche et la lui tendit : « C'est le docteur Blake qui me l'a donnée. Il faudrait l'envoyer par courrier électronique au plus tôt. L'adresse et le nom du dossier sont sur l'étiquette. Dès que vous aurez la réponse, faites-la remettre au docteur Blake. Je crois que c'est très important.

— Vous savez, miss Forrestall, que tout le courrier départ et arrivée doit être contrôlé par monsieur Maddox. Dès qu'il sera de retour, je lui ferai voir le message et je lui demanderai l'autorisation de l'expédier au plus vite. »

Sarah rentra chez elle, mit aussitôt le disque dur mobile dans son ordinateur et commença à sélectionner les dossiers tour à tour.

William Blake revint au campement peu après le coucher du soleil et alla aussitôt frapper à la porte de Sarah sans même repasser par sa baraque pour un brin de toilette : « Quoi de neuf ? » demanda-t-il en entrant.

Sarah secoua la tête : « Rien, malheureusement. Regarde toi-même. Voilà l'original de la carte topographique mais il n'y a pas de repères. À l'évidence, ils ne veulent courir aucun risque. »

Blake s'abandonna sur une chaise, démoralisé.

« Et du côté des fouilles ? Il y a du nouveau ? »

Blake sortit de sa poche un petit paquet : « J'ai trouvé un plancher, entre l'éboulis et le revêtement de sol. Très étrange. En plus, un bout de sandale de cuir : il faut faire tout de suite une analyse au carbone 14 pour dater les objets.

— Au carbone 14 ? Je ne sais pas comment on pourra faire. Je ne crois pas qu'il y ait dans le campement quelqu'un qui ait une idée de l'endroit où on puisse trouver un laboratoire capable de faire ce genre d'analyse.

— Je l'aurais très vite cette idée, si seulement je savais où diable nous nous trouvons. »

Sarah baissa la tête : « J'ai fait mon possible pour t'aider : ce n'était pas facile de me concentrer sur toutes ces opérations à l'ordinateur en si peu de temps et avec la crainte que Pollack entre d'un moment à l'autre et commence à me poser des questions gênantes. »

Blake se leva : « Je ne t'en veux pas, Sarah, dit-il. C'est seulement que tout est absurde ici et que même le sens de mon travail semble m'échapper. C'est comme si je fouillais sur une autre planète... sans points de repère, sans termes de comparaison. Merci, en tout cas. Je te suis très reconnaissant de ce que tu as fait. On se voit tout à l'heure, à table. »

Il sortit et s'en alla. Sarah resta à le regarder quelque temps comme si elle s'attendait à le voir se retourner vers elle, mais Blake poursuivit son chemin et entra chez lui en claquant la porte. Il devait être furieux.

Le dîner fut servi sous la tente bédouine, d'autant que la soirée était tiède, comme un avant-goût de printemps. Blake alla s'asseoir à côté de Sarah et attendit que Maddox lui adressât la question habituelle sur l'état d'avancement des fouilles, pour lui demander de faire faire une analyse au carbone 14 des objets qu'il avait pris dans la tombe.

Maddox sembla un instant dans l'embarras : « Vous devez vous rendre compte que nous ne sommes pas équipés pour cela, dit-il, mais si vous m'indiquez des centres où on fait ces analyses, ici, au Proche-Orient, je le ferai faire au plus tôt.

— Il y en a un près du musée égyptien du Caire », dit-il. Il y en a un autre, très bien équipé, à l'université hébraïque de Jérusalem, à l'Institut d'archéologie, un autre à l'université de Tel-Aviv...

— Laissez les objets à monsieur Pollack, s'il vous plaît, je donnerai des instructions pour qu'il s'en occupe. »

Pollack s'approcha de lui pour prendre les fragments

de bois et de cuir enveloppés dans le papier d'étain et lui remit une enveloppe : « Voici la réponse au message que vous avez fait envoyer ce matin, dit-il. Ça vient d'arriver. »

Blake mit l'enveloppe dans la poche de sa veste, qu'il avait accrochée au dossier de sa chaise, et se mit à bavarder avec Sarah. Il semblait avoir retrouvé sa bonne humeur. Quand on servit le café, Pollack s'absenta quelques instants et, en revenant, murmura quelques mots à l'oreille de Maddox : celui-ci but son café en hâte puis se leva en s'adressant à ses commensaux : « Excusez-moi, on m'appelle de Houston, je dois vous quitter, mais restez si vous le voulez. Miss Forrestall, cela vous ennuie de me rejoindre à mon bureau, s'il vous plaît ? »

Sarah se leva en jetant un regard à Blake, lequel la regarda avec perplexité : Pollack aurait-il découvert l'intrusion de Sarah dans son bureau ?

Soudain, son regard tomba sur la veste de Sarah accrochée au dossier de sa chaise. Il laissa glisser sa main dans la poche droite, il sentit le trousseau de clés et une idée lui traversa l'esprit.

« Excusez-moi aussi, dit-il, s'adressant à Sullivan et Gordon, j'ai oublié mes cigarettes chez moi et, après le café, il m'en faut vraiment une. Je reviens tout de suite. »

Gordon esquissa un petit sourire de compassion comme si Blake allait se piquer à l'héroïne et dit : « Allez-y, docteur Blake, allez-y ; nous vous attendrons. »

Blake leur adressa un vague salut et s'éloigna en hâte vers les baraquements. Quand il fut devant le logement de Sarah, il se retourna pour s'assurer que personne ne l'observait, puis il ouvrit, alluma l'ordinateur et se mit à fouiller dans les tiroirs, à la recherche du disque dur mobile. Il ne trouva rien. Il alla à la porte pour voir si Sarah était toujours absente puis il revint à la console. Il vit que l'un des tiroirs du bureau était fermé, il chercha la clé dans le trousseau, ouvrit. Il y avait des notes, des papiers, des photos. Et il y avait le disque dur. Il le sortit, l'inséra dans le lecteur, et fit défiler sur l'écran la liste des dossiers.

Il avait la gorge nouée par l'émotion. Que dirait-il si Sarah entrait à ce moment ? Est-ce que c'était un truc pour le piéger ? Tout à coup, il vit un sigle : TPC-H-5A.

Tactical Pilotage Chart H-5A ! Une carte topographique du département de la Défense ! C'était forcément ça.

Il en fit une copie sur un autre disque, éteignit l'ordinateur, ferma le tiroir et sortit en regardant sa montre : six minutes s'étaient écoulées depuis qu'il était entré.

Sarah et Pollack étaient encore dans le bureau de Maddox. Il referma la porte à clé et retourna à la tente bédouine après s'être assuré qu'il avait encore des cigarettes dans sa poche.

Il s'assit alors que le serveur lui versait du café et fit tomber le trousseau de clés dans la poche de la veste de Sarah, puis il alluma une cigarette, aspirant voluptueusement quelques bouffées.

« Une tentation que je n'ai jamais eue, dit Gordon. Et chaque fois que je vois un fumeur fouiller ses poches de façon hystérique, je me considère comme un veinard de n'avoir jamais allumé une cigarette.

— Vous avez raison, monsieur Gordon. Cependant, il faut considérer que le vice, bien plus que la vertu, est ce qui nous distingue des bêtes. Vous avez déjà vu un cheval fumer ? »

Gordon esquissa un sourire aigre et changea de sujet de conversation : « Ray m'a parlé de cette espèce de plancher qui se trouve entre le dallage de la tombe et le tas de débris que vous appelez "l'éboulis". C'est une chose bien étrange : qu'est-ce que cela pourrait bien être, selon vous ?

— J'y ai réfléchi toute la journée et je n'ai pas encore trouvé de solution à ce problème. Mais il n'y a pas beaucoup d'explications possibles... De deux choses l'une : anciennement, ce plancher devait se trouver en position horizontale ou verticale. Dans le premier cas, il aurait eu un sens en tant que couverture d'une excavation pratiquée dans le sol. Mais ce n'est pas possible parce que le poids de l'éboulis l'aurait défoncé tôt ou tard, quelque robuste qu'il fût. Donc, le plancher devait être vertical...

— Et alors ? » Sarah était arrivée à ce moment précis et s'asseyait à côté de lui.

— Eh bien, selon moi, cela ne pourrait signifier qu'une chose...

— Quoi ? » demanda Sarah.

— Que l'éboulis a été provoqué intentionnellement pour rendre la tombe inaccessible. »

Sarah resta quelques instants silencieuse. La lumière du jour était presque totalement éteinte et le vent apportait des bruits lointains venus du désert, échos d'une mystérieuse activité qui se déroulait quelque part derrière la crête des collines crayeuses qui entouraient la plaine vers le nord-est.

« Cela me semble étrange..., dit-elle au bout d'un moment. Toutes les tombes égyptiennes étaient inaccessibles. Et, en tout cas, nous ne savons pas encore comment est l'entrée et où elle mène.

— Effectivement. Et pourtant, cet éboulis, selon moi, est artificiel. Le plancher vertical retenait une masse de débris. À un moment donné, quelqu'un l'a fait tomber vers l'avant et un éboulement a envahi la tombe et recouvert le sarcophage. Celui qui a provoqué l'éboulement avait l'intention de tout détruire, or, cela ne s'est pas produit. Le dispositif n'a fonctionné que partiellement.

— Hypothèse audacieuse, dit Sarah.

— Moins que tu ne le crois. La chose la plus probable est que la masse de détritus ait été immobile depuis longtemps et ait donc subi un processus de conglomération qui a empêché le glissement de toute la masse dans l'intérieur de l'hypogée. Mais si cela est vrai, comme je le pense, cela signifie que quelqu'un est venu visiter cette tombe longtemps après sa fermeture.

— Mais pourquoi ?

— Je n'en ai pas la moindre idée. Je ne désespère pourtant pas de le découvrir, tôt ou tard.

— Et maintenant, qu'est-ce que tu comptes faire ? Dégager le sarcophage ou continuer du côté du plancher ?

— Si ça ne dépendait que de moi, je creuserais du côté du plancher. C'est là que se trouve la solution de l'énigme. Mais je doute que Maddox approuve. C'est lui, en fin de compte, le propriétaire de cette concession.

— Eh oui », dit Sarah.

Le silence tomba sur les commensaux, qui avaient l'air plongés chacun dans ses pensées. Maddox apparut à ce moment mais ne revint pas à la table. Il se dirigea vers le parking et, peu après, on entendit sa jeep qui démarrait.

Sarah regarda dans la direction du parking ; elle semblait nerveuse.

Blake se leva : « Je crois que je vais aller travailler, dit-il. Il faut que je lise quelles sont les réponses de mon collègue aux questions que je lui ai envoyées et ça peut me donner du travail pour toute la nuit. »

« Et moi, je vais dormir, dit Sarah. J'ai eu une dure journée. » Elle lança à Blake un regard complice. Lui comprenait bien à quoi elle faisait allusion.

Blake l'accompagna jusqu'à la porte de son logement : « Selon toi, où Maddox est-il allé, tout seul, à cette heure-ci ?

— Je n'en sais rien et ça ne m'intéresse pas tellement. J'ai appris à m'occuper de mes affaires depuis que je travaille ici et je te conseille d'en faire autant, dans la mesure du possible. Bonne nuit, Blake. »

Elle effleura ses lèvres d'un baiser et entra en refermant la porte derrière elle.

Blake sentit une bouffée de chaleur lui monter au visage, comme un lycéen à sa première rencontre amoureuse, mais il était assez bien camouflé par l'obscurité. Il alla vers sa baraque et vit, en revenant sur ses pas, qu'il n'y avait plus personne sous la tente bédouine.

Il alluma son ordinateur et inséra d'abord la copie qu'il avait faite du disque dur mobile de Sarah. La carte topographique apparut et, dans les marges, il vit les coordonnées. Sarah lui avait menti !

Au même moment, il lui sembla entendre un bruit à peine perceptible : on aurait dit le léger grincement d'une porte. Il s'approcha de la fenêtre pour regarder dehors, à temps pour voir Sarah sortir de son logement et refermer la porte derrière elle, disparaissant aussitôt derrière le coin de sa baraque.

Il sortit à son tour et se dirigea vers le parking en se tenant à l'abri dans l'ombre des baraques. Quand il arriva, Sarah avait disparu et il vit qu'il manquait un véhicule tout-terrain. Quelques minutes s'écoulèrent et ce n'est qu'en tendant l'oreille qu'il réussit à percevoir au loin le bruit du moteur. Sullivan, Gordon et les autres, logés près du générateur, ne devaient rien avoir entendu.

Le bruit s'évanouit complètement, emporté par le vent qui soufflait du nord et Blake put, pendant quelques instants, voir la lumière des phares au sommet d'une crête. Sarah était sans doute en train de suivre Maddox vers sa destination inconnue, seule, au milieu du désert.

Bien qu'elle lui eût menti, il fut inquiet pour elle, en pensant aux dangers vers lesquels elle allait, mais, au point où on en était, il ne pouvait plus rien faire.

Il revint à son logement et s'assit devant son ordinateur : il transcrivit les coordonnées de la carte topographique et les imprima sur papier, mais, n'ayant pas de carte générale du Proche-Orient, il ne parvint pas à en déduire une localisation précise. Il fallait qu'il envoie ces données à l'extérieur pour avoir la réponse. À Husseïni peut-être. Mais comment échapper au contrôle de Pollack ?

Il ne pouvait certes pas demander à Sarah de rééditer son exploit pendant que Pollack se rendait aux latrines, et il ne pouvait pas le faire lui-même puisqu'il devait être présent sur le champ de fouilles.

Une idée : il recourrait aux hiéroglyphes !

Probablement, dans le campement, personne ne savait lire les hiéroglyphes, et un texte en égyptien ancien, étant donné la situation, n'éveillerait pas les soupçons de Pollack ; il pourrait ainsi envoyer des renseignements plus complets. C'est alors qu'il lut la réponse de Husseïni que Pollack lui avait remise sur une disquette. Le message disait :

Salut, Blake,

Ce que tu me racontes est extraordinaire et je donnerais cher pour être avec toi et pour lire ce texte.

Voici la réponse à tes questions :

a) Je transcris ici fidèlement les trois lignes que nous possédons du papyrus Breasted.

Suivait le texte en hiéroglyphes.

b) Le texte est presque certainement la transcription fidèle de l'original, avec toutes ses caractéristiques paléographiques. Breasted était scrupuleux jusqu'à en être maniaque. Une transcription faite par lui devrait être considérée pratiquement comme une photocopie de l'original, si tu me permets cet anachronisme.

Dis-moi dès que possible comment évolue la situation. Je suis sur des charbons ardents.

Husseïni

Blake chargea un programme d'écriture hiéroglyphique et, en s'aidant de sa grammaire, chercha à rédiger un message pour Husseïni, lui demandant de lui dire à quel lieu et à quelle région correspondaient les coordonnées qu'il lui envoyait.

Il eut bien du mal à trouver en égyptien ancien les expressions lui permettant d'exprimer des concepts géographiques modernes et, quand il relut son texte, il ne fut pas tout à fait certain que Husseïni comprendrait ce qu'il voulait lui dire, mais il n'avait pas d'autre choix. Le message aurait dû signifier ceci :

« Le lieu où j'ai lu ces mots est le lieu de sépulture d'un grand de la terre d'Égypte. Et j'y suis entré et j'ai vu qu'il était intact. Je ne sais pas où je me trouve mais les références sont : trente-huit et dix-huit cinquante vers la nuit ; trente-quatre et quarante-trois vers le lever du soleil. »

Avec l'espoir qu'on pût comprendre : latitude nord : 38° 18' 50", longitude est 38° 43".

Quand il eut fini, il appela Pollack au téléphone : « William Blake à l'appareil. Excusez-moi, Pollack, j'aurais besoin d'envoyer un message.

— De quoi s'agit-il, docteur Blake ?

— C'est un texte hiéroglyphique pour lequel j'ai besoin de l'avis d'un collègue, celui avec qui j'ai échangé ma récente correspondance.

— Je regrette, docteur Blake : en l'absence de monsieur Maddox, je ne peux accepter votre demande. »

Blake réagit de façon résolue : « Écoutez, Pollack, mon collègue est la seule personne en qui j'aie confiance et demain il s'en va et il va rester absent quelques semaines. Ce qui veut dire que je n'aurai pas la possibilité de tirer des textes que j'ai transcrits tous les renseignements qui me sont utiles et même indispensables. Si vous pensez pouvoir prendre cette responsabilité, faites donc, mais je ne crois pas que monsieur Maddox sera très satisfait. »

Pollack resta silencieux quelques instants et Blake pouvait entendre sa respiration à l'autre bout du fil et le bruit du générateur, bien plus distinct, qui se superposait à celui qui lui venait de l'extérieur, beaucoup plus faible.

« D'accord, dit finalement Pollack, si vous me garantissez qu'il ne s'agit que de cela...

— Rien de plus, Pollack, insista Blake. Si votre ordinateur est allumé, je vous envoie directement mon texte ; comme ça, vous pourrez le transmettre immédiatement. La réponse pourrait arriver par retour... si vous voulez bien garder le générateur allumé quelques instants encore.

— En effet, répondit Pollack, je voulais profiter de l'absence de monsieur Maddox pour liquider quelques dossiers et pour faire marcher encore un peu les frigos. Envoyez-moi votre message. »

Blake raccrocha en poussant un soupir de soulagement et envoya immédiatement à l'ordinateur de Pollack le texte qu'il avait préparé, en espérant que Husseïni fût encore chez lui. Il calcula qu'à Chicago il devait être en gros entre midi et treize heures.

Après avoir expédié son message, il sélectionna la réponse que Husseïni lui avait précédemment envoyée, imprima les trois lignes du papyrus Breasted, confrontant chacun de ses signes et chaque détail paléographique avec les textes de la tombe qu'il était en train de fouiller : la correspondance était surprenante. On aurait pu dire que le même scribe avait rédigé les deux textes. Était-ce possible ?

Après avoir terminé son analyse, il se rendit compte que presque deux heures avaient passé et que le générateur était encore allumé. Il était dix heures moins le quart. De toute évidence, Maddox n'était pas encore rentré, et probablement Sarah non plus.

Il ouvrit la porte et alla s'asseoir dehors. L'air était frais et limpide et la lune descendante flottait entre une mince couche de nuages et le profil sinueux des monts.

Il pensa à Sarah qui allait seule, de nuit, dans le désert, à Sarah qui lui avait menti et qui se servait peut-être de sa beauté pour le contrôler. Personne dans ce campement n'était ce qu'il semblait être et il se rendait compte qu'il ne pouvait s'accorder aucun sentiment sauf la méfiance. Son seul contact, difficile et précaire, était Husseïni, son collègue qui l'avait arraché à la rue et au froid de son Noël solitaire, un contact qu'on aurait pu lui enlever à tout instant.

Il alluma une cigarette et chercha à se détendre, mais,

à mesure que le temps passait, il se rendait compte de plus en plus clairement qu'il se trouvait dans une situation difficile et périlleuse, une situation sur laquelle il n'avait aucune possibilité d'influer. Ces gens qui erraient de nuit dans le désert, ces bruits lointains, ces étranges éclats lumineux à l'horizon : qu'est-ce que tout cela avait à voir avec une prétendue activité minière ?

Il pensa qu'ils pourraient aussi le supprimer ici même une fois qu'ils auraient obtenu ce qu'ils voulaient, ou bien le faire chanter, le contraindre pour toujours au silence.

La sonnerie du téléphone interrompit ses pensés et le fit se lever d'un bond. Il rentra et saisit le combiné.

« Allô.

— Ici Pollack. J'ai votre réponse, docteur Blake. Si votre ordinateur est allumé, mettez-le sur réception. Je vous la transmets immédiatement.

— Allez-y, monsieur Pollack. Tout est prêt. Merci. »

Husseïni lui répondait de la même façon qu'il lui avait écrit, par un texte hiéroglyphique, et il semblait avoir parfaitement compris ce qu'il lui avait demandé. Son message pouvait être lu et interprété approximativement, non sans quelques passages obscurs ou ambigus, mais il y avait une phrase qui ne laissait pas de doute :

L'endroit est dans le désert du Néguev, à proximité d'un affaissement de terrain qu'on appelle Mitzpe Ramon, en terre d'Israël.

Et il ajoutait :

Comment est-ce possible ?

Gad Avner prit congé de l'archéologue Ygael Allon vers une heure du matin : « Ce fut une visite émouvante, monsieur le professeur, lui dit-il dès qu'il fut sorti de la galerie située sous la forteresse Antonia. Combien de temps pensez-vous qu'il faudra pour arriver au bout du tunnel ? »

Allon eut un mouvement des épaules : « Difficile à dire. Ce n'est pas une construction comme une maison ou un sanctuaire, ou un édifice thermal, dont nous connaissons à peu près les dimensions : un tunnel peut être long de dix mètres ou, disons, de trois kilomètres. Ce qui est extraordinaire, c'est qu'il semble se diriger vers le Temple.

— Oui, dit Avner. En tout cas, je vais donner tout de suite des ordres afin qu'on mette des barrières autour de toute cette zone d'accès aux fouilles et je ferai en sorte que vous ayez tous les moyens à votre disposition pour achever votre exploration au plus vite. Compte tenu de l'endroit où nous sommes, je pense que vous serez d'accord avec moi pour garder le plus grand secret sur cette opération. La tension est telle que cette seule information pourrait faire éclater de très graves incidents.

— Oui, reconnut Allon, je crois que vous avez raison. Bonne nuit, monsieur Cohen.

— Bonne nuit, monsieur le professeur. »

Il s'éloigna, suivi de son compagnon. « Ferrario, lui dit-il dès qu'ils eurent fait quelques pas, donne des instructions pour qu'on mette des barrières immédiatement et fais infiltrer quelques-uns de nos agents parmi les ouvriers et techniciens du chantier. Je veux être renseigné en permanence sur ce qui se passe là-dessous.

— Mais, monsieur, observa l'officier, les barrières vont attirer l'attention et...

— Je sais, mais nous n'avons pas le choix, me semble-t-il. Tu as une meilleure idée ? »

Ferrario secoua la tête.

« Voilà. Tu vois ? Fais comme je t'ai dit. Je t'attends ce soir au King David pour un café, à cinq heures.

— J'y serai », répondit Ferrario, qui fit demi-tour et disparut dans l'ombre de la forteresse Antonia.

Avner regagna son domicile dans la vieille ville et prit l'ascenseur jusqu'au huitième étage. Il faisait toujours ce parcours sans aucune espèce de protection, ayant interdit à ses agents de franchir les limites de son territoire privé. Les risques, il les avait toujours calculés et ça lui convenait comme ça. Il tourna la clé dans la serrure et entra.

Il traversa tout l'appartement sans même allumer la lumière et sortit sur la terrasse pour regarder la ville d'en haut. C'est ce qu'il faisait tous les soirs avant de s'endormir : il laissait errer son regard sur les coupoles, sur les tours, sur l'enceinte des remparts, sur la mosquée d'Omar dressée sur le Rocher qui avait jadis accueilli le sanctuaire de Yahvé. Il lui semblait ainsi qu'il pouvait garder la situation en main, même une fois endormi.

Il alluma une cigarette et laissa le vent froid qui venait des neiges du Carmel raidir son visage et geler son front.

À cette heure-là, il pensait à ses morts, à son fils Aser, tombé à vingt ans dans une embuscade dans le Sud-Liban, et à sa femme, Ruth, qui s'en était allée peu après, incapable de lui survivre. Il pensait à sa solitude en haut de cette maison, au sommet de son organisation et au sommet de sa propre existence.

Il scrutait l'horizon oriental, vers le désert de Juda et les hauteurs de Moab, et il sentait que son ennemi se déplaçait comme un fantôme quelque part de l'autre côté de ces rudes collines, de cette terre stérile.

Abou Ahmid, l'insaisissable.

C'était lui le responsable direct de la mort de son fils et du massacre de ses compagnons : il s'était juré de le pourchasser inexorablement. Depuis lors, il ne l'avait aperçu qu'une fois, un jour où il lui avait échappé de peu, quand il avait lancé une incursion de parachutistes dans un camp de réfugiés du Liban méridional, mais il était certain de le reconnaître s'il le rencontrait de nouveau.

Sa cigarette fut bientôt finie, brûlée par le vent ; Gad Avner rentra et alluma la lampe sur sa table de travail parce que, dans le noir, il avait vu clignoter le voyant de sa ligne téléphonique privée.

« Allô, dit-il.

— Ici le portier de nuit, répondit une voix à l'autre bout du fil.

— Je t'écoute.

— Je suis au travail mais c'est un endroit difficile et, en tout cas, il y a des présences imprévues... disons des intrus. »

Avner resta quelques instants en silence comme s'il avait été pris par surprise, puis il dit : « Ce sont les imprévus du métier. Qui est-ce ?

— Des Américains. Un commando. Et il court des bruits sur une opération en cours.

— Tu peux en savoir plus ?

— Une date : le 3 février. Et la situation semble évoluer avec une certaine rapidité.

— Autre chose sur le front qui nous concerne ?

— Et comment... mais je dois m'interrompre. On vient.

— Fais attention. S'il t'arrivait quelque chose, il n'y aurait personne qui puisse te remplacer. Je te remercie, portier de nuit. »

La petite lumière verte s'éteignit et Gad Avner alluma son ordinateur, se connectant à la banque de données de la centrale qui lui faisait le compte-rendu de tout ce qui se passait dans tout le Proche-Orient en cette période : rendez-vous, fêtes, cérémonies religieuses, rencontres politiques et diplomatiques.

Un événement attira particulièrement son attention : une parade militaire pour commémorer les morts de la guerre du Golfe. La parade devait se dérouler en présence du président al-Bakri, devant le palais, restauré, de Nabuchodonosor, à Babylone, le 3 février à dix-sept heures trente.

Il éteignit son ordinateur, éteignit les lumières et entra dans sa chambre. Sur la table de nuit, le radio-réveil marquait deux heures, 4 janvier. Il restait vingt-neuf jours, quinze heures et trente minutes.

6

Deux jours plus tard, Gad Avner rentra vers minuit et alluma la télé pour se détendre un moment avant de se coucher. Mais, tandis qu'il passait d'une chaîne à une autre, il s'arrêta sur le journal télévisé de CNN et put constater à quel point l'opinion publique internationale était épouvantée par le tour que prenaient les événements en Israël et au Proche-Orient.

Tout le monde souhaitait, dans une situation désormais désespérée, des solutions politiques qui ne venaient pas, mais lui, pendant ce temps-là, lui, Gad Avner, commandant du Mossad, devait prendre des mesures : prévoir et décider, quels que fussent les idées et les projets des politiques. Le temps pressait et il ne savait pas encore ce que pouvait être l'opération Nabuchodonosor.

Il tourna son regard vers la fenêtre que rayait la pluie et vit se refléter la petite lumière verte de sa ligne privée qui clignotait. Il éteignit la télé et décrocha :

« Avner.

— Ici le portier de nuit, monsieur.

— Bonjour, portier de nuit. Du nouveau ?

— Non, pas grand-chose. J'ai découvert qui sont les Américains. C'est un commando qui devra servir de base pour un attentat. À Babylone. Ils vont tuer le président al-Bakri pendant une parade militaire.

— Qui va le tuer ?

— Un groupe de gardes républicains, conduit par un certain Abd el Bechir. J'ai entendu dire que son vrai nom serait Casey : ce serait le fils d'un père américain et d'une mère arabe, parfaitement bilingue. Ce sera un peu comme quand on a assassiné le président Sadate au Caire. Sauf que cette fois, le mandant n'est pas le même...

— Et qui est-ce ?

— Je ne sais pas, mais il semble que le successeur sera le général Taksoun.

— Ça n'était que trop prévisible..., commenta Gad Avner, perplexe. Ce qui est le plus probable, c'est que Taksoun ne reste pas vivant jusqu'au 3 février. Si j'étais Al-Bakri, je l'aurais déjà fait fusiller. Trop bien, trop populaire, des idées trop larges, trop de considération dans les chancelleries du Proche-Orient. Même ici, chez nous. Et si Al-Bakri devait survivre à l'attentat, Taksoun serait sûrement accusé et fusillé. À tort ou à raison : peu importe, Al-Bakri n'attend qu'un prétexte. Quoi d'autre ?

— Le commando américain appartient à la Delta Force et se trouve à Mitzpe Ramon. Ils s'entraînent à un raid aérien. Ils se préparent à intervenir en force d'appui de Taksoun s'il en était besoin. »

Pendant un moment, Avner ne dit rien : il lui semblait impossible que l'aéronautique eût accordé, à son insu, une base d'entraînement à un commando américain dans son polygone de Mitzpe. Mais surtout, il lui semblait impossible que les Américains ne l'eussent pas informé de toute cette histoire. Quelqu'un avait sûrement payé pour ça. Il demanda : « Autre chose ?

— Oui... monsieur, répondit son interlocuteur avec quelque hésitation. C'est quelque chose dont je ne vous ai pas parlé jusqu'à maintenant parce que ce n'est pas clair, pour ne pas dire inexplicable bien que, en un premier temps, j'aie pensé que cela pouvait avoir un intérêt direct pour ma mission. Mais maintenant, vraiment, je ne sais que penser.

— De quoi s'agit-il ?

— D'un chantier de fouilles, monsieur... des fouilles archéologiques à proximité d'une localité appelée... Ras Udash. »

La voiture s'arrêta devant l'ambassade des États-Unis et le planton s'approcha, regardant à l'intérieur :

« Monsieur, dit-il, l'ambassade est fermée, revenez demain.

— Je n'en ai pas la moindre intention, répondit l'homme assis sur le siège arrière. Annonce-moi à l'ambassadeur. »

Le planton secoua la tête. « Vous plaisantez, monsieur. Il est deux heures du matin.

— Je ne plaisante absolument pas, répondit l'homme. Dis-lui que Gad Avner veut le voir tout de suite. Il me recevra. »

Le planton secoua de nouveau la tête. « Attendez un instant », dit-il. Il fit un numéro sur le standard téléphonique de la réception, échangea quelques phrases avec quelqu'un à l'autre bout du fil, puis attendit une réponse. Il revint à la voiture avec une expression de stupeur dans le regard : « Monsieur l'ambassadeur va vous recevoir, monsieur Avner. »

Le planton l'accompagna à l'intérieur et l'introduisit dans un petit salon. L'ambassadeur entra peu après : on voyait très bien que cette visite soudaine l'avait tiré du lit. Il ne s'était pas rhabillé et portait une robe de chambre sur son pyjama.

« Qu'est-il arrivé, monsieur Avner ? » lui demanda-t-il avec une expression plutôt alarmée.

— Monsieur Holloway, commença aussitôt Avner sans préambule, le président al-Bakri sera assassiné le 3 février à dix-sept heures trente, probablement avec votre appui, si ce n'est sous votre responsabilité directe, et vous avez installé un commando de la Delta Force, sous une couverture, à Mitzpe Ramon sans me demander mon accord ni mon avis. C'est un comportement très grave et extrêmement dangereux dans la situation où nous nous trouvons. J'exige une explication immédiate. »

L'ambassadeur Holloway accusa le coup : « Je suis désolé, monsieur Avner, mais je n'ai pas reçu d'instructions qui me permettent de vous apporter une réponse. Je peux vous dire que nous n'avons pas de responsabilité directe dans le projet d'un éventuel attentat contre le président al-Bakri, mais que nous voyons favorablement la possibilité que le pouvoir à Bagdad passe aux mains du général Mohammed Taksoun.

— Bien, monsieur Holloway. Désormais les dés sont

jetés. Je souhaite que vous vous rendiez compte que rien ne peut se produire dans ce pays, rien, vous comprenez, sans que je finisse par le savoir. Dites-le à votre président et dites-le aux gens de la CIA, et dites aussi qu'il ne peut y avoir d'accords à des niveaux si élevés qu'ils ne doivent tenir compte de l'avis de Gad Avner. »

Holloway baissa la tête et n'osa souffler mot quand il vit son hôte allumer nerveusement une cigarette bien que sur les murs, une inscription bien visible rappelât :

Nous vous sommes reconnaissants de ne pas fumer.

« Vous aviez autre chose à me dire, monsieur Avner ?, dit-il ensuite, cherchant à contenir son dépit pour cette infraction si arrogante.

— Une question, monsieur Holloway : savez-vous ce qu'est l'opération Nabuchodonosor ? »

Holloway le regarda avec étonnement : « Je n'en ai pas la moindre idée, monsieur Avner. Pas la moindre. »

Avner s'approcha de lui, l'enveloppant dans le nuage de fumée bleue qui s'échappait de la cigarette qu'il tenait entre ses doigts et le regarda droit dans les yeux : « Monsieur Holloway, je veux que vous sachiez que, si vous me mentez, je ferai tout ce qui est en mon pouvoir pour vous rendre la vie très désagréable ici à Jérusalem. Et vous savez que je suis capable de le faire.

— Je vous ai dit la vérité, monsieur Avner. Je vous en donne ma parole.

— Je vous crois. Et maintenant, faites savoir à vos supérieurs à Washington que je veux être consulté avant que soit prise quelque décision que ce soit concernant les mouvements du commando que vous avez établi dans le cratère de Mitzpe Ramon, et qu'ils prennent en considération la possibilité de le retirer dans des délais très brefs.

— Bien sûr, monsieur Avner », dit l'ambassadeur.

Avner regarda autour de lui, cherchant un cendrier, mais, n'en trouvant aucun, il éteignit son mégot dans un plat de Sèvres qui ornait le centre d'une console, scandalisant encore plus l'ambassadeur américain.

On entendit à ce moment frapper discrètement à la porte du petit salon. Tous les deux se regardèrent, surpris : qui donc cela pouvait-il être à cette heure de la nuit ?

« Entrez », dit l'ambassadeur.

Entra un fonctionnaire qui les salua d'un signe de tête

puis, s'adressant à son supérieur, il dit : « Il y a une communication pour vous, Excellence. Pouvez-vous venir un moment ? »

Holloway s'excusa auprès de son hôte et sortit, suivant le fonctionnaire, avant qu'Avner eût le temps de prendre congé. Il rentra peu après, visiblement bouleversé : « Monsieur Avner, dit-il, nous apprenons à l'instant que le général Taksoun a fait arrêter et fusiller après un procès sommaire Abd el Bechir et cinq gardes républicains sous l'accusation de conspiration et haute trahison. L'exécution a eu lieu peu après minuit dans une caserne de Bagdad.

— C'était à prévoir. Taksoun a compris que, si l'attentat échouait, il n'y aurait pas d'issue pour lui. Il a préféré ne pas prendre de risques et jouer un coup d'avance. Vous avez mal placé votre confiance, monsieur Holloway, et maintenant, vous avez sur la conscience quelques morts et un traître dans les jambes. Beau résultat, il n'y a pas à dire. Bonne nuit, monsieur l'ambassadeur. »

Il sortit et se fit conduire par son chauffeur jusqu'à la vieille ville. Après quoi, il le congédia et continua à pied. En passant près du mur des Lamentations, il s'arrêta pour regarder la base de la forteresse Antonia. Les barrières étaient encore là et deux hommes en tenue camouflée montaient la garde : Ygael Allon continuait à creuser dans les entrailles du mont Moriah. D'après ce qu'on lui avait rapporté, dans quelques jours, il se trouverait à la hauteur du Temple. Il avait donné des dispositions pour être alors informé : il entrerait avec les autres dans le tunnel pour se trouver sous la roche sur laquelle avaient reposé pendant des siècles le trône de Dieu et l'arche d'alliance. Il se demandait s'il y avait un signe en tout cela et ce qu'il adviendrait d'Israël s'il était condamné une fois encore à la diaspora. Il franchit le seuil et disparut dans le couloir obscur.

Omar al-Husseïni avait passé plusieurs jours dans un calme relatif et, parfois, il en était même venu à avoir l'illusion que tout pourrait se dissoudre dans le néant. Ce soir-là, il était rentré vers cinq heures et s'était assis à sa table de travail pour faire son courrier et préparer son cours du lendemain. Il avait encore sur sa table les épreuves des microfilms qui représentaient les trois premières lignes du papyrus Breasted. Qu'avait voulu dire Blake par ce message, par cette étrange demande ? Il avait donné rendez-vous ce soir-là à son assistant, celui-là même qui l'avait accompagné à El-Gournah en Égypte, à la recherche de l'original. C'était un jeune homme de Louqsor qui avait obtenu sa licence au Caire puis avait eu une bourse pour l'Oriental Institute. Il s'appelait Selim ; c'était un fils de petits paysans très pauvres qui cultivaient la terre dans les campagnes le long du Nil.

Il arriva à l'heure, vers six heures et demie, et salua respectueusement. Husseïni lui fit du café puis lui demanda :

« Selim, qu'est-ce que vous aviez découvert à propos du papyrus Breasted à El-Gournah ? Il y avait vraiment des chances de le récupérer ou bien n'était-ce qu'un coup monté pour prendre de l'argent au docteur Blake ? Nous sommes tout seuls, toi et moi, et tout ce que tu me diras restera entre nous. Tu n'as pas besoin de mentir...

— Je n'ai pas l'intention de mentir, docteur Husseïni.

— Selim, le docteur Blake a fait une découverte extraordinaire : une tombe égyptienne d'un grand personnage du Nouvel Empire, intacte. Mais il y a dans cette découverte quelque chose qui a à voir avec le papyrus Breasted, quelque chose d'extrêmement important. Lui s'est toujours soucié de toi et il le ferait encore, s'il était ici. Il a perdu son travail, sa femme l'a quitté, chose terrible pour un Américain, et maintenant tout ce qu'il lui reste, c'est la volonté de montrer au monde qu'il est un grand chercheur, de montrer à ses collègues qu'ils ont eu tort de le chasser, de montrer à sa femme qu'il n'est pas un raté. Je ne le connaissais pas, je ne l'avais rencontré qu'occasionnellement, jusqu'au jour où je l'ai tiré de la rue, transi, la veille de Noël. Il m'a manifesté beaucoup d'affection et de gratitude pour ce peu d'hospitalité que je lui ai offert, chose rare chez ces gens qui accordent de l'importance surtout à la carrière et aux affaires.

« Selim, écoute-moi bien : la situation du docteur Blake est exaltante et difficile à la fois. Si j'ai bien compris, il se trouve face à une découverte formidable et à une énigme très difficile. En outre, ceux qui ont eu recours à son travail de chercheur le retiennent en fait comme prisonnier. Nous sommes les seuls à avoir la possibilité de lui apporter de l'aide. Maintenant, je voudrais savoir si tu es disposé à l'aider, tout en sachant que cela ne peut favoriser ta carrière et même que cela pourrait te nuire si on venait à savoir que tu es encore lié à lui.

— Vous pouvez compter sur moi, docteur Husseïni. Que voulez-vous savoir ?

— Tout ce que tu sais sur le papyrus Breasted... et s'il est encore possible de le trouver. »

Selim poussa un profond soupir, puis il dit : « Je vais vous dire ce que je sais. Cela s'est passé il y a environ cinq mois, vers la mi-septembre. Le docteur Blake avait obtenu un important financement de l'Oriental Institute pour ses recherches en Égypte et il m'avait demandé de le seconder dans son enquête. Je suis né non loin d'El-Gournah et je connais tout le monde là-bas. On peut dire que les habitants de ce village et de ses environs sont des chercheurs d'antiquités clandestins depuis des générations. Même les chercheurs doivent tenir compte des pilleurs de tombes d'El-Gournah.

« J'ai un ami d'enfance là-bas, un jeune homme qui s'appelle Ali Mahmoudi ; nous nous sommes baignés dans le Nil tous les deux ensemble et nous volions des fruits sur les éventaires, et nous avons commencé à nous intéresser ensemble aux antiquités égyptiennes avant d'avoir perdu nos dents de lait. Un de ses aïeux avait accompagné Belzoni à Abou Simbel, son grand-père avait fouillé la tombe de Toutankhamon avec Carnavon et Carter et son père avait fouillé à Saqqarah avec Leclant et Donadoni.

« Nos routes se sont séparées quand mon père, ayant vendu une série de chaouabtis et quelques bracelets d'une tombe de la XXIIe dynastie, réussit à me faire faire des études à l'université du Caire. C'est là que j'ai pu mériter une bourse d'études qui m'a amené à l'institut et m'a conduit à connaître et estimer le docteur Blake. Ali, au contraire, a continué à saccager des tombes, mais ce n'est pas pour autant que notre amitié en a été interrompue.

« Dès notre arrivée, je suis allé le voir et il nous a invités tous les deux à dîner. Il n'a rien dit d'intéressant, se bornant à rappeler le bon vieux temps et à parler des entreprises de ses ancêtres dans la Vallée des Rois. Puis, quand nous fûmes partis et que je me fus retiré dans ma chambre, il vint frapper à ma porte et me demanda pourquoi j'étais revenu et ce que je cherchais.

« Il faisait une chaleur étouffante et je n'aurais certainement pas pu dormir. Nous montâmes donc sur la terrasse de la maisonnette où je m'étais installé et je lui parlai de mon travail et de ce que j'étais en train de chercher : un papyrus qu'un Américain avait vu dans une maison d'El-Gournah environ quatre-vingts ans plus tôt. Nous en connaissions le nom et les premières lignes. Rien d'autre.

« "Pourquoi veux-tu ce papyrus ?, me demanda-t-il. Il y a des choses plus intéressantes sur le marché.

— Parce que cela intéresse mon professeur et que si je l'aide, il m'aidera, fera prolonger ma bourse et m'obtiendra peut-être un emploi à l'université."

« Ali ne dit rien ; il regardait l'eau du Nil, luisant du reflet de la lune. Nous avions l'air d'être redevenus enfants, tous les deux, à l'époque où nous restions les nuits d'été à rêvasser à ce que nous ferions quand nous serions grands, quand nous rêvions d'acheter une barque, de descendre le Nil jusqu'au delta puis de voyager par toutes les mers du monde. Soudain, il me dit : "Tu veux devenir américain ?"

« Je lui répondis : "Non, je ne veux pas devenir américain, je veux achever mes études dans une bonne université américaine, puis revenir en Égypte et, un jour, devenir directeur général des Antiquités. Comme Mariette, comme Brugsch et Maspero...

— Ce serait magnifique, me dit Ali. Alors là, on pourrait faire de bonnes affaires ensemble." »

Husseïni aurait voulu parvenir à une conclusion rapide, mais il se rendait compte que, pour Selim, il était important de fournir tous ces renseignements annexes. C'était une façon d'entrer en confiance avec l'interlocuteur et de donner de la crédibilité à son récit.

« Continue », lui dit-il.

Selim se remit à parler : « À un moment donné, il s'est levé pour s'en aller et je l'ai raccompagné jusqu'à la grille du mur d'enceinte. Alors il s'est retourné vers moi et a dit : "Tu cherches le papyrus Breasted." Et il s'en alla.

— Et toi, qu'as-tu fait ? demanda Husseïni.

— Je connaissais bien Ali, je savais ce que signifiait cette façon de parler sans rien dire. Je n'ai rien fait et j'ai attendu son retour. Il a refait surface quelques jours plus tard : je l'ai trouvé devant ma porte une nuit que je rentrais vers minuit. J'étais soucieux parce que le docteur Blake commençait à craindre que nous ne puissions rien conclure et il savait qu'à Chicago, on l'avait déjà débarqué.

« Ali avait à la main une feuille de papier sur laquelle étaient tracées quelques lignes de hiéroglyphes : le début du papyrus Breasted. J'ai failli avoir une attaque, docteur...

— Continue, dit encore Husseïni en le regardant droit dans les yeux.

— Je lui dis que ces quelques lignes, je les avais moi aussi, et alors, il a sorti une photo polaroïd... C'était bien ça, docteur Husseïni... le papyrus Breasted !

— Qu'est-ce qui te fait penser ça ?

— La photo représentait le papyrus en même temps que quelques objets de mobilier et, théoriquement, il aurait pu s'agir de n'importe quoi, mais ensuite il m'a montré une très vieille photo jaunie sur laquelle on voyait le même papyrus à côté des mêmes objets posés sur une table dans la maison d'un fellah.

« Or, docteur Husseïni, même si, sur cette photo, n'apparaissait pas James Henry Breasted, il était légitime de considérer qu'il s'agissait du même papyrus. D'autant plus que cela correspondait à l'aspect général, une déchirure en haut à droite et un fragment manquant sur le côté gauche aux trois quarts du bord. De toute façon, je jurerais qu'il s'agissait des mêmes objets, re-photographiés avec un appareil Polaroïd quatre-vingts ans après la première photo, la photo jaunie.

— Alors, qu'est-ce que tu as fait ?

— La chose la plus logique aurait été de lui demander à voir tout de suite le papyrus, au nom de notre ancienne amitié... J'étais excité à un point inimaginable. Je n'avais qu'une idée en tête : tout raconter au docteur Blake. Quelle tête il ferait en apprenant la nouvelle !

— Et, au lieu de cela ?

— Au lieu de cela, je lui ai demandé comment il se faisait que cette affaire surgisse après quatre-vingt-dix ans.

— Eh oui, c'est une bonne question.

— Oui, mais arriva alors une histoire incroyable... si vous avez la patience de m'écouter, docteur Husseïni. »

D'un signe de tête, Husseïni l'invita à poursuivre. Il lui versa encore un peu de café. Selim se remit à parler :

« Le grand-père d'Ali avait participé à l'exploration de la grotte de Deir al-Bahri en tant que chef d'équipe aux ordres d'Emil Brugsch, alors directeur du service des Antiquités. Brugsch l'avait toujours soupçonné parce que c'était un ami de deux fellah d'El-Gournah qui avaient trouvé la grotte des momies royales et avaient vendu quantité d'objets précieux avant d'être démasqués et contraints de révéler la source de leurs trafics.

« Il n'était pas loin de la vérité. Son chef d'équipe était un jeune homme, beau et plein de vitalité, mais pauvre comme Job, qui était tombé follement amoureux d'une fille de Louqsor, une femme de chambre de l'hôtel du Nil : voulant s'enrichir suffisamment pour offrir un cadeau digne de la famille de la femme qu'il voulait épouser, il chercha à vendre quelques objets qu'il avait soustraits à la grotte des momies royales.

« Dans d'autres conditions, il aurait attendu des mois ou même des années avant de mettre ces objets sur le marché mais l'amour, c'est l'amour, et on ne commande pas les raisons du cœur. Le jeune homme était si pressé de se présenter avec des cadeaux convenant à la famille de la jeune fille qu'il en avait perdu toute prudence et, sans tenir compte de l'avis de ses amis, il fit circuler parmi les habitués du Winter Palace l'information qu'il avait quelques pièces importantes, de grande valeur et de haute époque.

« James Henry Breasted faisait partie de ces messieurs et, entendant dire qu'il y avait aussi un papyrus parmi les objets à vendre, il demanda aussitôt à le voir. Un rendez-vous fut fixé mais, entre-temps, la chose était venue aux oreilles du directeur du service des Antiquités, Emil Brugsch, qui avait toujours ses informateurs dans les hôtels de Louqsor et, en particulier, au Winter Palace. Entre lui et Breasted, les rapports n'étaient pas bons et Brugsch s'imaginait que de nombreuses pièces importantes qui commençaient à constituer les collections de l'Oriental Institute de Chicago étaient de provenance douteuse.

« Une nuit, à la fin du printemps, Breasted rencontra l'arrière-grand-père de mon ami Ali quelque part le long du Nil et fut conduit à cheval dans la maison où se trouvaient les objets. Breasted se montra extrêmement intéressé dès qu'il vit le papyrus, mais son interlocuteur voulait vendre tout le lot pour ne pas risquer d'être découvert au cours de transactions séparées avec divers acquéreurs.

« Breasted insista mais l'autre lui demanda, pour le seul papyrus, à peine moins que ce qu'il lui avait demandé pour tout le lot, à tel point que Breasted n'était pas en mesure de conclure l'achat avec les fonds dont il disposait au Caire.

« Il n'était pas prêt pour autant à renoncer et il lui fallait donc télégraphier à Chicago pour solliciter d'autres crédits. Il demanda à photographier les objets mais, comme ce n'était pas possible sur le moment, il fut autorisé à recopier le papyrus. Breasted avait à peine commencé à transcrire le texte quand arriva un fellah, hors d'haleine, disant que les hommes de Brugsch étaient sur leurs traces.

« Il ne pouvait pas se faire prendre dans cette situation et s'éclipsa hâtivement après avoir laissé à titre d'arrhes l'argent qu'il avait sur lui. L'arrière-grand-père d'Ali cacha le tout et, par la suite, il fit photographier les objets qu'il avait mis en vente, avec le papyrus parmi eux, mais pendant des jours et des semaines, il se rendit compte qu'il était étroitement surveillé par les hommes du service des Antiquités, si bien qu'il ne réussit plus à rencontrer Breasted.

« Le malheureux dut renoncer à ses rêves d'amour avec la femme de chambre du Winter Palace et, quelques années plus tard, il épousa une fille d'El-Gournah, d'une famille si pauvre que le père accepta quelques sacs de mil et un boisseau de riz en guise de don nuptial.

« Quelques mois passèrent. Un jour, alors qu'il travaillait sur une colline près de Deir el-Behri, il fit une chute. On le ramena moribond chez lui, mais, avant d'expirer, il réussit à indiquer à sa femme, enceinte de leur premier enfant, l'endroit où il avait caché ces objets. Le secret se transmit de génération en génération... »

Husseïni l'interrompit : « Il me semble étrange qu'un petit trésor soit gardé secret pendant des générations.

J'imagine que le grand-père et le père de ton ami Ali ne roulaient pas sur l'or.

— En effet, docteur Husseïni. Et, s'ils avaient pu, ils l'auraient vendu dès que possible. Le fait est qu'ils ne le pouvaient pas, et Breasted lui-même resta le bec dans l'eau... Vous allez voir : peu après la mort de l'arrière-grand-père, la direction des Antiquités fit construire une baraque pour les gardiens qui devaient surveiller cette vaste zone alors devenue d'un grand intérêt archéologique et historique.

— J'ai compris. Et on la construisit précisément à l'endroit où l'ancêtre d'Ali avait enterré son trésor.

— Exactement. Non seulement, mais, au fil des ans, la baraque fut transformée en une construction de briques, c'est-à-dire en une structure stable et définitive. Ce n'est que depuis peu qu'elle a été démolie pour laisser place à une nouvelle route et mon ami Ali, par une nuit de nouvelle lune, suivant les instructions que son grand-père et son père lui avaient transmises, est rentré en possession du petit trésor de Deir al-Bahri.

— Mais toi... comment as-tu eu l'idée de t'adresser précisément à ton ami Ali ?

— Parce que, à El-Gournah, on avait toujours parlé de ce trésor caché et d'un papyrus d'une valeur inestimable qu'avaient poursuivi aussi bien Breasted qu'Emil Brugsch. J'en avais parlé au docteur Blake quand j'avais vu qu'il s'occupait de ces trois lignes du papyrus Breasted ; c'est pour cette raison qu'il avait décidé de transférer ses recherches à El-Gournah, en Égypte.

— Il n'y a pas à dire, admit Husseïni, tu avais fait un travail de premier ordre. Et après, qu'est-ce qu'il s'est passé ?

— Eh bien, plus ou moins, ce que vous savez déjà. J'ai commencé à négocier l'acquisition du lot parce qu'Ali, comme son ancêtre, voulait tout vendre d'un coup, mais le prix était vraiment élevé...

— Combien ?

— Un demi-million de dollars, sur un compte suisse. »

Husseïni laissa échapper un sifflement.

« Après de longues négociations, j'ai réussi à ramener le prix à trois cent mille dollars, mais c'était quand même une somme énorme. Le docteur Blake a eu besoin de toute sa crédibilité pour obtenir tout de suite cent mille dollars en liquide pour laisser des arrhes.

« Dès que l'argent est arrivé, j'ai organisé la rencontre, mais quand le docteur Blake s'est présenté au rendez-vous, la police égyptienne est arrivée, tout à fait par surprise, comme s'ils nous avaient attendus...

— Et le papyrus ?

— À vrai dire, je ne sais pas ce qu'il est devenu. Ali a réussi à s'esbigner et l'a probablement emporté. À moins qu'il ne l'ait pas apporté du tout : c'est un garçon très méfiant. Il avait quand même apporté les autres objets : deux bracelets, un pendentif... très beaux, de vrais chefs-d'œuvre. Ils étaient sur la table quand la police a fait irruption.

— Il y a quelque chose que tu ne m'as pas dit », fit Husseïni. Selim leva les yeux et le fixa d'un air déconcerté comme s'il s'était senti en faute ou s'était comporté de façon inconvenante.

« Le docteur Blake m'a dit que ce qui l'avait surtout convaincu de l'authenticité du papyrus, c'est que d'autres acquéreurs, puissants et mystérieux, s'y intéressaient. Tu es au courant de quelque chose ?

— Non, monsieur. Je n'en sais rien. »

Husseïni alla à la fenêtre : dehors, il neigeait et les flocons dansaient en l'air comme des confettis pendant un défilé, mais la rue était déserte, absolument vide et, au loin, on entendait, assourdi par l'hiver, un appel comme le son d'un cor de chasse, peut-être la sirène d'un bateau qui fendait le brouillard sur le lac, à la recherche du port invisible.

« Et après, qu'est-ce que tu as fait ? » demanda soudain Husseïni.

— Moi, je n'étais pas là quand la police est intervenue parce que j'attendais dehors, dans l'auto. Mais je me suis sauvé quand j'ai vu qu'on l'emmenait dans le car de police qui fonçait en faisant hurler ses sirènes : pauvre docteur Blake...

— Selon toi, où est le papyrus, maintenant ?

— Je n'en sais rien. C'est peut-être Ali qui l'a, ou les autres... acquéreurs, si ce que vous avez dit est vrai...

— Ou bien le gouvernement égyptien, ou le gouvernement américain. Ça pourrait même être Blake.

— Blake, monsieur ?

— Je dis ça comme ça... En réalité, nous ne savons rien de ce qui s'est passé ce jour-là à Kan el-Kalili. Ali s'est enfui, toi, tu n'étais pas sur les lieux... Il n'y avait que le docteur Blake.

— C'est vrai et vous n'êtes pas le seul à avoir eu cette idée, selon moi.

— Qu'est-ce que tu veux dire ?

— L'autre jour, j'étais resté travailler tard dans mon bureau à l'institut et j'ai vu le docteur Olsen entrer avec une clé dans le bureau qui avait été celui du docteur Blake.

— Tu as une idée de ce qu'il cherchait ?

— Je ne sais pas, mais je me suis mis à le surveiller et j'ai découvert autre chose : le docteur Olsen est l'amant de l'ex-femme du docteur Blake. Et ça dure depuis longtemps. Je crois que tout cela doit avoir un sens.

— Il n'y a pas de doute là-dessus, Selim. Mais maintenant, nous devons débrouiller cet écheveau et voir de quelle façon il nous faut agir. Laisse-moi réfléchir. Je te ferai signe très bientôt.

— Au revoir, docteur Husseïni. Et merci pour le café.

— Tout le plaisir est pour moi, Selim. Continue à me tenir au courant de tout ce que tu vois. »

Il l'accompagna jusqu'à la porte, attendit que sa voiture eût disparu au bout de la rue, puis il rentra. Il s'assit dans la maison silencieuse et se sentit écrasé par la solitude : en ce moment, rien ne pouvait éveiller en lui un sentiment ou une émotion. Il n'éprouvait même plus d'intérêt à poursuivre sa carrière universitaire. Il n'y avait qu'une chose qu'il aurait voulu : lire jusqu'au bout le papyrus Breasted.

Son portable sonna ; il regarda la pendule mais ne bougea pas. La sonnerie continua à emplir la maison d'angoisse. Finalement, Husseïni saisit le téléphone d'un geste d'automate : « Allô », dit-il.

« Bonsoir, docteur Husseïni, dit une voix. S'il vous plaît, consultez votre messagerie électronique. Vous avez un message. »

Husseïni éteignit son téléphone sans mot dire et resta immobile, pensif, sans être conscient du temps qui passait ; quand il se leva et s'approcha de son ordinateur, il s'aperçut que près d'une heure s'était écoulée.

Il ouvrit sa boîte à lettres électronique. Il y avait un message qui disait :

3 x 3 = 9

Il éteignit son ordinateur et revint s'asseoir sur le dallage en allumant une cigarette : les trois commandos étaient arrivés. Ils étaient sur le sol américain, prêts à agir.

Le téléphone sonna de nouveau vers minuit alors qu'il allait s'endormir. Il décrocha et dit : « Husseïni à l'appareil.

— Docteur Husseïni, prononça une voix métallique, pour moi, les villes américaines les plus belles sont Los Angeles et New York, mais vous feriez bien de rester à Chicago pour rencontrer des amis. C'est vous qui avez les adresses. » C'était une voix parfaite, complètement dépourvue d'accent, aseptisée. Aucun doute, ils avaient déjà choisi leurs objectifs finaux. Maintenant, ils voulaient voir entrer en lice Abou Ghaj. Mais Abou Ghaj était mort. Depuis longtemps.

Et s'il n'était pas mort, peut-être fallait-il le tuer : au cas où il en recevrait l'ordre, Abou Ghaj ne pouvait s'ériger en juge de la vie et de la mort de millions de personnes qui ne lui avaient fait aucun mal.

Il éteignit toutes les lumières et médita longuement en silence : il n'avait pas prévu que tout aurait lieu selon une telle précision chronométrique, que le plan d'Abou Ahmid pût fonctionner comme les engrenages d'une machine de guerre. Mais il connaissait Abou Ahmid et il lui vint un doute atroce : quand il serait sûr que les armes étaient en place et prêtes à fonctionner, se limiterait-il à les utiliser comme une simple menace ? Résisterait-il à la tentation d'infliger à l'ennemi détesté le coup de grâce après avoir pris Jérusalem ?

Il réfléchit à la façon de se tuer et, tandis qu'il y pensait, il voyait parfaitement dans le noir la scène de son suicide : les policiers qui entraient le lendemain, prenaient des mesures, relevaient des empreintes. Il se voyait lui-même, étendu dans une flaque de sang (un coup de pistolet ?), ou bien pendu au plafond avec la ceinture de son pantalon.

Il pensa à William Blake, tâtonnant dans un hypogée creusé de façon absurde dans la terre d'Israël et il pensa qu'il n'avait personne qui pût l'aider, prisonnier comme il l'était de personnages inconnus, incapable de se déplacer. Et il pensa aussi que, s'il se tuait, la machine ralentirait peut-être sa course mais ne s'arrêterait pas et que William Blake resterait seul dans cette tombe.

Il pensa à la férocité d'Abou Ahmid et sentit la terreur lui glacer les sangs, il revit des scènes du passé qu'il croyait avoir ensevelies au fond de sa mémoire : des traîtres tombés entre ses mains qu'il avait torturés lentement pendant des jours pour faire suinter de leur corps martyrisé jusqu'à la dernière goutte de douleur. Il savait que, s'il trahissait ou s'il échouait lors de la mission qui lui avait été confiée, Abou Ahmid inventerait pour lui des peines encore plus atroces, qu'il trouverait peut-être le moyen de le maintenir en vie pendant des semaines, des mois, des années peut-être, distillant pour lui un enfer sans fin.

Était-il possible de désobéir à un tel homme ?

Il décida qu'il jouerait son rôle mais que, auparavant, il se préparerait une voie de fuite vers la mort. Il chercha un numéro de téléphone dans son agenda et, comme il lui semblait qu'il n'était pas encore trop tard, il appela son médecin, le docteur Kastanopoulos, et lui demanda un rendez-vous pour le lendemain à dix-huit heures pour une urgence. Quand il l'eut obtenu, il alla s'asseoir devant son ordinateur et envoya un message à une adresse électronique. Le message disait :

DR 115.S14.1.23

Sur la base du code qui avait été élaboré pour les commandos, ce message signifiait que quelqu'un devait le rencontrer devant la porte du 115 South de Dan Ryan le 14 janvier à vingt-trois heures. C'est-à-dire que, le lendemain, il se trouverait face à face avec l'un des chevaliers de l'Apocalypse.

Il se sentait mortellement las mais il savait que, s'il s'allongeait sur son lit, il ne réussirait pas à s'endormir : il n'y avait plus dans son esprit et dans son temps aucun espace qui fût exempt de cauchemars.

Il alluma la télé et, sur l'écran, apparurent les images d'une édition spéciale. La voix du speaker annonçait que le président al-Bakri avait été victime d'un attentat le 13 janvier à dix-sept heures dix, alors qu'il assistait à une parade militaire devant les remparts de Babylone.

C'était un reportage CNN qui montrait une scène de la plus grande confusion : des milliers de personnes se bousculant pour s'éloigner des tribunes alignées à droite et à gauche d'une route ; des soldats sur le parcours de la parade tirant dans tous les sens comme s'ils étaient attaqués par un ennemi invisible ; des tanks de fabrication soviétique faisant demi-tour dans un grand bruit de ferraille, les tourelles pointées comme si elles prenaient pour cible un agresseur qu'elles ne parvenaient pas à avoir en ligne de mire.

Partout le clignotement des gyrophares d'ambulances et de voitures de police. Et, au milieu de la tribune, sous un dais portant les emblèmes nationaux, une grande tache de sang. On voyait des hommes courir en portant un brancard vers un hélicoptère en train de se poser au milieu de la rue avant de redécoller rapidement. L'objectif d'une autre caméra, qui devait être placée en un lieu élevé, suivait ensuite le vol de l'hélicoptère au-dessus des coupoles dorées et des minarets des mosquées de Bagdad.

La voix du speaker disait que, selon le communiqué de l'agence nationale de presse, le président al-Bakri était dans un état critique en salle de réanimation, mais que les chirurgiens ne désespéraient pas de le sauver. Il ajoutait cependant que c'était là un pronostic peu crédible : des témoins oculaires avaient vu l'éclair de l'explosion tout proche du président et des infirmiers recueillant les débris de son corps déchiqueté.

L'hypothèse la plus probable était celle d'un kamikaze de l'opposition qui aurait adopté la technique des commandos-suicide du Hamas. Il n'était pas pensable que quelqu'un eût réussi à placer une bombe sur la tribune, laquelle avait été contrôlée pouce après pouce par la Sécurité jusqu'aux dernières minutes avant la cérémonie.

Husseïni baissa la tête pendant que, sur l'écran, passait un message publicitaire : il pensa à celui qui pouvait être derrière cet attentat se produisant à un moment si critique sur l'échiquier du Moyen-Orient.

Quand l'émission reprit, les caméras montraient un officier supérieur, avec un béret de tankiste, entouré de ses prétoriens. Sur l'épaule gauche, il portait un bandage voyant, taché de sang, et donnait des ordres sur un ton excité. Le speaker le présenta comme le général Taksoun, l'homme fort possible de l'après-al-Bakri. Un homme qui pouvait compter sur l'attachement des troupes d'élite et qui jouissait aussi d'une certaine réputation à l'étranger.

Husseïni regarda attentivement l'expression dure et résolue du général, ses façons de faire brusques, semblables à celles de quelqu'un qui exécute les gestes d'une mise en scène étudiée depuis longtemps, et il pensa que l'espionnage américain était derrière cet attentat. Pour les Américains, le général Taksoun était quelqu'un avec qui on pouvait négocier.

À ce moment précis, le téléphone sonna et Husseïni décrocha.

« C'est notre œuvre, docteur Husseïni », annonça une voix métallique.

7

Sarah Forrestall se rendit avec le véhicule tout-terrain jusqu'au sommet d'une colline qui donnait sur le campement puis elle arrêta le moteur et se laissa aller au point mort presque jusqu'au parking. Elle descendit pour pousser le véhicule jusqu'à son emplacement, à côté des autres, elle eut enfin un long soupir et regarda autour d'elle. Tout était tranquille et silencieux ; on pouvait distinguer les baraques dans l'obscurité grâce à la faible lumière de la lune qui éclairait la poussière crayeuse de ce replat. Soudain, elle vit un reflet lumineux sur l'une des collines qui bordaient le camp vers l'ouest et elle s'abrita derrière un camion. Peu après, elle entendit le bruit du 4x4 avec lequel Maddox avait quitté le campement.

Le véhicule s'arrêta à brève distance de sa cachette, Maddox en descendit et échangea quelques mots avec les hommes qui l'accompagnaient : ils étaient en tenue camouflée et portaient des armes automatiques.

Elle entendit qu'ils continuaient à parler entre eux à voix basse ; puis elle vit que les militaires remontaient dans le 4x4 et s'éloignaient vers le sud. Elle attendit encore un peu que Maddox fût rentré dans son logement puis elle rampa jusqu'à sa baraque, mit la clé dans la serrure et ouvrit la porte, mais, alors qu'elle allait se faufiler à l'intérieur, un bras se mit en travers de la porte.

« Will, dit-elle en tressaillant. Tu m'as fait peur.

— Toi aussi, rétorqua Blake. Qu'est-ce que tu es allée faire dans le désert en pleine nuit ? Et tu crois que c'est une heure pour rentrer ?

— Écoute, allons à l'intérieur, conseilla la jeune femme. Je ne pense pas que nous devions rester ici à deux heures du matin à parler de la pluie et du beau temps.

— Comme tu voudras, dit Blake, tandis qu'elle allumait sa lampe à gaz, la réduisant aussitôt au minimum et fermant les rideaux. Mais je crois que tu me dois une explication.

— Pourquoi ?, demanda Sarah.

— Parce que je suis tombé amoureux de toi et que tu le sais ; tu me laisses croire que cela ne te déplaît pas mais tu me laisses dans le pétrin. Tu me tiens à l'écart, bien que tu saches que j'ai un besoin désespéré d'aide, à tous points de vue. Je ne sais pas si je suis clair. »

Sarah se tourna vers lui et, à son regard, Blake put comprendre que ses mots ne l'avaient pas laissée indifférente. « Tu as été très clair. Mais tu as tort : j'ai pris des risques pour toi, pour te procurer les renseignements que tu voulais. Ce n'est pas ma faute si je n'ai pas eu de chance.

— Bien sûr que si, c'est ta faute continua Blake. J'ai copié ton disque et je l'ai lu sur mon ordinateur. Il y a les coordonnées et elles nous situent dans une localité du désert du Néguev, en Israël. Nous sommes plus ou moins à quarante milles au sud de Mitzpe Ramon, à environ quinze milles à l'est de la frontière égyptienne. Et tu le savais. De plus, je répète, qu'est-ce que tu es allée faire à cette heure-ci avec le tout-terrain ? J'imagine que tu as suivi Maddox et les siens, mais pourquoi, pour qui ? »

Sarah s'abandonna sur une chaise et lâcha un long soupir. « Mais c'est vrai que tu m'aimes ?, dit-elle en le fixant dans les yeux. Et qu'est-ce que tu attendais pour me le dire ?

— Eh bien, d'abord, je me demande un peu qui tu es et ce que tu peux bien faire en ce lieu et pour qui tu peux bien travailler...

— Et qu'est-ce que ça peut bien te faire ? » demanda-t-elle, se levant et s'approchant de lui à tel point qu'il put sentir un instant son parfum mêlé à l'odeur de sa peau en sueur, avant qu'elle l'embrasse en se serrant contre lui, agressive et tendre.

Blake sentit une bouffée de chaleur monter de sa poitrine et obscurcir son esprit : il avait oublié à quel point pouvait être violent le désir pour un corps féminin, et le pouvoir de l'odeur émanant d'entre les seins d'une belle femme.

Il chercha à rester lucide : « Sarah, pourquoi m'as-tu menti ? » dit-il en s'écartant légèrement d'elle mais en continuant à la regarder dans les yeux. L'atmosphère était lourde, la baraque semblait rapetisser d'instant en instant, comme si les parois se rapprochaient l'une de l'autre, bloquant l'homme et la femme dans un espace de plus en plus étroit et de plus en plus chargé de leurs sensations et de leurs désirs.

Sarah ôta devant lui son chemisier et son pantalon couverts de poussière en disant : « Je vais prendre une douche. Ne t'en va pas, s'il te plaît. »

Blake resta seul au milieu de la petite pièce encombrée de papiers, de livres, de vêtements suspendus dans des housses de plastique, il resta à écouter le ruissellement de la douche dans le petit box embué et le battement de son cœur, de plus en plus fort. Il se sentait trembler à la pensée du moment où ce bruit s'arrêterait soudain : la dernière fois qu'il avait fait l'amour avec Judy, c'était il y a six mois. Une vie entière. Et Judy était encore en lui, avec la couleur de ses yeux, le parfum de ses cheveux, la grâce de ses mouvements.

Il pensa à la tombe au cœur du désert de l'autre côté de la montagne-sphinx et de l'autre côté de la montagne-pyramide, à l'énigme du pharaon enseveli à une distance incroyable de la Vallée des Rois. Il pensa à ce lieu où la nature et le hasard avaient reproduit les architectures les plus majestueuses de la terre du Nil, et pourtant, en ce moment, les battements affolés de son cœur effaçaient toute pensée ; la voix de cet homme enseveli par des millénaires et par l'oubli en un lieu désolé du plus aride des déserts ne pouvait l'emporter sur la force de l'appel qu'il percevait de l'autre côté du rideau de buée.

Il la trouva soudain devant lui, nue, et c'est alors seulement qu'il s'aperçut que le bruit de la douche avait cessé.

De ses mains encore ruisselantes de gouttes d'eau, elle le déshabilla lentement puis parcourut son corps et son visage, comme pour prendre possession d'un territoire longuement désiré.

Blake l'emporta sur le lit et l'enlaça avec frénésie, avec angoisse, la caressa avec une passion incrédule, la couvrit de baisers de plus en plus ardents, libérant son âme de ses souvenirs et de ses douleurs, cependant qu'elle l'accueillait en elle avec une sensualité de plus en plus intense, de plus en plus avide et dévorante. Et quand il leva les yeux vers son visage, il la vit se transfigurer dans le plaisir, devenir de plus en plus belle, rayonnant d'une splendeur mystérieuse et d'une douce lumière.

Il resta à la contempler après qu'elle se fut abandonnée, épuisée, détendant ses membres dans la lassitude qui précède le sommeil, puis, soudain, il sembla se reprendre, comme s'il s'éveillait d'un rêve. « Maintenant, réponds-moi, dit-il. S'il te plaît. » Sarah le regarda à son tour, se souleva, s'assit face à lui, lui tenant la main : « Pas encore, Will, dit-elle, et pas ici. »

Le docteur Husseïni éteignit toutes les lumières, brancha son répondeur, puis il prit sa petite boîte noire et la glissa dans la poche intérieure de sa veste. Il sortit dans la rue et se dirigea vers sa voiture garée un peu plus loin le long du trottoir. Il croisa un collègue, le docteur Sheridan, professeur d'akkadien, qui sortait son chien, et le salua d'un signe de tête. Il était certain qu'il se demanderait où il allait à cette heure et par ce froid, et qu'il trouverait certainement une réponse malicieuse mais vraisemblablement inoffensive.

Il démarra et s'engagea bientôt dans le large boulevard qui longeait le petit lac de l'Expo, brillant sous les réverbères qui diffusaient sur la glace un halo verdâtre. Sur sa droite, il avait laissé les flèches du collège de l'université chapeautées de neige et, plus loin, la tour de la chapelle.

C'était une vue à la fois fascinante et spectrale à laquelle il n'arrivait encore pas à s'habituer et il se rappelait la première fois où il avait posé le pied dans la chapelle et où il l'avait trouvée dépourvue de tout signe qui eût pu l'affecter à une confession religieuse particulière. Elle aurait même pu être une mosquée. « C'est ça l'Amérique, avait-il pensé. Elle ne peut choisir un credo en particulier et, par conséquent, aucun credo n'est son choix. » En quelques minutes, il fut sur la Dan Ryan, quasi déserte, et il prit la rampe menant vers le sud. Il dépassa une voiture de police qui patrouillait lentement sur l'autoroute et il put distinguer la silhouette corpulente de l'agent de couleur au volant.

Il suivit un camion-citerne scintillant de chromes et d'ampoules colorées jusqu'à la 111e avenue puis il se mit sur la voie de gauche. Un peu plus loin, il remarqua une vieille Pontiac roulant à une allure régulière, à une vitesse constante de soixante kilomètres à l'heure. Il pensa que cela pouvait être son homme.

La voiture tourna à la 115e Avenue cinq minutes avant onze heures et entra sur le parking d'un magasin de vins et liqueurs, il fut alors certain que c'était bien lui.

Il poussa un profond soupir et s'approcha en laissant ses feux de position allumés. L'homme sortit de sa voiture et resta quelques secondes immobile au milieu du parking désert. Il portait un jeans, des chaussures de jogging et un blouson au col relevé. Il était coiffé d'une casquette des Chicago Bulls.

Il lui sembla qu'il regardait vers lui comme pour s'assurer qu'il ne se trompait pas, puis il le vit abaisser quelque chose sur son visage... un passe-montagne. Il s'approcha d'un pas rapide et léger, ouvrit la portière droite et entra.

« *As-salam 'aleyk*, Abou Ghaj, dit-il en s'asseyant. Je suis le numéro un du groupe deux et je t'apporte le salut d'Abou Ahmid. Excuse-moi de ne pas me laisser reconnaître, mais c'est une mesure indispensable de sécurité à laquelle nous avons tous l'ordre de nous tenir. Seul Abou Ahmid nous a vus et est capable de nous reconnaître. »

La voix métallique qui lui avait parlé au téléphone était la sienne. Husseïni le regarda : il avait l'allure, la voix, les façons de faire d'un homme jeune, vingt-cinq ans peut-être, une silhouette robuste, des mains longues et fortes. Il avait observé ses mouvements tandis qu'il s'approchait et ouvrait la portière : souples, presque fluides, sûrs mais prudents, et le regard qui brillait dans l'ombre du passe-montagne semblait indifférent mais contrôlait attentivement les environs. Cet homme était à l'évidence une machine de guerre d'une efficacité et d'une précision extraordinaires.

« J'ai l'honneur, reprit-il, d'agir sous les ordres du grand Abou Ghaj. Tes exploits sont encore un motif d'admiration dans tous les territoires de l'Islam et tu es un modèle pour tout combattant du Djihad. »

Husseïni ne répondit pas et attendit que l'autre poursuive : « Notre opération va s'achever. Les trois ânes achetés au marché de Samarkand vont arriver à destination. L'un d'eux était dans le poids lourd qui te précédait sur l'autoroute, tu l'as vu ?

— Je l'ai vu », dit Husseïni.

— Écoute-moi, Abou Ghaj, reprit l'autre, le groupe trois parviendra à destination dans deux jours, le groupe deux... est déjà en place. Les trois ânes peuvent être sellés à tout moment. »

Husseïni pensa que ses craintes étaient de plus en plus fondées : « seller les ânes » était de toute évidence l'expression de code pour désigner l'installation des engins et il était clair que l'emploi de ce langage jusque dans une conversation aussi privée devait être imposé par la crainte d'interceptions. À moins que ce ne fût simplement le style fleuri du langage oriental...

« Abou Ahmid te fait dire que tu devras envoyer le message vingt-quatre heures après que le dernier âne sera installé dans son écurie. »

« Quatre jours en tout », pensa Husseïni. La situation évoluait maintenant à une vitesse folle et rien ne pouvait plus arrêter sa course. La mégalomanie d'Abou Ahmid était sur le point d'atteindre son sommet absolu. Et cependant, il n'arrivait toujours pas à comprendre pourquoi il l'avait choisi, lui, et surtout comment il faisait pour être si sûr qu'il exécuterait ce qui était exigé de lui. Il baissa sa vitre et se tourna vers le jeune homme assis à côté de lui : « Ça te gêne si je fume ? » lui demanda-t-il en prenant son paquet de cigarettes.

« Non, répondit l'autre. Mais ça te fait du mal, d'abord à toi, et, en plus, à ceux qui sont près de toi. »

Husseïni secoua la tête : « Incroyable, tu raisonnes comme un Américain.

— Il le faut », répondit le jeune homme sans ciller.

Husseïni s'abandonna sur le dossier de son siège, aspira une longue bouffée et la souffla par la fenêtre, en même temps qu'un nuage de vapeur :

« Qu'est-ce qu'il t'a dit d'autre, Abou Ahmid ? »

Bizarrement, le jeune homme ne se retourna pas vers

lui mais mit sa main dans la poche intérieure de son blouson pour en sortir une enveloppe.

« Il m'a dit de te donner ça et de te demander si tu connais cette personne. »

Husseïni se secoua de l'étrange torpeur qui l'avait saisi et tendit la main pour prendre l'enveloppe. C'était tout à fait inattendu.

Il l'ouvrit et vit qu'elle contenait trois photos qui représentaient la même personne, enfant, adolescent, jeune adulte.

L'autre continua à fixer le vide de la nuit devant lui. Il répéta, mécaniquement : « Abou Ahmid demande si tu le reconnais. »

Husseïni continua à regarder les photos en silence, d'abord sans comprendre, puis, comme s'il avait été frappé par la foudre, l'air ahuri et les yeux brillants, il fit : « Cela pourrait être... mais... ce n'est pas possible... Cela pourrait être... mon fils. C'est ça ? C'est mon fils ?

— C'est ça. Abou Ahmid dit que c'est ton fils.

— Où est-il ? » demanda Husseïni à voix basse cependant que des larmes soudaines coulaient sur ses joues.

« Ça, je ne le sais pas. »

Husseïni caressait de ses doigts l'image de l'enfant que, pendant si longtemps, il avait cru mort. Abou Ahmid lui avait fait porter, bien des années plus tôt, un petit cercueil contenant les restes non identifiables d'un enfant qu'un obus avait déchiqueté lors du bombardement d'un camp de réfugiés. Il était tel qu'il apparaissait sur ces photos ; c'est ainsi qu'il l'avait imaginé à chaque fois qu'il avait pensé à ce qu'il aurait été, adolescent, jeune homme, si seulement la cruauté des hommes lui avait permis de grandir. Et, au lieu de cela, Abou Ahmid le lui avait caché pendant des années, pour l'utiliser un jour comme otage... Et voici que ce jour était arrivé pour le contraindre à obéir sans discuter, lui, Omar Al-Husseïni. Et voilà pourquoi Abou Ahmid était si certain que ses ordres seraient exécutés...

Maintenant, avec son fils entre les mains de l'homme le plus cynique et impitoyable qu'il eût jamais connu, même le suicide ne pourrait plus être une issue... Il était pris au piège.

« Abou Ahmid dit que l'enfant est en bonne santé et que tu n'as pas à t'inquiéter. »

Un silence de mort tomba sur la voiture glacée. Le jeune homme demanda encore, au bout de quelque temps : « Tu n'es pas content, Abou Ghaj ? » Et ses mots sans couleur résonnèrent comme s'ils avaient été prononcés sur un ton de cruelle dérision.

Husseïni essuya ses larmes du dos de la main et rendit les photos.

« Abou Ahmid a dit que tu peux les garder

— Je n'en ai pas besoin, répondit Husseïni. Son visage est imprimé dans mon esprit, depuis toujours. »

Le jeune homme reprit l'enveloppe et, finalement, se tourna vers lui. Husseïni put fixer son regard pendant un instant, mais il ne rencontra qu'une lumière immobile, glaciale :

« Tu es angoissé mais, crois-moi, cela vaut infiniment mieux que le vide, que le néant. Moi, je vais peut-être mourir, mais je n'ai ni père ni mère, je n'ai ni frères ni sœurs. Même pas d'amis... Personne ne me pleurera. Ce sera comme si je n'avais jamais existé. Adieu, Abou Ghaj. »

Il s'éloigna, rejoignit sa voiture et, quand il fut parti, Husseïni resta à regarder longuement ses empreintes dans la neige comme si c'était une créature chimérique qui les avait laissées. Puis il démarra et partit.

William Blake descendit lentement dans l'hypogée, attendit que Sarah eût également atteint le sol puis il alluma la lumière et se dirigea vers le point où il avait commencé à déplacer l'éboulis, mettant au jour le plancher.

« C'est ici qu'est enfermé le secret de cette tombe, dit-il en s'adressant à Sarah. Mais avant que je continue, réponds à mes questions : ici, personne ne peut nous entendre, Sullivan est rendu sourd par le bruit du générateur et du treuil. »

Sarah s'appuya contre la paroi et ne dit rien.

« Tu savais que nous sommes en Israël et tu ne m'as rien dit ; tu sais aussi que Maddox ne s'occupe pas que de recherches minières. Cette nuit, quand vous êtes rentrés, il y avait avec lui deux hommes armés, en tenue camouflée, et toi, tu l'as suivi jusqu'à ce moment-là.

— Ce que je t'ai caché jusqu'à maintenant, je l'ai fait pour ton bien : si tu avais su où nous sommes, ça t'aurait rendu dangereusement curieux.

— Ça m'aurait évité de m'engager sur une fausse piste. Je croyais être en Égypte.

— L'Égypte n'est qu'à quelques milles à l'est...

— L'Égypte dont je parle est sur le Nil.

— Et ce serait encore plus dangereux pour toi de savoir ce que fait Maddox.

— Ça m'est égal. Maintenant je veux le savoir et je veux savoir qui tu es. Nous avons couché ensemble : ça ne te paraît pas justifier que tu répondes à ces questions ?

— Non. Je ne le crois pas et je continue à penser que tu dois rester en dehors de tout ça. Tu as déjà une énigme à résoudre, ça devrait te suffire. »

Blake la fixa d'un regard immobile. L'atmosphère commençait à se réchauffer à l'intérieur du tombeau et l'air se faisait dense et lourd : « Si tu ne réponds pas à mes questions, je dirai à Maddox que tu l'as suivi cette nuit et que, l'autre jour, tu es entrée dans son bureau et que tu as copié des dossiers sur son ordinateur.

— Tu ne feras pas ça.

— Si, je le ferai et je pourrai le lui prouver puisque j'ai une copie de l'original que tu as reproduit. Et je t'assure que tu n'as pas intérêt à prendre ce risque : je ne bluffe pas.

— Fils de pute !

— Et ce n'est rien, je suis capable de bien pire. »

Sarah s'approcha de lui : « Tu crois vraiment pouvoir me faire parler avec tes menaces ? Alors, je vais te dire une chose : dans ce camp, tu ne peux compter que sur moi. Si ta présence devait devenir gênante pour quelque motif, personne n'hésiterait à se débarrasser de toi et à t'enterrer sous quelques pelletées de sable et de cailloux. Maddox n'y regarderait pas à deux fois et Pollack lui donnerait un coup de main avec plaisir.

— Ça, je l'avais imaginé, mais je n'avais pas le choix.

— Si, tu l'avais : tu pouvais rester à Chicago et, éventuellement, changer de métier... mais c'est inutile d'en parler maintenant. Ici, les choses sont en train de mal tourner : si tu tiens vraiment à le savoir, le gouvernement avait projeté une opération secrète et il avait décidé d'utiliser l'un des camps de la Warren Mining Corporation comme base opérationnelle. Ne serait-ce que parce que Alan Maddox a travaillé autrefois pour le gouvernement avant de devenir le dirigeant de la Warren Mining.

« Maintenant, l'opération a raté, bien que, disons, le hasard ait voulu que l'objectif soit quand même atteint. En revanche, cela a provoqué un vif mécontentement dans l'espionnage israélien, indispensable au gouvernement dans cette zone – lequel – n'avait pourtant été mis au courant de rien. Au point où nous en sommes, personne ne se fie plus à personne et, par-dessus le marché, l'idée de Maddox de te faire intervenir dans ces fouilles est devenue encombrante, gênante...

— Mais pourquoi Maddox m'a-t-il fait venir ici ? C'est vrai qu'il a des problèmes financiers ou bien tu as tout inventé ?

— C'est un coup de tête de Maddox et aussi sa vieille marotte de l'égyptologie. Mais moi, j'ai ma petite idée : Maddox a sûrement eu l'assurance d'une grosse récompense de la part du gouvernement pour sa collaboration, seulement il serait obligé de la reverser dans les caisses de la Warren pour la sauver de la banqueroute. Quand il a découvert cette maudite tombe, il a pensé faire d'une pierre deux coups et mettre dans sa poche la valeur de ces trésors, éventuellement en partageant de façon plus ou moins égale avec Sullivan et Gordon. J'imagine qu'ils t'ont fait une offre à toi aussi.

— En effet, mais je n'ai pris aucun engagement.

— Le problème, c'est que la situation générale dans cette région est en train de dégénérer et qu'il y a de gros ennuis en vue. Il n'y a plus de temps pour tes élucubrations. Si tu veux un conseil, enlève ce maudit éboulis en faisant travailler les ouvriers jour et nuit, fais le catalogue des pièces, et va-t'en, si tu peux. Quand toute cette histoire sera finie, j'irai te chercher et nous pourrons passer quelques moments plus tranquilles ensemble. Et même mieux nous connaître... pourquoi pas ? J'en ai encore envie. »

Blake resta silencieux, la regardant dans les yeux, cherchant à contrôler les émotions, les peurs, les inquiétudes que ces mots avaient soulevées en lui. Puis il baissa la tête et dit : « Merci. »

Il regagna l'entrée et fit signe à Sullivan de faire pénétrer les ouvriers et de descendre la benne avec le treuil.

Il recommença à enlever l'éboulis, faisant violence à sa conscience de chercheur : à chaque fois qu'il voyait un morceau de bois du plancher emporté par la pelle des terrassiers et jeté dans la benne, cela lui faisait mal mais, au point où il en était, il n'avait pas le choix. S'il avait travaillé en finesse avec la brosse et la truelle, il y aurait mis des semaines et il se rendait compte maintenant que le temps lui était compté.

Il ne s'accorda qu'une demi-heure pour déjeuner et remonta dehors avec Sarah, s'asseyant à l'ombre de la tente pour manger un sandwich au poulet et boire une bière.

Alors qu'il allait redescendre, il vit un nuage de poussière s'approcher, venant de la direction du camp : c'était un des véhicules de la compagnie qui s'arrêta à l'entrée du petit chantier. La portière s'ouvrit et Alan Maddox en descendit.

« Quelle surprise ! fit Blake. Qu'est-ce qui me vaut le plaisir de cette visite sur mon chantier ?

— Salut, Sarah », dit Maddox en voyant la jeune femme assise un peu plus loin. Puis il ajouta, en s'adressant à Blake : « Du nouveau : je viens d'avoir la réponse du carbone 14 pour les échantillons que nous avons fait analyser. Ça nous a coûté les yeux de la tête mais ils ont été rapides. J'ai pensé vous faire plaisir en vous l'apportant tout de suite moi-même.

— Je vous remercie infiniment, dit Blake sans cacher son excitation. Je peux voir ?

— Je suis venu pour ça », répondit Maddox en lui tendant une enveloppe encore fermée.

Blake l'ouvrit, sortit la feuille en hâte et lut le résultat :

Échantillons de bois : milieu du XIIIe siècle av. J.-C. +/- 50 ans.

Échantillons de cuir : début du VIe siècle av. J.-C. +/- 30 ans.

Maddox le regardait anxieusement, en attendant sa réponse : « Alors ? »

Blake secoua la tête : « C'est un travail particulièrement soigné, mais je n'arrive pas à comprendre...

— Pourquoi ? Qu'est-ce que cela signifie ?

— Tous les éléments que j'ai examinés jusqu'à maintenant me conduisent à dater cette tombe du XIIe-XIIIe siècle av. J.-C., ce qui est confirmé par l'analyse du bois du plancher mais le carbone 14 sur le cuir me donne une datation du début du VIe... Je n'arrive pas à comprendre...

— Quelqu'un est entré dans la tombe six siècles avant Jésus-Christ, peut-être pour la saccager, qu'y a-t-il d'étrange ?

— Ça, précisément : elle n'a pas été saccagée. Alors, pourquoi notre mystérieux visiteur est-il entré ? »

Maddox resta muet quelques instants comme s'il était en train de méditer.

« Vous buvez quelque chose ? proposa Blake. Il y a de l'eau et du jus d'orange ; ça devrait être encore frais.

— Non, merci, je viens de boire. Dites-moi, Blake : combien de temps vous faudra-t-il pour dégager entièrement l'éboulis ?

— Pas longtemps. Ce sera peut-être fini demain soir.

— Et après ? Vous ouvrirez le sarcophage ? »

Blake acquiesça.

« Je veux être présent à ce moment-là. Faites-moi appeler, Blake, je veux être en bas avec vous quand vous ouvrirez ce maudit couvercle.

— Très bien, monsieur Maddox. Merci d'être venu. Maintenant, s'il n'y a rien d'autre, je redescends travailler. »

Maddox échangea quelques mots avec Sullivan, salua Sarah puis remonta en voiture et s'éloigna. Blake se fit redescendre dans la tombe et se remit à travailler.

Sarah le rejoignit peu après : « Tu as vraiment l'intention d'ouvrir ce sarcophage demain soir ?

— Très probablement.

— Et comment penses-tu t'y prendre ?

— La plaque de couverture dépasse d'une dizaine de centimètres tout le tour. Il suffira de quatre poutres et de quatre vérins hydrauliques. Avec deux autres poutres, nous ferons glisser le couvercle vers le bas jusqu'à ce qu'il touche le sol. Tu penses qu'il y a ce genre de choses au camp ?

— Je vais m'en occuper ce soir. Au pire, nous utiliserons les crics des jeeps : ça devrait suffire. »

Les ouvriers avaient dégagé la plus grande partie du plancher et, à mesure qu'ils continuaient à débarrasser l'éboulis, il apparaissait du côté est de l'hypogée une sorte d'architrave sous laquelle continuait à descendre du matériau inerte.

Blake s'approcha et pointa sa torche électrique en direction de l'architrave.

« Qu'est-ce qu'il y a ? » demanda Sarah.

Blake regarda l'architrave puis la portion de plancher qui avait été dégagée et soudain il sembla pris d'une étrange excitation : « J'y suis peut-être, dit-il. Passe-moi le mètre. »

Sarah prit un mètre dans la corbeille à outils et le lui tendit. Blake grimpa sur le tas de débris, il glissa plusieurs fois avant d'atteindre l'architrave, qu'il mesura. Puis il redescendit et prit les mesures du plancher.

« J'en étais sûr, dit-il. C'est exactement ce que j'avais pensé. Ce plancher était en position verticale et fermait cette espèce d'ouverture.

— Puis, à un moment donné, quelqu'un l'a fait tomber pour obstruer définitivement l'entrée de cette tombe.

— C'est ce que je pense. Et je crois que, quand nous aurons enlevé le plancher, nous trouverons même les étais. »

Il recommanda aux ouvriers d'abîmer le moins possible le plancher, puis il prit lui-même une pelle et commença à creuser tout près du sarcophage tandis que les ouvriers continuaient à travailler du côté du plancher. Il trouvait maintenant un matériau plus léger, du sable surtout, mêlé à du petit gravier, gros comme des grains de maïs, et le travail s'effectuait plus vite que prévu. Sarah était prise à son tour d'une étrange excitation et, cessant d'observer, elle remplissait les paniers et les vidait dans la benne, faisant montre d'une énergie étonnante. La sueur avait collé sur son corps son léger corsage de coton, révélant ses formes et faisant luire dans la pénombre de l'hypogée sa peau bronzée, comme la patine d'une statue antique.

Ils avaient tous les deux noué un mouchoir devant leur bouche pour se protéger de la poussière dense que soulevait le travail de quatre personnes que l'aspirateur n'arrivait pas à expulser totalement vers l'extérieur.

Blake s'arrêta soudain et prit dans la corbeille à outils le pinceau et la balayette pour commencer à enlever la poussière incrustée sur la surface du sarcophage.

« Qu'est-ce qu'il y a ? demanda Sarah.

— La pierre du sarcophage est gravée... jusqu'à la base, dirait-on. »

Sarah laissa son travail et s'agenouilla près de Blake.

« Allume la lampe et mets une lumière rasante », dit celui-ci tout en continuant à nettoyer la surface calcaire avec la balayette puis avec le pinceau de soies de porc. Sarah fit ce qu'il lui demandait et resta à l'observer tandis qu'il passait ses doigts sur les sillons gravés dans la pierre. Dans le fort contraste de la lumière rasante apparaissait une ligne de hiéroglyphes qui gardait les traces des couleurs utilisées par le scribe : ocre, indigo, noir, jaune. « Qu'est-ce que ça signifie ? demanda Sarah.

— Rien, répondit Blake. Cela n'a aucun sens.

— Comment est-ce possible ?

— Il faut que je voie toute l'inscription. Je ne pourrai trouver un sens tant que nous n'aurons pas atteint le dallage. Remettons-nous au travail. »

Il reprit la pelle et réussit à creuser un canal entre l'éboulis et la paroi du sarcophage, assez large pour pouvoir y bouger avec une liberté suffisante, puis il se mit à nettoyer la surface pour pouvoir relever l'inscription.

Quand il eut fini, il se rendit immédiatement compte que le scribe devait être le même que celui qui avait gravé les autres inscriptions qu'on voyait dans la tombe, le même que celui qui avait rédigé le papyrus Breasted.

Il se mit à lire et Sarah épiait ses réactions à mesure qu'il déchiffrait les lignes de haut en bas. Quand il eut fini, elle s'approcha de lui : il avait une expression perplexe, comme troublée, comme si ce texte avait plongé son esprit dans la confusion. Sarah lui posa une main sur l'épaule et fixa ses yeux :

« Qu'est-ce que ça dit, Will, que dit l'inscription ? »

Blake secoua la tête : « Je ne peux pas le dire avec

certitude... Si ce que je pense est vrai, ce serait si énorme que...

— De quoi s'agit-il ? Dis-moi de quoi il s'agit. »

Les ouvriers se rendirent compte du ton surexcité de la jeune femme et se tournèrent vers elle, cessant de déblayer les décombres ; Blake lui fit signe alors de ne pas insister. Il dit seulement : « Prends quelques photos pendant que je recopie le texte. Il faut que je sois sûr... Il faut que je sois sûr... Ce n'est pas si simple... on peut toujours se tromper... Nous en parlerons plus tard. Aide-moi maintenant. »

Sarah n'insista pas, prit l'appareil photo et fit quelques clichés de l'inscription tandis que Blake, assis par terre, la recopiait avec le plus grand soin sur une feuille de papier à dessin fixée sur une tablette de bois.

Pendant ce temps, les ouvriers avaient presque dégagé le plancher et maintenant, au bout de la paroi orientale du mausolée, apparaissaient une architrave et deux montants qui encadraient une ouverture légèrement plus petite que celle du plancher.

« Nettoyez complètement le plancher et enlevez le reste de l'éboulis jusqu'au sarcophage, dit Blake. Nous avons encore quelques heures et vous pouvez y arriver. Si vous finissez ce soir, je vous garantis une bonne prime de la part de monsieur Maddox. »

Les deux ouvriers acquiescèrent et Blake commença à creuser à l'endroit où, le premier jour, il avait trouvé les squelettes. Il n'y avait que les ossements de quatre adultes, très probablement de sexe masculin. Tout autour, il releva des traces de soufre et de bitume : c'est avec cela que les corps avaient été brûlés. Il recueillit les ossements dans une cassette et les déposa dans un coin de l'hypogée. Quand il eut fini, il fit signe à Sarah de le suivre dehors. Ils se hissèrent sur la benne et se firent remonter par le treuil à la surface.

« Comment ça va ?, demanda Sullivan.

— Bien, répondit Blake. Si tout va comme il faut, nous aurons déblayé l'éboulis avant ce soir. On se voit tout à l'heure. Vous continuez pendant que nous faisons quelques pas.

— Très bien, dit Sullivan, qui redescendit la benne à l'intérieur de l'hypogée. Mais ne vous éloignez pas trop et faites attention aux crevasses, aux serpents et aux scorpions.

— Ne t'en fais pas, Sullivan, rétorqua Sarah, je le surveille.

Blake but un peu d'eau fraîche de la thermos, puis s'éloigna en direction d'une hauteur qui se dressait à l'est, non loin du chantier. Le soleil était très bas sur l'horizon et allongeait démesurément les ombres vers le pied de la colline.

Blake marchait d'un bon pas comme s'il avait hâte d'atteindre le but qu'il s'était fixé.

« Pourquoi marchons-nous si vite ? demanda Sarah.

— Parce que je veux que nous soyons là-haut avant que le soleil descende au-dessous de l'horizon et que c'est une question de minutes.

— Je ne comprends pas, disait Sarah en cherchant à suivre son pas. Qu'est-ce que nous allons chercher là-haut ? Et qu'est-ce que tu as lu de si extraordinaire sur l'inscription ?

— Je te l'ai dit : je n'en suis pas sûr. Les hiéroglyphes peuvent avoir plusieurs clés d'interprétation. Il faut que je trouve d'autres éléments de confirmation avant de me prononcer. Et surtout, je dois ouvrir ce cercueil... »

Il montait maintenant, haletant, tandis que la lumière faiblissait presque à chaque pas et que le ciel au-dessus de sa tête s'assombrissait en un bleu de plus en plus intense.

Il atteignit finalement le sommet et se retourna pour regarder la plaine où la voiture de Sullivan et son outillage trônaient au milieu de nulle part.

« Qu'est-ce que tu cherches ? demanda encore Sarah.

— Tu ne vois rien ? interrogea Blake en fixant le terrain en bas.

— Non. Rien que la jeep de Sullivan, notre voiture et notre outillage.

— Regarde plus loin, fit Blake avec une expression énigmatique. Vraiment, tu ne vois rien ? »

Sarah secoua la tête, laissant errer son regard sur la plaine désolée. « Non, rien que des pierres.

— En effet, des pierres. Mais, si tu fais bien attention, tu vas voir des alignements qui dessinent une sorte de périmètre. Et la tombe est plus ou moins au centre de ce périmètre. »

Sarah observa plus attentivement, tandis que le soleil descendait complètement au-dessous de l'horizon, et elle remarqua quatre pierres aux coins d'un grand rectangle et d'autres alignements de pierres qui traçaient à l'intérieur comme de nouvelles subdivisions.

À ce moment, un rapace nocturne quitta son nid sur un pic lointain du cratère de Mitzpe et vola vers le centre du ciel pour prendre possession de la nuit.

« Tu étais au courant de ces signes sur le sol ? demanda Sarah.

— C'est plein de signes ici : sur le sol, sur les rochers. Il y a des gravures rupestres, des alignements de pierres, un langage muet jusqu'à aujourd'hui. J'en ai dessiné et relevé un grand nombre pendant tous les instants libres durant les fouilles... Maintenant est arrivé le moment de leur redonner la parole... Dis-moi, tu as une bible dans ton logement ?

— Une bible ?

— Oui.

— Je ne suis pas très croyante, Will. Je crains de ne pas avoir de bible... Mais Pollack pourrait peut-être en avoir une : c'est un vieux porc mais c'est aussi un bigot, d'après ce que j'ai compris.

— Demande-la-lui, j'en ai besoin. Je t'expliquerai. Maintenant, viens, descendons voir comment avance le travail... »

Ils passèrent à côté de Sullivan qui était en train de renverser la benne : « Je crois qu'ils sont en train de finir, dit-il, la benne remonte à moitié vide.

— Je descends », dit Blake.

Il descendit à l'aide du treuil et constata que l'éboulis avait été complètement débarrassé : les deux ouvriers étaient en train de balayer le plancher. Leur barbe et leurs cheveux étaient blancs de cette impalpable poussière qui flottait dans l'air immobile.

« Quand vous aurez fini, leur dit-il, fermez l'ouverture mais n'enlevez pas les toiles : il y a encore trop de poussière en l'air. »

Il se fit hisser à la surface et monta en voiture avec Sarah cependant que Sullivan rangeait les outils et accrochait à la benne la plaque de couverture pour la déposer sur l'entrée de la tombe.

Sarah conduisait la jeep le long de la piste encore éclairée par les dernières lueurs du couchant, cependant que Blake parcourait du regard les feuillets sur lesquels il avait recopié l'inscription gravée sur le sarcophage.

« Tu ne veux vraiment pas me dire ce qu'il y a d'écrit sur cette pierre ? demanda soudain Sarah.

— Sarah, la question n'est pas de dire ou de ne pas dire. Vois-tu, les hiéroglyphes, c'est un système d'écriture dans lequel la plupart des signes ont une variété de sens selon la position qu'ils occupent dans la phrase ou dans le contexte en général...

— Du baratin. Je t'ai vu bouleversé... tu ne peux pas me le cacher. Ça veut dire que ton esprit a capté une signification. Oui ou non ?

— Oui..., admit Blake. Mais ça n'est pas suffisant pour me prononcer : laisse-moi la nuit et la journée de demain. Je te promets que tu seras la première à le savoir. »

La jeep grimpa sur le flanc méridional de l'oued puis descendit dans le lit accidenté, encombré de rochers gigantesques. Au loin brillaient les feux du campement. Bientôt, on appellerait pour le dîner.

Dès qu'ils furent arrivés au parking, Blake descendit de voiture : « Tu vas aller te balader cette nuit ? demanda-t-il à Sarah.

— Je ne sais pas. Ça dépend...

— Trouve-moi cette bible, s'il te plaît.

— Je ferai mon possible et même l'impossible, s'il le faut. »

Elle lui sourit, jeta son sac sur l'épaule et s'éloigna vers son logement. Blake, lui, s'assit sur un rocher et alluma une cigarette. Combien de temps était-il passé depuis cette nuit glaciale à Chicago ? Une éternité, lui semblait-il, et il n'y avait guère plus de deux semaines. Qu'est-ce que Judy avait bien pu penser en ne le voyant plus, en ne l'entendant pas au téléphone... Cela lui plaisait, cette idée d'avoir disparu de sa vie tout d'un coup. Elle s'attendait sûrement à ce qu'il l'appelle, qu'il lui fasse parvenir quelque message, qu'il s'excuse platement pour la revoir.

Et Sarah ? Pour autant qu'il pouvait imaginer, elle disparaîtrait une fois achevée sa mission, et lui devrait de nouveau affronter la vie depuis les profondeurs où il s'était abîmé, à moins qu'on ne se débarrasse de lui... Mais, même s'il devait en être ainsi, du moins aurait-il vécu le moment le plus intense de sa vie. Avant le lendemain soir, il serait confronté à la plus grande énigme de l'histoire des hommes, il en était certain, et il verrait en face, pour la première fois, le pharaon des sables.

Il resta encore un peu pour profiter de la tiédeur de la journée qui émanait des roches, puis il se leva et rejoignit son logement.

Dès qu'il eut fermé la porte, il alluma la radio qui se trouvait sur sa table de nuit, il augmenta le volume et alla sous la douche. C'était l'heure du journal et la station qu'il recevait donnait une émission chypriote en anglais. La voix du speaker était excitée, le ton était celui de l'urgence : on parlait d'une forte concentration de troupes iraniennes à la frontière sud de l'Irak, un peu au nord du Koweït et des îles du Chott el Arab. Le speaker ajoutait que le général Taksoun avait obtenu des Nations Unies, ainsi que du gouvernement américain l'autorisation de mobiliser au moins une partie de son armée pour défendre ses frontières menacées. On connaissait la sympathie dont jouissait Taksoun dans certains milieux du département d'État.

En Israël, il y avait eu un autre attentat-suicide, cette fois à l'intérieur d'une synagogue le jour du sabbat, et il avait provoqué un massacre... La police estimait que l'explosif avait été introduit dans le lieu sacré la veille. Ce n'est qu'ainsi que le kamikaze avait pu s'introduire en déjouant les contrôles de sécurité. Le président Benjamin Schochot avait échappé de peu à un attentat et le ministre de l'Intérieur avait renforcé toutes les mesures de sécurité, et bloqué les territoires palestiniens.

Blake ferma le robinet de la douche et se rapprocha de la radio en se frictionnant énergiquement les cheveux.

Sarah entra à ce moment et montra la radio allumée : « Tu as entendu toi aussi ?

— Oui, dit Blake, et je n'aime pas ça du tout. À l'évidence, la situation dans cette région échappe à tout contrôle. Ça ne m'étonne pas que Maddox veuille se débiner au plus vite. »

Sarah posa un livre sur la table : « Je l'ai trouvée. C'est

Pollack qui me l'a prêtée et il a eu un drôle d'air quand je la lui ai demandée. Il a dû penser que j'étais prise d'une crise de mysticisme. »

Blake se rhabilla tandis que Sarah feuilletait distraitement le gros volume.

« Qu'est-ce que tu espères trouver ? demanda-t-elle en levant la tête vers lui.

— La confirmation d'une hypothèse. »

Sarah referma le livre, s'approcha de la porte et saisit la poignée : « À table dans cinq minutes », dit-elle.

Et elle sortit.

8

Gad Avner entra dans le bureau du président Schochot, lequel l'accueillit d'un visage sombre.

Avner le salua d'un signe de tête : « Monsieur le président...

— Asseyez-vous, monsieur Avner, lui dit le président. Puis-je vous offrir quelque chose ? Un whisky, un cigare ? »

Avner savait bien où conduisaient ces préambules et que la tempête allait bientôt succéder au calme plat. Il secoua la tête en refusant poliment : « Non, merci, monsieur le président, je ne prends rien.

— Monsieur Avner... commença Schochot, je ne veux pas parler, pour l'instant, de l'attentat contre ma personne..., commença-t-il, mettant une certaine emphase sur le « pour l'instant ». Je veux que vous m'expliquiez comment il est possible qu'une bombe ait explosé dans une synagogue un jour de sabbat ; cela ne s'était encore jamais produit. Si nos services de sécurité ne peuvent empêcher que le terrorisme profane les lieux les plus sacrés de la nation, cela signifie que nous sommes vraiment tombés bien bas. Le moral des gens est à zéro. Les sondages disent que, chaque jour, le nombre augmente de ceux qui envisagent de quitter le pays et d'émigrer en Amérique, en France, en Italie. Même en Russie. Devrons-nous assister, impuissants, à une nouvelle diaspora ? Monsieur Avner, vous savez mieux que moi que si le peuple d'Israël doit, de nouveau, quitter sa terre, cette fois, ce sera pour toujours. Il n'y aura plus de retour... » Il parlait avec conviction, avec angoisse, pas en homme politique, et Avner le comprit.

« Monsieur le président, la bombe a été apportée à l'intérieur de la synagogue par le sous-sol. Nous avons trouvé sous le pavement un tunnel long de cinquante mètres qui part d'un égout de la ville. Un égout que vous avez fait construire pour permettre l'installation de nouveaux colons... »

Un instant, le président sembla désarmé, mais aussitôt il revint à l'attaque : « Mais n'y a-t-il pas une inspection des synagogues avant le début des offices ? Il s'agissait d'un kilo de Semtex. Un kilo, ça fait un joli colis : ça ne peut pas passer inaperçu.

— Monsieur le président, voici notre reconstitution de l'événement : un commando de terroristes a creusé le tunnel en ne laissant qu'un mince diaphragme sous le pavement et a achevé son travail probablement le vendredi soir ou le samedi matin. La dernière inspection de la sécurité n'a absolument rien découvert et a donné son accord pour l'entrée des fidèles. Une fois que la synagogue a été pleine, ils ont brisé le diaphragme avec une petite charge explosive et le militant-suicide a bondi à l'intérieur de la synagogue en actionnant le détonateur qu'il portait sur lui ainsi que l'explosif. Prises par surprise, les personnes présentes n'ont pas eu le temps de la moindre réaction.

« Maintenant, vous pourrez certainement dire qu'il est de notre devoir de prévenir, et non seulement d'intervenir, mais vous savez aussi très bien qu'il y a une limite pour une organisation qui a pourtant des moyens et des hommes en nombre important. Nous ne pouvons matériellement pas contrôler le sous-sol du pays tout en organisant des patrouilles sur tout le territoire. Toutefois mes techniciens sont en train d'installer dans toutes les synagogues et autres lieux publics des capteurs aptes à enregistrer les bruits suspects et les vibrations qui proviennent du sous-sol. C'est une opération complexe et coûteuse et cela aussi fait partie des plans de nos ennemis : exercer sur nous une pression continue qui nous pousse à des dépenses toujours accrues en termes d'argent, de travail, de ressources humaines... Nous ne pouvons pas résister si la pression ne se relâche pas.

« Je ne parle pas pour moi : si vous n'avez pas

confiance, n'ayez pas de scrupules, je suis prêt à me retirer. Je n'ai pas d'ambitions, monsieur le président, si ce n'est celle de vous protéger, vous et le peuple... mais si vous connaissez un homme meilleur que moi, mieux formé, appelez-le et confiez-lui ma charge, dès maintenant. Je la mets à votre disposition... »

Il se leva pour s'en aller, mais le président l'arrêta : « Asseyez-vous, Avner, je vous en prie. »

Gad Avner s'assit et les deux hommes se regardèrent en face, en silence, pendant de longs instants. Le bruit de la circulation dans la rue avait presque cessé et les gens s'étaient désormais retirés dans leurs maisons, poussés par la nuit noire et par la peur.

Schochot se leva et alla à la fenêtre : « Regardez, Avner, il n'y a plus personne dans les rues. Les gens sont terrorisés. »

Avner se leva à son tour et s'approcha du président. La fenêtre du grand édifice s'ouvrait sur la vieille ville et sur la coupole dorée du Rocher, exactement comme la fenêtre de sa terrasse.

« Nos soldats sont là, dit-il. Les voici. Et il y a aussi mes hommes. Mais ceux-là, je ne peux pas vous les indiquer. »

Le président soupira : « Que pensez-vous faire ? »

Avner alluma une cigarette, aspira profondément puis se mit à tousser, longuement.

« Vous fumez trop, Avner, lui dit le président presque avec empressement. Vous savez que cela peut vous faire beaucoup de mal ?

— Je ne mourrai pas à cause du tabac, monsieur le président, je n'en aurai pas le temps, je le crains. Donc, pourquoi s'inquiéter ? Maintenant, écoutez-moi parce que je dois vous dire une chose peu agréable...

— Que peut-il y avoir de pire que ce que nous connaissons déjà ?

— Vous vous souvenez que, il y a quelques semaines, devant votre conseil de cabinet, j'ai parlé de cette... opération Nabuchodonosor, en demandant davantage de moyens pour ce que je considérais comme une menace grave et imminente... »

Schochot fronça le sourcil : « Vous voulez dire que ces attentats sont le début de l'opération ?

— Je ne sais pas, c'est très probable... mais ce que je crains c'est que nous ayons à nous battre sur deux fronts : terrorisme à l'intérieur et attaque de l'extérieur. Attaque frontale.

— Ce n'est pas possible. Nous les avons toujours battus dans les combats ouverts. Et nous avons toujours une supériorité technique écrasante. Ils n'oseront pas.

— Je crains qu'ils n'osent.

— Vous avez des indices... des preuves ?

— Non... des pressentiments. »

Schochot le regarda, incrédule : « Des pressentiments ?

— C'est difficile à expliquer. Ces choses-là, on les sent dans l'air. Je n'ai pas besoin de preuves. Je sens que ce salaud est derrière tout ça... derrière l'assassinat de Bakri... derrière l'arrivée de Taksoun qui a pris les Américains à contre-pied, et de façon insoupçonnable.

— Quel salaud ?

— Abou Ahmid, qui voulez-vous que ce soit ?

— Mais Taksoun jouit de l'estime et presque de l'amitié des Américains.

— Et pourtant, ce ne sont pas eux qui ont tué Bakri. Ils avaient un commando à Mitzpe Ramon pour cette opération. Vous le saviez, monsieur le président ? »

Schochot resta un instant interdit et Avner insista, sur un ton de reproche mal caché : « Vous le saviez ?

— Je le savais, Avner.

— Et pourquoi ne m'avez-vous pas mis au courant ?

— Parce que je pensais que vous seriez opposé à cette opération et que...

— Parlez librement.

— Et que vous m'auriez mis des bâtons dans les roues en un moment où je ne peux pas me heurter aux Américains.

— Je me serais incliné, je ne me serais pas opposé à votre action. J'aurais simplement fait tout mon possible pour vous en dissuader.

— Mais pourquoi ? Les Américains font confiance à Taksoun et vous conviendrez, vous aussi, que, pour nous, il vaut bien mieux que Bakri.

— Je ne me fie à personne et à Taksoun moins qu'à quiconque. S'il est ami des Américains, c'est un traître et un vendu. S'il ne l'est pas, comme je le pense, alors quelqu'un a tiré pour lui les marrons du feu, mais pour des motifs bien différents de ceux que pourraient imaginer nos amis de Washington.

— Quelque chose qui aurait un rapport avec cette mystérieuse opération Nabuchodonosor ? »

Avner alluma une nouvelle cigarette et Schochot observa que c'étaient des Orient syriennes. Une coquetterie typique de cet homme.

Avner toussa d'une toux sèche et rageuse, puis il dit : « Je ne comprends pas cette histoire de troupes iraniennes aux frontières du Chott el Arab. Ça n'a aucun sens. Et encore moins la mobilisation décidée par Taksoun : ça m'a tout l'air d'une comédie... Ça ne me plaît pas, ça ne me plaît pas. En outre, je sais que des hommes de Taksoun ont pris contact avec la Syrie et la Libye. Je me serais attendu à ce qu'il rencontre la Jordanie et l'Arabie saoudite, vous ne pensez pas ?

— Vous en êtes sûr ?

— Oui.

— Et qu'attendiez-vous pour le dire ?

— Je vous le dis, monsieur le président, et j'en ai aussi informé l'état-major des forces armées. »

Schochot hocha la tête : « Non, ça n'a aucun sens. Les Américains mobiliseraient une armée, comme aux temps de la guerre du Golfe. Ça n'est absolument pas possible, croyez-moi. »

Avner avait éteint son mégot dans le cendrier posé sur le bureau du président ; il se leva. Schochot se leva aussi pour l'accompagner jusqu'à la porte : « Monsieur Avner, lui dit-il, vous étiez en fonction avec le précédent gouvernement et la précédente coalition, mais j'ai la plus grande confiance en vous. Je vous demande de rester à votre poste et de continuer votre travail. Moi... j'éviterai à l'avenir de prendre des décisions importantes sans vous consulter. »

Avner s'arrêta, la main sur la poignée de la porte : « Monsieur le président, avez-vous lu Polybe ? »

Schochot le regarda avec surprise : « L'historien grec ? Oui, un peu, à l'université.

— Polybe dit que l'histoire n'est pas tout entière entre les mains des hommes qui la font. Il y a l'impondérable, la *tychè*, comme il l'appelle, c'est-à-dire le hasard. Je sens que nos ennemis ont tout préparé, cette fois, de façon très attentive : seul le hasard pourra venir à notre secours. Ou la main de Dieu, si vous préférez. Bonne nuit, monsieur le président. »

Il se fit reconduire chez lui par son chauffeur et monta, seul, comme d'habitude, jusqu'au dernier étage. Sur la table de la cuisine, il trouva du poulet froid et des tranches de pain dans le grille-pain. Une bouteille d'eau minérale et la cafetière, prête sur le fourneau, complétaient ses provisions pour son repas.

Il ouvrit la porte de la terrasse et respira le vent qui venait du désert de Juda, apportant cette fois une senteur de printemps précoce. Avec le nombre de cigarettes qu'il fumait, il s'étonnait parfois lui-même de l'acuité de son sens olfactif.

Il s'assit pour manger un peu, tout en feuilletant les journaux et le dossier des ordres du jour du lendemain matin. Quand il eut fini, il passa dans la salle de bains pour se préparer à la nuit. Alors qu'il sortait, il entendit le signal de sa ligne privée.

Il décrocha ; au bout du fil, une voix familière le salua de la façon habituelle :

« Bonjour, monsieur, ici le portier de nuit.

— Je t'écoute, portier de nuit.

— Le commando de Mitzpe est sur le point de s'en aller, mais quelque chose m'échappe. Je cherche à comprendre devant qui répond réellement le responsable de la mission.

— Que veux-tu dire ?

— J'ai l'impression qu'il joue sur deux tableaux mais je n'arrive pas encore à comprendre qui est son second interlocuteur.

— La dernière fois, tu m'as parlé de fouilles archéologiques. Où en sont-ils ?

— Demain, le sarcophage sera ouvert et la momie pourrait être identifiée. Si cette opération est menée à bien, ils pourraient ne plus avoir de raison de rester plus longtemps, sauf imprévus : la situation est très complexe et difficile. Si je ne me trompe pas, il me semble voir des tractations en cours mais, comme je vous l'ai dit, je ne sais pas encore qui est de l'autre côté de la table. Il se peut que le trésor de la tombe, qui est certainement d'une valeur inestimable, fasse partie de la négociation, mais ce n'est pas certain. Je commence pourtant à avoir des soupçons : le trésor pourrait servir à quelqu'un d'ici, en Israël... »

Avner resta silencieux en se demandant de qui il pouvait être question. Et il commença, lui aussi, à avoir des soupçons, mais il se borna à dire : « Fais attention, et appelle-moi, si tu peux, dès qu'une solution s'esquissera. Bonne nuit.

— Bonne nuit, monsieur. »

Le contact s'interrompit et Gad Avner s'allongea, épuisé, sur son lit. Il se sentait assiégé par un ennemi omniprésent et il ne savait pas où frapper pour se défendre.

Maddox fit signe au cuisinier de servir le café et il fit circuler une boîte de cigares cubains. Ils n'étaient que six autour de la table : lui, Pollack, Sullivan, Gordon, revenu depuis quelques heures, Sarah et Blake. Maddox pouvait donc parler en toute liberté : « Messieurs, demain le docteur Blake ouvrira le sarcophage et examinera la momie, exposée à la lumière pour la première fois depuis plus de trois mille ans. Je lui ai demandé à être présent lors de l'opération : c'est un moment que je ne veux pas manquer. J'imagine que vous voulez, vous aussi, être présents : vous n'avez rien contre, docteur Blake ?

— Non, monsieur Maddox, je n'ai rien contre. Je voudrais seulement savoir ce que vous avez l'intention de faire du mobilier.

— Ça, c'est une décision que nous prendrons au dernier moment. Mais maintenant, je voudrais que vous exposiez aux personnes présentes les résultats de vos fouilles à l'intérieur du tombeau. L'enlèvement de l'éboulis était indispensable pour pouvoir soulever le couvercle du sarcophage, mais il me semble que cela vous a également montré plus clairement la situation générale dans laquelle cet éboulement s'est produit. N'est-ce pas ?

— Vous savez tous, commença Blake, que le sépulcre était partiellement recouvert par un éboulis de matériau inerte : du sable et des cailloux, qu'il était nécessaire d'enlever pour dégager le sarcophage.

« En outre, en enlevant cet éboulis, j'espérais me rendre compte des conditions dans lesquelles il s'était produit. En effet, dans un premier temps, j'avais pensé à un tremblement de terre, mais j'ai dû changer d'avis quand j'ai pu constater que tous les objets du mobilier de la tombe étaient parfaitement en place.

« S'il y avait eu un tremblement de terre assez fort pour provoquer un éboulement de cette importance, de nombreux objets seraient tombés et certains d'entre eux, la verrerie, les céramiques, se seraient probablement brisés. Donc, il ne s'agissait pas d'un tremblement de terre, mais d'un éboulement provoqué : restait à découvrir quand et pourquoi.

« J'ai donc commencé à déplacer les matériaux inertes que nous déchargions à l'extérieur en utilisant une benne reliée au treuil de la jeep de monsieur Sullivan. Au bout de quelque temps, je me suis aperçu que, sous l'éboulis, il y avait un plancher reposant sur le dallage de la tombe, mais, sur le moment, je n'ai pas su me l'expliquer.

« Peu après, nous avons trouvé dans une zone proche de ce plancher les restes de quelque chose qui semblait être une sandale de cuir. J'ai fait faire des analyses au carbone 14 sur les deux sortes d'objets : un fragment du plancher et un morceau de cuir de la sandale. Les résultats sont arrivés hier et ils sont surprenants : le plancher est fait de bois d'acacia, très résistant, et remonte à peu près à la moitié du XIIIe siècle av. J.-C. La sandale, en revanche, est du sixième siècle. Très étrange.

« Quand j'ai achevé de débarrasser l'éboulis, j'ai pu constater que le plancher faisait presque certainement partie d'un système de protection de la tombe. Si quelqu'un tentait de pénétrer, il provoquait la chute du plancher et un éboulement de pierres et de sable bloquait alors l'entrée et, très probablement, renversait l'intrus. On a retrouvé un système de protection analogue dans les grands tumulus où sont enterrés les rois de Phrygie en Asie Mineure.

« Or, la présence de la sandale, que le carbone 14 a datée du début du VIe siècle av. J.-C., fait penser que l'éboulement a eu lieu à cette époque. Cette situation soulève toutefois nombre d'interrogations : qui était l'homme à la sandale ? Un voleur ?

« Mais s'il en était ainsi, pourquoi n'a-t-il pas été enseveli par l'éboulement ? Le fait qu'il n'ait perdu qu'une sandale laisse penser qu'il savait parfaitement ce qu'il faisait. Mon idée est qu'il s'agissait d'un prêtre qui, pour quelque raison, était au courant du lieu de cette tombe et qui, ayant eu vent de risques de profanation ou de pillage, déclencha le mécanisme qui provoqua l'éboulement, obstruant pour toujours l'entrée.

— Et cette opération, intervint Maddox, aurait eu lieu plus de cinq siècles après que la momie eut été déposée dans la tombe ?

— C'est ce que je pense, commenta Blake.

— Mais, en cinq siècles, le plancher aurait dû céder tout seul. L'éboulement aurait pu être spontané.

— Il aurait pu l'être, rétorqua Blake, mais il ne l'a pas été. Pour deux raisons : le plancher est renforcé par deux barres de bronze et le climat, très sec, a contribué à conserver ce bois qui est naturellement très dur. En outre la sandale fait penser que quelqu'un était là au moment de l'éboulement, quelqu'un qui ne fut pas surpris par l'événement, mais qui le provoqua. S'il n'en était pas ainsi, ce n'est pas seulement sa sandale que j'aurais retrouvée à l'intérieur de la tombe, mais ses restes. »

Blake interrompit son exposé et tout le monde demeura dans un silence absolu, attendant qu'il recommençât à parler. Voyant qu'il n'y avait pas de questions, il poursuivit :

« La présence de ce dispositif et le fait que le prêtre puisse l'actionner des siècles après sa mise en place signifient que quelqu'un connaissait et transmettait la position exacte de cette tombe pour un motif qui reste encore inconnu.

— Et vous espérez le découvrir demain en ouvrant le sarcophage ? demanda Maddox.

— C'est ce que j'espère, répondit Blake.

— Alors, il vaut mieux que nous allions tous nous reposer : demain une journée de travail et d'émotions nous attend. Je vous souhaite une bonne nuit, messieurs. »

Tous se levèrent et chacun se dirigea vers sa baraque. Peu de temps après, le temps de se laver les dents et d'enfiler un pyjama, le générateur s'éteignit et le campement se retrouva plongé dans le silence et l'obscurité.

William Blake regagna son logement, alluma sa lampe

à gaz, puis il s'assit, ouvrit la Bible et se mit à lire, en prenant des notes sur un bloc. De temps en temps, le silence était déchiré par le sifflement des avions de chasse qui passaient à faible altitude au-dessus du camp. Il resta ainsi longuement plongé dans la lecture et l'étude jusqu'au moment où il lui sembla soudain entendre au loin le bruit caractéristique des pales d'un hélicoptère. Il regarda sa montre : il était une heure du matin.

Il se leva et s'approcha de la fenêtre de derrière pour regarder le désert dans la direction d'où venait le bruit : il vit Sarah descendre de son logement par la petite fenêtre et s'éclipser dans l'obscurité. Il la vit réapparaître derrière un buisson puis disparaître de nouveau. Il hocha la tête et allait se remettre au travail quand il entendit, à peine perceptible, le bruit d'un moteur et vit, sur une dune, une jeep avancer tous feux éteints vers un point de l'horizon où l'on distinguait une faible clarté.

Il soupira, sortit par la porte de devant et alluma une cigarette. Il faisait nuit noire et même le ciel était couvert. Il ramassa un bâton par terre, le fendit avec son canif, y coinça sa cigarette et le planta dans le sol. Puis il passa à l'arrière de la baraque et marcha jusqu'au parking : la voiture de Maddox n'était pas là.

Il revint à sa baraque et reprit son mégot encore allumé pour le finir. L'air était froid et apportait de loin une odeur de poussière froide : il pleuvait quelque part sur la terre aride et stérile.

Il avait à ce moment l'impression d'être un chevalier à sa veillée d'armes. Qu'est-ce qui l'attendait le lendemain ? Qu'adviendrait-il du trésor de la tombe et que ferait-il, lui, si la folle hypothèse qu'il cherchait à vérifier s'avérait ?

Il revint à ses papiers et se prit la tête entre les mains, cherchant à voir s'il y avait moyen de sauver la tombe dans le désert. Le Falcon ne pouvait pas emporter tous les objets, certainement, mais ils pourraient utiliser la jeep, ou bien faire venir des camions à travers le désert. Il suffisait de fixer un rendez-vous en quelque endroit caché, d'effectuer le transbordement, puis d'embarquer le tout en quelque lieu inhabité de la côte méditerranéenne.

Il était trois heures du matin et William Blake se leva de sa chaise pour se laver le visage et se faire du café.

Tandis qu'il allumait son réchaud, il entendit sur la hamada un bruit de pas à peine perceptible, qui provenait de derrière la baraque. Il jeta un coup d'œil par sa fenêtre et vit Sarah qui rentrait chez elle par la fenêtre. Il attendit un peu, puis sortit à son tour, nu-pieds pour ne faire aucun bruit, et il s'approcha de sa baraque en collant son oreille à la paroi. Il n'entendit que des robinets qui coulaient, des pas, puis le silence. Il rentra et se remit au travail mais, peu après, il entendit le bruit d'un moteur du côté du parking : Maddox devait être rentré de son expédition nocturne.

Blake but son café, un mélange italien qu'il avait trouvé au petit magasin du camp et avec lequel il arrivait à préparer quelque chose qui ressemblait vaguement à un *espresso*, il alluma une cigarette et s'approcha de la carte qu'il avait étalée sur la seule table libre. Le tableau commençait enfin à s'ébaucher : des hypothèses apparemment absurdes prenaient forme, des itinéraires oubliés se déroulaient soudain sous ses yeux.

Il sortit d'un tiroir les photos de gravures rupestres qu'il avait prises çà et là le long de la piste par laquelle on allait à la tombe, et cela aussi commençait à former une suite de signes et de significations. Il pensa aux deux montagnes en forme de sphinx et de pyramide tandis que le visage du pharaon du désert émergeait lentement du mystère comme le disque solaire qui se lève dans les brumes du matin.

Il était cinq heures quand Blake sortit de son logement et alla frapper à la porte d'Alan Maddox.

« Excusez-moi, monsieur Maddox, dit-il quand il le vit paraître en robe de chambre, les yeux ensommeillés. J'ai besoin de votre aide maintenant.

— Ça ne va pas ? » demanda Maddox en le regardant en dessous. Dans la lumière incertaine de l'aube, son teint était terreux et ses yeux rougis par le manque de sommeil lui donnaient un aspect hagard et inquiétant.

« Non, je vais bien, monsieur Maddox. J'ai besoin d'envoyer un e-mail avant d'aller travailler. C'est très important. »

Maddox le regarda avec perplexité : « Vous connaissez les règles que nous nous sommes imposées dans ce camp :

aucun contact avec l'extérieur tant que l'opération n'est pas achevée. Vous comprenez vous-même que...

— Monsieur Maddox, j'ai déjà communiqué avec l'extérieur une fois où vous n'étiez pas là et, comme vous le voyez, il ne s'est rien passé...

— Mais comment...

— Laissez-moi entrer, s'il vous plaît, je vous expliquerai tout. »

Maddox grommela : « Pollack me rendra compte...

— Comme vous avez pu le constater, il ne s'est absolument rien passé. Je suis un homme de parole et j'ai pris envers vous un engagement que j'entends tenir. Il s'agissait d'un texte hiéroglyphique pour lequel il me fallait absolument une clé de lecture. Je l'ai obtenue peu après et cela m'a permis de poursuivre mes investigations.

« Écoutez, monsieur Maddox, imaginez que je réussisse à identifier le personnage qui est enseveli dans la tombe à Ras Udash : la valeur du mobilier triplerait *ipso facto*. Ça ne vous intéresse pas ?

— Entrez, dit Maddox. Mais vous devez accepter ma présence pendant que vous envoyez votre mail. Je regrette mais je ne peux pas faire autrement.

— Pollack a fait la même chose : il a contrôlé la lettre d'accompagnement et il a vérifié que le texte était effectivement une inscription hiéroglyphique. J'ai un programme spécial, regardez. »

Il s'assit devant l'ordinateur, l'alluma et chargea le programme d'écriture en se servant de quelques disquettes, après quoi il commença à composer un texte en caractères hiéroglyphiques.

« Extraordinaire », murmura Maddox, en regardant derrière son hôte matinal l'antique langue du Nil qui prenait forme sur l'écran d'une machine électronique.

Omar al-Husseïni entra chez lui, se versa un peu de café et s'assit à sa table de travail pour lire les épreuves écrites du premier semestre de ses rares étudiants, mais il ne parvenait pas à se concentrer et n'arrivait pas à détourner son regard de la photo de l'enfant qui était posée sur la table : la photo de son fils. Il s'appelait Saïd et il l'avait eu avec une fille du village nommée Suray que ses parents lui avaient donnée pour épouse après avoir négocié avec les parents de la jeune fille une dot convenable.

Il n'en avait jamais été amoureux, ce qui était naturel pour une épouse qu'il n'avait pas choisie et qui ne lui plaisait pas, mais il l'aimait bien parce qu'elle était bonne et dévouée et parce qu'elle lui avait donné un fils.

Il les avait pleurés tous les deux quand la maison où ils habitaient avait été frappée par un obus mortel puis les avait enterrés dans le cimetière du village à l'ombre étriquée de quelques caroubiers en haut d'une colline pierreuse et brûlée de soleil.

Sa femme avait été touchée par un éclat et avait perdu tout son sang, mais son fils, on lui avait dit qu'il avait été atteint de plein fouet et qu'il était totalement méconnaissable : c'est pourquoi il n'avait même pas pu le voir une dernière fois avant de le mettre en terre.

Ce soir-là, alors qu'il pleurait ses morts, assis par terre devant sa maison en ruine, quelqu'un était venu lui offrir la possibilité de se venger : un homme proche de la cinquantaine, aux moustaches grises et touffues, qui lui avait dit vouloir faire de lui un grand combattant de l'Islam, vouloir lui proposer une nouvelle vie, un nouveau but, de nouveaux compagnons avec qui partager périls et idéaux.

Il avait accepté et juré de servir la cause au péril de sa vie. On l'avait conduit dans un camp d'entraînement à Baalbek, dans la vallée de la Bekaa, on lui avait appris à se servir du couteau, de la mitraillette, des grenades, des lance-missiles, on avait attisé la haine qu'il éprouvait déjà pour les ennemis qui avaient détruit sa famille, puis on l'avait lancé dans une série d'entreprises de plus en plus audacieuses et destructrices, jusqu'à faire de lui un combattant implacable et insaisissable, le légendaire Abou Ghaj, jusqu'à le rendre digne, un jour, de rencontrer personnellement, face à face, le plus grand combattant de l'Islam, l'ennemi le plus redouté des sionistes et de leurs suppôts : Abou Ahmid.

Cela avait été des années de combat et d'enthousiasme où il s'était senti un héros, où il avait vu et fréquenté des personnages de haut rang, dormi dans de grands hôtels, porté des vêtements élégants, mangé dans les meilleurs restaurants, rencontré des femmes superbes et disponibles. Abou Ahmid savait récompenser convenablement ses combattants les plus audacieux et les plus valeureux.

Puis, soudain, était arrivé le jour où le sang et le péril constant avaient été plus forts que ses nerfs et il était tombé dans une profonde crise. Il avait établi un pacte avec Abou Ahmid : il ne combattrait que tant qu'il en aurait la force et le courage. C'est ainsi qu'une nuit il prit l'avion et partit, avec de faux papiers, d'abord pour Paris, où il acheva ses études de copte, puis pour les États-Unis. Depuis, il s'était écoulé presque seize ans et jamais Abou Ahmid ne s'était manifesté. Il avait disparu. Omar al-Husseïni avait tout oublié, effacé sa vie précédente : c'était comme si elle n'avait jamais existé.

Il ne suivait plus la vie du mouvement, ni celle de sa patrie d'origine. Il s'était intégré, plongé dans l'étude et dans la vie tranquille et pacifique de la *upper middle class* américaine. Il avait une maîtresse, des hobbies, il jouait au golf, s'était pris d'intérêt pour le basket et le football américain.

Le seul souvenir qui lui était resté était celui de l'enfant qu'il avait perdu : Saïd. Son portrait était toujours là, sur son bureau et, tous les jours, il imaginait qu'il grandissait, qu'il commençait à avoir un premier duvet sur les joues, que sa voix devenait celle d'un homme. En même temps, il continuait à se sentir père de cet enfant en photo qui ne grandissait jamais et, d'une certaine façon, cela le faisait se sentir toujours jeune.

C'est pourquoi il n'avait jamais voulu se marier ni avoir d'autres enfants. Puis voilà que tous les fantômes de son passé étaient revenus avec la photo d'un jeune homme qu'il avait immédiatement reconnu comme son fils et il n'arrivait toujours pas à réaliser et à y croire.

Il alla prendre un tranquillisant dans son armoire à pharmacie, mais, à ce moment, il entendit sonner son portable. Il alla répondre.

« *As-salam 'aleyk*, Abou Ghaj. » C'était la même voix métallique légèrement déformée. Lui aussi appelait d'un téléphone portable. « Tous les ânes sont sellés. Nous sommes prêts à aller au marché.

— Très bien, répondit Husseïni. Je vais transmettre le message. »

Il attendit quelques minutes, cherchant encore

comment il pourrait se sortir de cette situation, tout effacer, le passé et le présent, pour revenir à sa tranquille position de professeur américain, ou peut-être mourir. Mais il avait beau chercher, il ne trouvait pas d'issue. Ne verrait-il donc jamais les colonnes d'Apamée, pâles dans l'aube et rouges dans le couchant, semblables à des torches flamboyantes ?

Le ciel, dehors, était gris, et grise était la rue et grises les maisons, et gris était son avenir.

La sonnette retentit alors, le faisant sursauter : qui cela pouvait-il être à cette heure ? Il était à bout de nerfs et n'arrivait plus à contrôler ses émotions, et pourtant autrefois (quand ?), il avait été Abou Ghaj, une machine meurtrière, un automate inexorable.

Il s'approcha de la porte et demanda : « Qui est là ?

— Sally, répondit timidement une voix presque enfantine. Je rentrais chez moi et j'ai vu la lumière allumée. Je peux entrer ? »

Husseïni poussa un soupir de soulagement et ouvrit : c'était son amie, la secrétaire de la bibliothèque. Cela faisait plusieurs jours qu'il ne l'avait pas vue.

« Entre », lui dit-il d'un ton gêné.

La jeune femme s'assit. Elle était blonde, bien en chair, avec de grands yeux bleus un peu étonnés. « Ça fait plusieurs jours que je ne t'ai pas entendu, dit-elle. Je t'ai fait quelque chose de mal ?

— Non, Sally. Tu ne m'as rien fait. C'est ma faute. Je suis dans une mauvaise passe.

— Ça ne va pas ? Je peux t'aider ? »

Husseïni était très nerveux : il savait qu'il aurait dû téléphoner immédiatement et, involontairement, il regarda sa montre. Sally se sentit humiliée et ses yeux s'emplirent de larmes.

« Ce n'est pas ce que tu penses, Sally, je dois prendre un médicament à heures fixes : c'est pourquoi je regardais ma montre... C'est vrai, je ne vais pas bien...

— Qu'est-ce que tu as ? Je peux faire quelque chose pour toi ?

— Non. Tu ne peux rien faire. Personne ne peut rien faire, Sally. C'est quelque chose que je dois régler tout seul. »

Elle s'approcha et lui caressa la joue : « Omar... » Mais il se raidit.

« Excuse-moi, pas maintenant... »

Elle baissa la tête, cherchant à cacher ses larmes.

« Je ne te téléphonerai pas pendant quelque temps, Sally, mais ne m'en veux pas... Je me manifesterai dès que ça ira mieux.

— Mais je pourrais..., insista-t-elle.

— Non, ça vaut mieux comme ça, crois-moi. Je dois m'en sortir comme je peux, tout seul... Maintenant, va dormir ; il est tard. »

Elle s'essuya les yeux et sortit. Husseïni resta sur le seuil à la regarder tandis qu'elle regagnait sa voiture, puis il ferma la porte derrière lui, prit son téléphone portable et fit un numéro. Une boîte vocale lui répondit et il laissa son message :

« *Tous les ânes sont sellés. Leurs maîtres sont prêts à aller au marché.* »

Il regarda encore le visage de l'enfant sur la photo et il sentit alors que cet obus qui avait détruit sa maison bien des années auparavant explosait à nouveau en son cœur et le réduisait en miettes. Il ne savait plus qui il était ni ce qu'il faisait, il ne savait qu'une chose : il devait aller de l'avant, à n'importe quel prix. Tôt ou tard, sa véritable personnalité reviendrait à la lumière et il combattrait. D'un côté ou de l'autre.

Son regard tomba sur son ordinateur et il pensa à son collègue William Blake. Il alluma et alla sur Internet, cherchant sa messagerie électronique.

Il trouva tout de suite quelques messages de collègues puis, en dernier, le courrier de William Blake, en hiéroglyphes.

La traduction la plus probable aurait pu être :

Le pharaon des sables me montrera son visage
avant que le soleil de ce jour se couche.
Et avant le coucher du soleil, je saurai peut-être son nom.
Ce nom te parviendra dans douze heures ; mais toi,
pendant ce temps, cherche le papyrus perdu.

C'était un rendez-vous précis et Husseïni regarda sa montre : le message venait d'être envoyé alors qu'il devait être six heures du matin en Israël. Le prochain message arriverait le lendemain avant midi, heure de Chicago. Il devait laisser son ordinateur allumé : il pourrait ainsi voir aussitôt d'éventuels appels et transmettre à Blake une réponse immédiate.

En attendant, il chercha à composer une confirmation à envoyer tout de suite et il espéra que Blake pourrait l'interpréter ainsi :

Dans douze heures, je serai présent. Je cherche le papyrus perdu.

Il envoya son message puis revint à son travail, mais cela lui coûtait un effort énorme de se concentrer. Quand il eut fini, il constata qu'il avait mis le double du temps qu'il lui aurait fallu normalement pour corriger une demi-douzaine de devoirs. Il était presque onze heures et il n'avait rien mangé. Il prit deux comprimés de Maalox en guise de dîner et un tranquillisant dans l'espoir de dormir.

Il se coucha et glissa dans un sommeil agité et troublé dès que le somnifère commença à faire effet et il resta dans cet état d'assoupissement pénible pendant cinq heures environ. Puis il entra dans une phase de demi-sommeil, se retournant fréquemment d'un côté puis de l'autre, à la recherche d'une position qui pût le réconcilier avec le sommeil. Mais il y avait un signal insistant qui lui parvenait du monde des rêves : on aurait dit que quelqu'un sonnait à la porte. Il n'arrivait pas à comprendre si ce son venait d'un rêve, comme il l'espérait en son for intérieur, ou s'il était réel.

Soudain, il imagina que Sally était derrière la porte et qu'elle attendait qu'il lui ouvrît. Il se dit que cela aurait été beau si elle était entrée et si elle était venue se coucher près de lui. Cela faisait longtemps qu'il n'avait pas fait l'amour avec elle. Mais ce n'était pas la sonnette de la porte, c'était un son différent, continu et intermittent. C'était autre chose.

Il s'assit d'un bond sur son lit, pressant ses tempes à deux mains. C'était son téléphone portable. Il prit la communication : « Allô », dit-il.

À l'autre bout du fil, la voix habituelle répondit : « L'ordre est arrivé. L'attaque débutera dans trente-quatre heures, de nuit, par mauvais temps. On prévoit une tempête de sable d'une violence inhabituelle... Regarde dans ta boîte à lettres. Tu y trouveras un paquet avec une cassette vidéo qui contient le message. Tu le feras parvenir dans neuf heures exactement. Bonne nuit, Abou Ghaj. »

Il se leva, jeta sur ses épaules une robe de chambre et sortit, marchant dans la neige jusqu'à sa boîte à lettres. Il trouva le paquet et rentra se préparer un café.

À petites gorgées, il but le liquide brûlant ; il alluma une cigarette tout en regardant le paquet de papier d'emballage posé sur sa table de cuisine. Il aurait voulu l'ouvrir et en voir le contenu, mais il se rendit compte que, s'il faisait cela, il en resterait bouleversé toute la journée et ne pourrait peut-être même pas se présenter au travail. Et, en revanche, il devait s'efforcer de paraître normal.

Il sortit de chez lui à sept heures et demie. À huit heures, il entra dans son bureau à l'Oriental Institute. Il prit son courrier et les communications de service dans son casier et se mit à les lire en attendant l'heure de son cours. Il entendit frapper à la porte. « Entrez », dit-il.

C'était Selim, l'assistant de Blake.

« J'ai quelque chose à vous dire, docteur Husseïni.

— Entre, assieds-toi. Qu'y a-t-il ?

— Le docteur Olsen est reparti pour l'Égypte.

— Quand ?

— Ce matin, je crois. Il va à Louqsor, au siège de l'institut.

— Quoi d'autre ?

— Mon ami Ali a donné de ses nouvelles, depuis El-Gournah.

— Celui du papyrus ?

— Exactement.

— Quoi de neuf ?

— Il dit qu'il a toujours le papyrus.

— Magnifique. On peut lui faire confiance ?

— Je pense.

— Qu'est-ce que tu proposes ?

— Si nous voulons le récupérer, il faut de l'argent. Ali n'attendra pas éternellement. Il a encore l'acompte : il est disposé à tenir parole.

— Il n'y a que l'institut qui puisse faire un chèque de

deux cent mille dollars, mais ils ne le feront jamais. Cette histoire du papyrus est encore trop brûlante... »

Selim leva les épaules : « Alors, je crois qu'il n'y a pas d'espoir. Ali a une autre proposition, très généreuse, mais il n'a pas voulu me dire de qui.

— Je comprends.

— Alors ? »

Husseïni tambourinait nerveusement de ses doigts sur la table en se mordant la lèvre inférieure : une idée se frayait lentement un chemin dans son esprit.

« Retourne à ton bureau, Selim. Je te rejoindrai après mon cours et je trouverai les deux cent mille dollars. Tu peux envoyer un message à Ali ?

— Certainement.

— Alors, fais-le tout de suite. Dis-lui que tu vas arriver avec l'argent. »

Selim sortit et Husseïni resta encore quelques instants à méditer, ses doigts tambourinant de façon rythmée sur la table, puis il alluma son portable et forma un numéro : « Urgence. Je demande à disposer de l'argent déposé à l'International City Bank. J'ai besoin de me procurer des éléments de couverture. »

Il coupa la communication et resta en attente, tambourinant de ses doigts sur la table de façon de plus en plus nerveuse. Dans cinq minutes, son cours commençait.

Soudain, son portable sonna et une voix synthétique annonça : « Disponibilité accordée jusqu'à trois cent mille dollars. Code : Gerash.200/X. Je répète : Gerash.200/X. »

Husseïni prit note et éteignit son portable. C'était l'heure de son cours : il prit son dossier et se dirigea vers la salle où l'attendaient ses étudiants.

Les rangées étaient presque toutes pleines et il commença : « Aujourd'hui, nous parlerons du mythe de la grande bibliothèque d'Alexandrie, détruite par les Arabes, selon la tradition la plus répandue. Je vais démontrer qu'il s'agit d'un mensonge. Pour deux motifs fondamentaux. D'abord, la bibliothèque n'existait plus depuis des siècles quand les Arabes prirent l'Égypte. Ensuite ; les Arabes ont toujours été des défenseurs de la culture et non ses ennemis... »

William Blake regarda la séquence de caractères qui étaient apparus sur son écran et il pensa que cela pourrait approximativement signifier :

« *Quand tu auras passé la frontière de la nuit, je serai présent. Je suis à la recherche du papyrus.* »

Il imagina qu'entre douze et treize heures Husseïni serait présent devant son ordinateur, ouvert sur Internet.

« Je vous remercie, monsieur Maddox, dit-il. Nous pouvons y aller, maintenant. »

Ils sortirent alors que l'horizon commençait à s'éclairer à l'orient et Blake s'arrêta devant la porte de Sarah. Il frappa.

« J'arrive », répondit-elle ; peu après, elle apparut sur le seuil. Elle portait un short kaki, des bottines de désert et une chemise de type militaire. Elle avait rassemblé ses cheveux sur sa nuque et elle était très belle.

« Tu as l'air démoli, lui dit-elle. Qu'est-ce que tu as fait ?

— J'ai travaillé toute la nuit.

— Moi aussi. Bon, pas vraiment toute la nuit.

— Attends-moi au parking. Le temps de prendre une douche et de faire griller un toast et je te rejoins. Toi, pendant ce temps, tu prépares le matériel. Maddox vient aussi, tu le sais ? »

Sarah fit signe que oui. Elle ferma la porte derrière elle et se dirigea vers le parking.

Maddox s'approcha d'elle : « Alors, c'est aujourd'hui le grand jour. Blake t'a dit ce qu'il mijote ?

— Non. Je crois qu'il n'est pas sûr de lui, lui non plus. Il se prononcera quand il aura ouvert le sarcophage.

— Je ne sais pas... J'ai l'impression qu'il cache quelque chose. Reste près de lui : je veux être informé de ses moindres pensées. Tu ne le regretteras pas : à la fin, il y en aura pour tout le monde.

— Et pour lui ?

— Pour lui aussi », dit Maddox.

Sullivan et Gordon arrivèrent, puis Blake avec un paquet de papiers : « Alors, on y va ? » lança-t-il.

9

William Blake monta dans la jeep avec Sarah et ils partirent vers le camp de Ras Udash. Derrière eux, venait la voiture de Maddox que conduisait Sullivan.

« Tu as vraiment une sale mine, dit Sarah en regardant son compagnon du coin de l'œil.

— Je n'ai jamais été très beau, mais quand je n'ai pas fermé l'œil de la nuit, ça n'arrange pas les choses.

— Tu as réussi à traduire l'inscription ?

— Oui.

— C'est intéressant ?

— C'est quelque chose qui peut renverser le destin du monde, traumatiser les deux tiers de l'humanité et abasourdir les autres s'ils sont en mesure de comprendre », dit Blake d'une voix atone, comme s'il donnait un numéro de téléphone.

Sarah se tourna vers lui : « Tu plaisantes ?

— C'est la pure vérité.

— Et tu es sûr de ton interprétation ?

— À quatre-vingt-dix pour cent.

— Qu'est-ce qu'il te manque ?

— Il faut que j'ouvre ce cercueil et que je le regarde en face.

— Le pharaon ?

— Celui qui est enseveli là-dedans.

— Pourquoi ?

— La tombe pourrait être vide : ce ne serait pas la première fois. En ce cas, mes doutes redoubleraient. Ou bien cela pourrait être quelqu'un d'autre que celui à qui je pense.

— Et qui penses-tu que ce soit ?

— Je ne peux pas te le dire. Pas encore.

— Tu me le diras ? »

Blake resta silencieux.

« Tu n'as pas confiance, hein ? »

Blake ne répondit rien.

« Et pourtant, dans ce camp, je suis la seule personne qui puisse te sauver la vie. En plus, tu as couché avec moi.

— C'est vrai. Et je voudrais recommencer.

— Ne change pas de sujet de conversation.

— La révélation de cette identité aurait un effet dévastateur.

— C'est pour ça que tu n'as pas confiance. C'est ça ? Même si je te disais ce que Maddox prépare et ce qu'ils vont faire de ta tombe ? »

Blake se tourna brusquement vers elle.

« Je vois que je t'intéresse, dit Sarah.

— Je te le dirai. Quand j'aurai ouvert ce couvercle.

— Merci.

— J'ai fait brûler mon toast. Tu as quelque chose dans ton sac ?

— Oui, des biscuits et du thé dans la thermos. Sers-toi. »

Blake attendit que le terrain se fasse un peu plus plat et régulier et se versa, non sans difficulté, un peu de café, prit une poignée de biscuits et commença à manger.

« Alors, reprit Sarah, cette nuit, j'ai suivi Maddox jusqu'à son rendez-vous et j'ai vu qui il rencontre.

— Tu as entendu ce qu'ils se disaient ? demanda Blake entre deux bouchées.

— J'avais emporté un jouet très efficace dans ce domaine : un micro directionnel haute-fidélité.

— Tu es bien équipée.

— C'est mon métier.

— Alors ?

— Maddox a rencontré Jonathan Friedkin. Tu sais qui c'est ?

— Non.

— C'est le chef incontesté des israélites orthodoxes extrémistes. Un groupe de dangereux fanatiques.

— Le fanatisme est toujours dangereux, d'où qu'il vienne.

— Ils rêvent de renverser le pouvoir républicain et d'instaurer une monarchie de type biblique...

— J'ai entendu parler de ça...

— Mais il y a autre chose. Leur plan est de détruire la mosquée d'al-Aqsà sur le mont Moriah et de construire à sa place le quatrième Temple.

— Grand projet, il n'y a pas à dire. Et comment pensent-ils faire ?

— Je ne sais pas. Mais la situation dramatique qui règne au Moyen-Orient ne fait que renforcer les positions des extrémistes, d'un camp comme de l'autre.

— Eh oui... les rêves... Le pouvoir des rêves est plus grand que tout autre. Ils peuvent renverser les montagnes. Tu veux savoir ? Moi aussi, si j'étais juif, je rêverais de reconstruire le Temple sur la montagne. »

Il alluma une cigarette et rejeta lentement la fumée dans l'air du désert.

« Et pour cela, tu serais disposé à massacrer.

— Non. Pas moi.

— Will, Maddox est d'accord avec eux : ils vendront tous les objets du mobilier de la tombe de Ras Udash et se partageront l'argent. Une somme énorme. Ils ont montré aux acheteurs les photos et les fiches de ta documentation. Il y a une offre globale de cent millions de dollars dont vingt reviendront à Maddox. C'est plus que suffisant pour résoudre tous ses problèmes. Le reste servira à financer le groupe de Friedkin.

— Les salauds. Et quand feront-ils tout cela ?

— Demain, dans la nuit.

— Tu plaisantes ? Ce n'est pas possible.

— Ils le feront. Deux camions viendront de Mitzpe, chargeront tout le mobilier puis se dirigeront vers la côte. Là, il y aura une embarcation qui prendra le tout. Le paiement aura lieu à la remise de la marchandise. Voir le chameau, payer le chameau, dit-on par ici. Tu le sais ?

— Bien sûr.

— Tu me diras vraiment ce que tu as lu sur l'inscription ?

— Je te le dirai. Quand j'aurai ouvert le sarcophage.

— Merci.

— Sarah.

— Oui.

— Je t'aime.

— Moi aussi. »

Ils passèrent près de l'amoncellement de blocs de roches puis à côté du rocher où étaient les gravures rupestres. Ils n'étaient plus loin de l'étendue de hamada qui recouvrait la tombe de Ras Udash.

« Comment te sens-tu ? demanda Sarah.

— Parfois, il me semble que j'ai le souffle coupé, parfois j'ai comme un trou dans l'estomac. En somme, je me sens mal.

— Force-toi. C'est une journée difficile et tu as travaillé toute la nuit.

— À ton avis, qu'est-ce qu'ils vont faire de moi ?

— Il ne me semble pas qu'ils aient des raisons de te faire du mal. Maddox t'a offert de l'argent, il y a quelque temps. À mon avis, tu devrais accepter. Ils te mettront dans le Falcon et te déposeront à Chicago. Ils te verseront une belle somme sur un compte en Suisse et ni vu ni connu... Je ne me ferais pas de souci si j'étais à ta place.

— J'essaierai. Mais je continue à penser que la situation est difficile, pour ne pas dire critique. »

Ils s'arrêtèrent au chantier et descendirent de la jeep en attendant les autres voitures : la première avec Maddox et Sullivan, la seconde avec les ouvriers et Walter Gordon.

Sullivan bloqua les roues de la jeep puis déroula le câble du treuil, le fit passer dans la gorge de la poulie et l'accrocha à la plaque de couverture, qu'il souleva et déposa sur le côté.

« Si vous voulez descendre, je suis prêt, dit-il.

— Allons-y, dit Blake, descendez l'échelle et le matériel. Quand vous aurez tout, descendez vous aussi parce qu'on va avoir besoin de votre aide. »

Dès que l'échelle fut appuyée sur le fond de la tombe, il descendit à l'intérieur, suivi de Sarah. Tout de suite après, descendirent les ouvriers, puis Maddox et Sullivan en dernier.

« Si monsieur Gordon veut voir, il vaut mieux attendre que nous ouvrions le sarcophage. Nous sommes déjà trop nombreux ici, nous risquons de casser quelque chose. »

L'air stagnant de l'hypogée s'emplit immédiatement de l'odeur des corps en sueur et l'atmosphère se fit bientôt oppressante. Blake mit quatre épaisseurs de bois aux quatre coins du sarcophage, puis il y plaça quatre vérins de camion. Sur les vérins, il posa quatre poutres : deux parallèles dans le sens de la longueur du sarcophage et deux courtes par-dessus, le long des côtés courts.

Sur chaque poutre, il posa le niveau et corrigea l'épaisseur des bases placées sous les vérins jusqu'à ce que les poutres fussent rigoureusement horizontales. Sur le côté nord du sarcophage, il monta une rampe faite de tubes d'échafaudage sur laquelle reposait un plancher de bois enduit de graisse pour y faire glisser le couvercle jusqu'au sol quand viendrait le moment de l'ôter.

Quand tout fut d'équerre et de niveau, Blake plaça les deux ouvriers aux deux coins méridionaux du sarcophage, Sullivan et Sarah aux deux coins septentrionaux : « Maintenant, faites bien attention, dit-il, cette installation n'est pas vraiment adaptée au besoin, mais nous n'avons rien d'autre et donc, c'est à nous de nous y adapter. Le problème est de faire monter les quatre vérins de façon constante et uniforme. Sinon, nous risquons de casser le couvercle.

« Les morceaux de bois en dessous et au-dessus amortiront suffisamment l'irrégularité des poussées et nous ne devrions donc pas avoir trop de difficulté.

« En tout cas, chacun de vous devra me regarder et, en même temps, voir son compagnon d'en face et celui qui est à côté de lui et appliquer au levier du vérin une poussée égale et constante. Chaque poussée devra cesser et recommencer sur mon ordre.

« Attention : la première poussée est cruciale parce que c'est celle qui décollera le couvercle du sarcophage. Si besoin est, dans un deuxième temps, les deux vérins du côté sud seront montés de façon à créer un plan incliné en sorte que la plaque puisse glisser vers la rampe jusqu'au sol. Mais c'est une solution qu'on n'envisagera que lorsque j'aurai vu l'intérieur du sarcophage. Des questions ? »

Personne ne parla. Blake poussa alors un profond soupir et demanda : « Prêts ? »

Les ouvriers aussi percevaient la tension qui imprégnait l'espace étroit de la tombe et ruisselaient abondamment de sueur. Maddox était déjà trempé sous les aisselles et à la base du cou et passait nerveusement son mouchoir sur son front et son menton.

Blake regarda le sarcophage et l'élingage, puis il fixa dans les yeux Sarah qui était juste en face de lui. Il y avait dans son regard une émotion violente mais aussi un calme extraordinaire. Il avait les yeux de quelqu'un qui joue sa vie mais qui le fait avec tout le sang-froid que l'enjeu exige.

« Maintenant, dit-il. Allez. »

Et il commença à baisser les mains d'un mouvement lent et égal. Sarah, Sullivan et les deux ouvriers abaissèrent les leviers en suivant le mouvement de ses mains. Les poutres gémirent et le couvercle de calcaire craqua, arraché à son siège après trois mille ans d'immobilité. Les quatre bras continuaient à descendre tandis que Blake coordonnait leur mouvement en abaissant les mains comme un chef d'orchestre scande les mouvements de ses musiciens.

Les leviers étaient en bout de course et Blake examina le couvercle qui s'était soulevé de quelques centimètres. Il n'y avait pas d'encastrement : la plaque était simplement posée sur le bord du sarcophage. Un instant, il perçut une vague senteur de substances résineuses, puis seulement l'odeur de la poussière millénaire. Son front ruisselait abondamment et sa chemise était complètement trempée. Les deux ouvriers avaient l'air de statues antiques, et seules quelques gouttes de sueur brillaient sur leur front ceint du keffieh. Ils étaient depuis toujours habitués à tous les excès du désert.

« Maintenant : deuxième poussée, ordonna Blake. Remontez le levier jusqu'en bout de course et faites attention au geste de mon bras quand je donnerai le signal d'abaisser. Sarah, tu tiens le coup ? Tu veux que monsieur Gordon te remplace ?, demanda-t-il en voyant une lueur d'incertitude dans les yeux de la jeune femme.

— Ça va, Blake. Nous pouvons continuer.

— Très bien. Alors, attention... allez-y ! » Et il commença à abaisser lentement son bras gauche pour accompagner le mouvement des quatre bras qui appuyaient sur les leviers. Le bois craqua de nouveau et la plaque se souleva encore de trois centimètres. Sarah poussa un soupir de soulagement à peine perceptible.

Blake observa les colonnettes des vérins : elles étaient

soulevées jusqu'à mi-course à peu près. Il prit alors des blocs de bois et les mit entre le couvercle et le sarcophage de façon à soulager les vérins et à augmenter l'épaisseur sous leur base.

« Très ingénieux..., dit Maddox. Vous êtes habile, Blake.

— Je suis habitué à résoudre des situations délicates, voilà tout. Je n'ai pas confiance dans ces vérins et je ne veux pas trop faire sortir les pistons hors des cylindres. Je préfère rehausser les bases. Si la chance nous aide, nous aurons achevé sous peu la première phase de l'opération. »

Il demanda à Gordon de faire descendre par la benne d'autres planches et les superposa aux bases des vérins de manière à les rehausser de sept à huit centimètres. Puis il remit les poutres en place et vérifia à nouveau l'équerre et les niveaux. Quand tout fut prêt, il fit signe à ses compagnons de se remettre en position et de reprendre les leviers des vérins.

Maddox s'avança du côté de Sarah : « Laisse-moi faire, dit-il, tu es fatiguée. »

Sarah ne s'y opposa pas et s'appuya au mur. Son corsage, complètement trempé, collait à ses formes.

Blake fit encore signe de la main et les quatre leviers s'abaissèrent lentement, en synchronie, s'arrêtant en bout de course. Blake pouvait maintenant voir la paroi intérieure du sarcophage éclairée par la lumière jusqu'à une profondeur d'une trentaine de centimètres.

Il recommença une quatrième fois l'opération et rehaussa les cales sous le couvercle. Le moment était venu de regarder à l'intérieur.

« Vous voulez être le premier à regarder, monsieur Maddox ? » demanda-t-il.

Maddox secoua la tête : « Non. Vous avez conduit toute cette opération de façon magistrale, docteur Blake. Il est juste que vous soyez le premier à regarder. »

Blake acquiesça, prit une torche électrique et monta sur un escabeau pour éclairer l'intérieur du sarcophage. Il chercha un instant le regard de Sarah avant de plonger le sien dans la tombe ouverte du pharaon des sables.

Il y avait un corps d'homme à l'intérieur, couvert de bandelettes mais, il n'y avait pas trace des vases canopes qui auraient dû contenir les viscères. L'embaumement avait peut-être été fait de façon hâtive et sommaire.

Sur le visage, il portait le masque égyptien typique, la nemset de bronze et d'émaux, mais il ne s'agissait pas d'un portrait conventionnel. Ce visage était traité avec un réalisme impressionnant, comme si l'artiste avait sculpté son œuvre, inspiré par un modèle vivant plutôt que sous l'influence d'un canon amarnien désormais éloigné.

Un nez effilé et volontaire, une mâchoire robuste, deux sourcils touffus sous un front légèrement froncé donnaient à ces apparences solennelles un halo de puissance dure, inquiète.

Les bras, croisés sur la poitrine, tenaient deux objets absolument insolites : un bâton recourbé en bois d'acacia et un serpent de bronze aux écailles légèrement dorées.

Au coude gauche pendait un ankh en or massif et sur le cœur était posé un scarabée de tourmaline.

Blake s'était rendu compte au premier coup d'œil que cet objet était peut-être accessible et, après quelque hésitation, il tendit le bras. Il n'y avait pas la place de passer la tête entre le sarcophage et le couvercle : il lui fallut donc procéder à tâtons en abaissant sa main de quelques millimètres à la fois pour ne causer aucun dégât.

Soudain, il sentit la surface courbe et lisse du scarabée et le serra dans ses doigts pour le sortir de la sépulture.

Il le tourna lentement dans sa main pour faire apparaître dans la lumière la partie inférieure. Elle portait l'inscription en hiéroglyphes :

qu'il interpréta sans hésiter comme le mot :

MOÏSE

Il se sentit défaillir et chancela.

Sarah accourut à son secours : « Ça va, Blake ?

— Il est trop stressé, dit Maddox. Donnez-lui un verre d'eau.

Blake fit un signe de la tête : « Ce n'est rien. Seulement la tension nerveuse. Jetez un coup d'œil vous aussi : c'est... c'est extraordinaire. » Puis, le dos appuyé au sarcophage, il se laissa aller à terre, comme s'il s'affaissait sur le sol.

Maddox monta sur l'escabeau, alluma une torche électrique et regarda à l'intérieur.

« Oh, mon Dieu », dit-il.

Selim Kaddoumi arrêta la voiture sur le parking de Water Tower Place, prit sa mallette de cuir marron, releva le col de son pardessus et se mit à marcher le long du trottoir. Quand il tourna dans Michigan Avenue, il sentit la lame glaciale du vent lui couper le visage et il pensa aux nuits tièdes le long des rives du Nil lointain. Il pensa à ce qui l'attendait dans les prochaines vingt-quatre heures.

Il se hâta vers l'entrée et entra, accueilli par l'atmosphère artificielle du *mall*, par la musique monotone des petites cascades qui se déversaient l'une dans l'autre dans une luxuriance de plantes de plastique vert. Il monta au premier étage par les escaliers roulants : ces cascades le fascinaient et il aimait regarder le scintillement des pièces de monnaie sur le fond de chaque vasque de cipolin.

On lui avait dit que c'était une coutume des touristes de lancer une pièce dans les grandes fontaines de Rome parce que cela donnait la certitude de revenir dans la Ville éternelle. Mais quel sens cela avait-il de jeter des pièces dans ces petites fontaines ? Les gens revenaient tous les jours en cet endroit, en toute occasion, pour faire des achats. Il y avait des aspects de la civilisation occidentale qui lui échappaient encore.

Il prit l'ascenseur au premier étage, monta jusqu'au troisième étage et entra chez Rizzoli. Il se mit à fouiner parmi les étagères pour trouver le rayon des livres d'art. Il posa sa mallette sur le sol et se mit à feuilleter un fastueux volume sur le Baptistère de Florence, relié en toile noire et gravé à l'or fin. Le titre en était *Mirabilia Italiae*, « Merveilles d'Italie ».

Peu après un homme s'approcha et posa par terre une mallette en tout point semblable à l'autre et se mit à examiner un volume de gravures de Piranèse. Selim rangea son volume, laissa sa mallette, prit l'autre puis s'approcha d'une autre étagère. Il choisit un guide d'Italie, *Off the beaten track*, paya à la caisse et sortit sans se retourner.

Il prit l'ascenseur, en sortit au premier étage puis descendit dans le hall par l'escalier roulant, le long des cascades qui se déversaient l'une dans l'autre jusqu'au rez-de-chaussée. Quand il sortit sur le trottoir, l'air était encore plus glacial et lui serra les bronches en un spasme aigu, presque douloureux. Il se hâta en toussant vers le parking, regagna sa voiture et s'installa au volant. Il posa la mallette sur le siège du passager et l'ouvrit : il y avait une enveloppe contenant dix liasses, chacune de vingt billets de mille dollars, et un billet de British Airways pour le Caire.

Peu après, il était sur l'autoroute qui conduit à l'aéroport O'Hare. Il pleuvinait, mais bientôt la pluie se transforma en grésil, de minuscules perles de glace qui rebondissaient en silence sur le pare-brise.

Omar al-Husseïni sortit du hall de la Water Tower Place avec la mallette de cuir marron et se dirigea vers une cabine téléphonique. Il glissa un quart de dollar dans la fente et composa un numéro.

« *Chicago Tribune*, répondit une voix féminine à l'autre bout du fil.

— Passez-moi les faits divers, s'il vous plaît.

— Excusez-moi, monsieur, pouvez-vous me dire votre nom ?

— Faites ce que je vous dis, bon sang. C'est urgent. »

La fille du standard se tut un instant, interdite, puis elle dit : « Bon. Attendez une minute, s'il vous plaît. »

On entendit quelques secondes d'un jingle d'attente puis une voix masculine répondit : « Faits divers. Bonjour.

— Écoutez. Dans cinq minutes, un fourgon de la Federal Express va remettre à l'accueil un paquet de carton gris sombre adressé à votre rédaction. Il contient une cassette vidéo. Regardez-la immédiatement : c'est une question de vie ou de mort pour des milliers de personnes. Je répète : question de vie ou de mort pour plusieurs milliers de personnes. Ce n'est pas une blague.

— Mais... »

Husseïni raccrocha et alla à sa voiture dans le parking. Il démarra et se dirigea vers l'édifice du *Chicago Tribune*. Quand il fut à environ quatre cents mètres, il s'arrêta et, comme il n'était pas possible de stationner dans cette zone, il fit semblant d'avoir crevé.

Il s'affaira avec son cric et sa roue de secours jusqu'au moment où il vit la fourgonnette de la Fedex s'arrêter devant l'immeuble gothique du *Chicago Tribune* : un homme en descendit avec un paquet gris. Husseïni sortit de sa poche de puissantes jumelles et regarda l'entrée. Un homme aux cheveux blancs allait rapidement à la rencontre du livreur, signait le reçu et ouvrait fébrilement le paquet pour y prendre une cassette.

Husseïni rangea son cric et sa roue de secours juste au moment où une voiture de police s'arrêtait derrière lui.

« Vous avez besoin d'aide ? demanda l'agent en se penchant à la portière.

— Non, merci : un pneu crevé, c'est tout. Ça y est, j'ai réparé. Merci. »

Il remonta en voiture et rentra chez lui le plus vite qu'il put pour attendre le journal télévisé du soir.

Un soir gris et sombre qui avançait par les rues de la métropole comme l'ange de la mort.

Alan Maddox sortit du sous-sol et rejoignit Gordon assis sous la toile que Sullivan avait tendue entre le sol et le toit de la jeep.

« Allez-y, Gordon. Allez voir. C'est quelque chose d'incroyable. Jamais je n'ai vécu une telle émotion. Il y a... il y a là-dedans un homme qui dort depuis trois mille ans. Et pourtant, il émane de son masque une vitalité agressive, une force encore indomptée. J'ai fixé sa poitrine enveloppée de bandelettes et, un instant, il m'a semblé la voir se soulever pour respirer. »

Gordon le regarda, déconcerté : Maddox était presque méconnaissable, il avait le visage couvert de poussière et de sueur mêlées, la chemise trempée et les yeux cernés comme s'il avait effectué un labeur énorme. Il ne dit rien et descendit prudemment les échelons.

Peu après, Blake ressortit, suivi de Sarah. Il regarda un moment le soleil qui commençait à décliner, puis il se retourna vers Maddox : « Nous avons fini. »

Maddox regarda sa montre : « Le temps a passé vite. Nous avons été des heures en bas et il semble qu'il ne se soit passé que quelques minutes.

— En effet. »

Gordon ressortit.

« Alors ? demanda Maddox.

— Stupéfiant. Absolument stupéfiant.

— Que pensez-vous faire ? demanda Maddox à Blake.

— Pour aujourd'hui, ce sera tout. Si vous voulez, vous pouvez retourner au camp. Moi, je vais rester pour veiller à ce que le sarcophage soit scellé avec une feuille de plastique. La momie pourrait être détériorée par le contact de l'air. Je vous rejoins pour le dîner.

— D'accord. J'ai besoin d'une douche au plus vite. »

Blake redescendit dans l'hypogée : le couvercle était posé sur les cales et relevé de près de trente centimètres au-dessus du rebord du sarcophage. Il attendit que les ouvriers l'aient recouvert d'une feuille de nylon et resta encore après qu'ils furent remontés à la surface. Il grimpa sur les supports des vérins et pointa sa torche vers l'intérieur du sarcophage. Le visage sculpté dans le bois prenait, dans la transparence brouillée du nylon, un aspect encore plus inquiétant, comme s'il avait été plongé dans un liquide laiteux.

Blake le regarda fixement, comme hypnotisé par ce regard magnétique. Il revint à la réalité quand la voix de Sarah l'appela : « Tout va bien en bas ?

— Oui. Tout va bien. »

Il redescendit et se dirigea vers l'échelle, mais, avant de la prendre, il se retourna une fois vers le sarcophage en murmurant : « Tu as trompé tout le monde... Pourquoi ? Pourquoi ? »

Sullivan attendit qu'il fût sorti ; ensuite il referma l'ouverture avec la plaque d'acier, la recouvrant ensuite de sable. Puis il démarra et partit.

Il commençait à faire sombre.

« On y va nous aussi ? demanda Sarah.

— Attends que je fume une cigarette. J'ai besoin de me détendre », répondit Blake.

Sarah s'assit sur une pierre et William Blake alluma une cigarette, le dos appuyé sur le côté de la jeep.

« Tu as eu ta confirmation ? demanda Sarah après quelques instants de silence.

— Pleinement.

— Tu veux m'en parler ?

— Je te l'avais promis. » Blake se tourna vers elle : il avait les yeux brillants, comme s'il allait pleurer.

« Qu'est-ce qu'il y a ?

— Je sais qui est l'homme enseveli dans cette tombe.

— Je m'en suis rendu compte quand je t'ai vu lire le hiéroglyphe sur le ventre de ce scarabée. Tu avais l'air d'avoir été frappé par la foudre. C'est tellement déconcertant ?

— Plus que déconcertant. C'est épouvantable : là-dedans, il y a la momie de Moïse. »

Sarah secoua la tête, incrédule : « C'est impossible...

— J'ai commencé à le pressentir quand j'ai vu ces gravures rupestres : une verge, un serpent... un homme aux bras levés devant un feu...

— Le buisson ardent ?

— Peut-être... ensuite des traces de feu à haute température sur la montagne. Tu te rappelles le livre de l'Exode ? Des fumées et des lueurs de feu couvraient la montagne sacrée cependant que Dieu dictait sa loi à Moïse dans le fracas du tonnerre et du son des trompes... Sarah, le campement de la Warren Mining Corporation se trouve au pied du mont Sinaï !

« Mes soupçons se sont renforcés quand j'ai découvert que nous étions en Israël et non en Égypte. Aucun dignitaire égyptien ne se serait fait ensevelir aussi loin de la terre du Nil...

— Et l'inscription ?

— Montons en voiture, dit Blake. Je ne voudrais pas éveiller de soupçons. »

Sarah démarra et passa la première. Blake sortit de sa poche un feuillet chiffonné et se mit à lire :

« Le fils sacré du Nil et
de la princesse royale Bastet Nefrere,
prince d'Égypte, favori d'Horus,
franchit le seuil de l'immortalité
loin des Terres Noires et des
lieux aimables longeant les rives
du Nil alors qu'il conduisait le peuple des
Khabiru aux confins d'Amurru
pour que, en ces lieux arides et lointains,

se constituât une nation obéissant au Pharaon, seigneur
de la Haute et de la Basse Égypte.
Qu'il puisse ici recevoir le souffle vital et
qu'il puisse d'ici franchir le seuil de l'autre
monde pour atteindre les domaines de Yalu
et la demeure d'Occident. »

« Suivent les formules rituelles du Livre des Morts.

— Il n'y a pas son nom dans l'inscription. C'est pour cette raison que tu attendais d'ouvrir le sarcophage pour avoir l'ultime confirmation ?

— Oui. Mais ce n'était qu'un excès de prudence. J'étais alors en possession d'une quantité impressionnante d'indices : l'inscription parle d'un prince, fils du Nil, et d'une princesse égyptienne, ce qui convient parfaitement à Moïse, lequel, selon la tradition, fut sauvé des eaux du Nil et adopté par une princesse de sang. En outre, cet homme meurt loin de l'Égypte, en un lieu aride et désolé, tandis qu'il conduit un groupe de Khabiru, c'est-à-dire d'Hébreux, pour qu'ils s'installent à la frontière d'Amurru, c'est-à-dire de Palestine, et cela aussi peut très bien coïncider avec la narration de l'Exode. D'autre part, un prince égyptien enterré hors d'Égypte, ça ne voudrait rien dire.

« J'ai médité sur les pages de la Bible : la mort de Moïse est enveloppée de mystère. On raconte qu'il monta sur le mont Nebo, sur la rive orientale du Jourdain, accompagné de quelques anciens, et que là, il mourut. En fait, personne n'a jamais su où était sa tombe. Comment est-il possible qu'un peuple tout entier oublie le lieu de la sépulture de son père fondateur ?

— Et toi, comment l'expliques-tu ?

— Avant d'entrer dans cette tombe, je pensais qu'en réalité Moïse n'avait jamais existé, que c'était un fondateur mythique comme Romulus, comme Enée.

— Et maintenant ?

— Maintenant, c'est différent : la vérité, c'est que Moïse a existé et qu'il a toujours été égyptien. Peut-être a-t-il été fasciné par le monothéisme d'Aménophis IV. Et il a voulu mourir en Égyptien, avec une tombe égyptienne, un rituel égyptien, dans les limites du possible.

— Mais tout ça n'a aucun sens. Comment aurait-il pu,

sans que ses gens s'en aperçoivent, se préparer une tombe comme celle-là, la faire décorer, faire sculpter le sarcophage et préparer les mécanismes qui devaient en protéger l'entrée ?

— Le sanctuaire sous la tente. Voilà l'explication. Tu te rappelles ? Personne n'avait accès à ce sanctuaire à l'exception de lui et de ses plus proches collaborateurs et amis : Aron et Josué. Officiellement parce que, sous cette tente, se manifestait la présence de Dieu. En réalité parce qu'elle masquait le travail de préparation de son immortalité égyptienne, sa demeure éternelle.

— Tu veux dire que le sanctuaire recouvrait l'entrée de sa tombe ?

— J'en suis pratiquement certain. De la colline qui domine le campement de Ras Udash, on voit encore les pierres qui servaient de repères. J'ai relevé les mensurations : elles coïncident parfaitement avec celles qui figurent dans le livre de l'Exode. »

Sarah secoua la tête, comme si elle ne pouvait ou ne voulait pas en croire ses oreilles.

« Mais il y a autre chose. Un jour, un groupe d'Israélites conduits par un homme nommé Kora contesta à Moïse le droit de conduire le peuple et d'imposer ses règles. De toute évidence, ces hommes constituaient le groupe dirigeant d'un mouvement d'opposition.

« Moïse les défia de paraître devant le Seigneur, c'est-à-dire d'entrer avec lui dans le temple sous la tente. Eh bien, un gouffre s'ouvrit sous leurs pieds et ils furent engloutis par la terre. Et voici mon interprétation : une espèce de trébuchet les précipita à l'intérieur de la tombe déjà creusée en grande partie. Là, leurs corps furent brûlés puis sommairement ensevelis, ce qui est confirmé par les squelettes que nous avons trouvés au fond de la paroi orientale.

« De loin, le peuple dut voir par transparence, dans la tente sacrée, des lueurs sinistres, sentir l'odeur de soufre et de chair brûlée, entendre des cris de désespoir. Une terreur révérencielle les cloua dans leurs tentes, tremblants de peur dans la nuit noire.

— Will... je ne sais pas si le texte de l'inscription te permet d'aller aussi loi... Ton hypothèse est trop audacieuse...

— Mais terriblement logique...

— En plus, elle présuppose que le livre de l'Exode soit la transcription fidèle de ce qui s'est passé.

— J'ai ici une série de témoignages matériels qui confirment le témoignage littéraire du livre de l'Exode. J'ai trouvé des traces de soufre et de bitume même à l'intérieur de la tombe et tu as vu toi-même ces ossements amassés dans un coin et recouverts de quelques poignées de terre.

— Les restes de Kora et de ses séides téméraires qui osèrent défier Moïse ?

— C'est ce qu'on dirait. Et si je pouvais faire des analyses chimiques des traces de feu que j'ai trouvées dans la tombe et les comparer avec celles que j'ai trouvées sur la montagne, je suis certain qu'elles révéleraient la présence des mêmes substances. Probablement celles qui provoquaient la colonne de feu qui guidait le peuple dans la nuit et la fumée qui les guidait le jour. Les mêmes qui provoquèrent les flammes et le tonnerre sur la montagne sacrée tandis qu'il recevait les Tables de la Loi.

— Assez ! s'écria Sarah. Je ne veux plus t'écouter ! »

Mais Blake continuait à parler, de plus en plus pressant : « Et le lieu ! Pense au lieu : nous sommes près d'une pyramide et d'un sphinx, deux formations naturelles qui rappellent de façon impressionnante le plus célèbre paysage sacré d'Égypte. Une circonstance qui n'est pas due au hasard pour un prince égyptien contraint à construire sa demeure éternelle hors de la patrie. »

Sarah continuait à secouer la tête. Elle était visiblement bouleversée.

« Et ce n'est pas tout, reprit Blake. Moïse donna personnellement l'ordre d'exterminer les Madianites, une tribu à laquelle il était lié par les liens du sang, puisque sa femme Sephora était une madianite. La seule explication plausible est que lui, ou quelqu'un d'autre pour son compte, voulait faire le vide autour du lieu de sa tombe pour en conserver le secret.

— Mon Dieu..., murmura Sarah.

— Je... je n'imaginais pas que tu étais croyante, dit Blake.

— Ce n'est pas cela, répondit la jeune femme. Peut-être que je ne le suis pas, mais l'idée que les deux tiers de l'humanité tout entière, que les trois grandes religions monothéistes soient menacées de destruction par ta théorie...

— Ce n'est pas une théorie, hélas : je t'apporte des preuves.

— Mais tu te rends compte de ce que tu es en train de dire ? Le prophète du monothéisme universel n'aurait été qu'un imposteur !

— Sarah, cette momie portait sur son cœur un scarabée sur lequel était gravé le nom de Moïse.

— Comment peux-tu en être sûr ? »

Blake prit son stylo et traça sur son bloc-notes la séquence d'idéogrammes qu'il avait vue, gravée sur le scarabée : « Tu vois ? Les deux premiers signes veulent dire M et S ; et jusque-là, il pourrait y avoir des doutes. Comme l'égyptien ne transcrit pas les voyelles, les deux consonnes pourraient avoir d'autres significations, mais les trois autres idéogrammes spécifient : « guide des Asiatiques », c'est-à-dire des Hébreux. Non, je n'ai pas de doute.

« Et puis, le cadavre n'a pas été embaumé selon les canons traditionnels du fait de l'impossibilité de trouver en ces lieux les embaumeurs de la maison des morts de Thèbes. Tout coïncide. Et l'inscription sculptée sur le sarcophage peut très bien se rapporter à l'histoire de Moïse sauvé des eaux du Nil et à son voyage dans le désert du Sinaï tel qu'il est décrit dans le livre de l'Exode. Je ne peux que prendre acte de ce que j'ai vu, lu, découvert.

— Mais pourquoi ? Il doit y avoir une raison. Si toute ta construction est absurde, tous tes indices ne suffiront pas à la rendre plausible.

— J'ai médité toute la nuit pour chercher à trouver une explication.

— Et alors ?

— Je ne sais pas... Il est très difficile de trouver une réponse. Nous sommes en train de parler d'un homme qui a vécu il y a trois mille ans. Et nous ne savons pas si les mots de la Bible doivent être lus au sens propre ou s'ils doivent être interprétés. Et comment ? C'est peut-être l'ambition qui l'a poussé... l'ambition d'être le père d'une nation, comme l'était le pharaon en Égypte. Ce que lui, en réalité fils de parents inconnus, n'aurait jamais pu être... Et, à la fin, au moment suprême de la mort, il n'a pas pu résoudre le conflit qui l'avait déchiré toute sa vie : sang et corps d'Hébreu, éducation et mentalité d'Égyptien...

— Et l'éboulis ? Et le plancher ? Et la sandale ? Qu'est-ce qu'ils ont à voir avec tes théories ? Peut-être, en examinant attentivement ces éléments, pourrais-tu trouver une réponse différente et plausible.

— J'ai déjà trouvé une réponse. L'homme qui a perdu sa sandale savait où se trouvait la tombe parce que, d'une façon ou d'une autre, un cercle restreint de personnes avaient transmis cette information. Mais, probablement, personne n'y avait jamais pénétré. Et donc, il devait s'agir d'un Hébreu, peut-être un prêtre, peut-être un lévite, peut-être un prophète... Je ne sais pas ce qu'il était venu chercher en ce lieu il y a vingt-six siècles. En tout cas, ce qu'il vit dut le bouleverser au point de l'amener à faire fonctionner le mécanisme de protection pour sceller la tombe pour toujours. S'il avait eu des explosifs à sa disposition, il l'aurait fait sauter. J'en suis sûr. »

La lumière du couchant s'éteignait sur les sables du désert de Paran, la cime des montagnes désolées s'obscurcissait et les légères ondulations du terrain se couvraient d'une patine de bronze. La lune commençait à se dessiner, diaphane, sur un ciel d'un azur ténu qui devenait de plus en plus sombre au centre de la voûte.

Sarah ne dit plus rien. Elle tenait ses mains serrées sur le volant et ne déplaçait sa main droite que pour rétrograder lorsqu'elle devait affronter un passage difficile.

Blake restait silencieux lui aussi : il avait devant les yeux le regard du pharaon des sables, sa fixité irréelle, l'orgueilleuse austérité de son visage, la rude pureté de ses traits.

Soudain, alors que l'on commençait à voir les lumières du camp, Sarah se tourna de nouveau vers lui :

« Il y a quelque chose que je ne comprends pas : tu as parlé de traces de feu à haute température sur la montagne...

— En effet.

— Et tu les as attribuées à la manifestation du Dieu d'Israël devant Moïse.

— C'est ce que je pense.

— Et cela impliquerait que la montagne qui domine

notre campement correspond au mont Sinaï sur lequel Moïse reçut les Tables de la Loi.

— Selon toute probabilité.

— Mais on m'a toujours appris que le mont Sinaï se trouve à l'extrême sud de la péninsule et, ici, nous sommes au nord, dans le Néguev.

— C'est vrai. Et pourtant ceci est le territoire des Madianites et un peu plus au nord s'étend celui des Amalécites, les peuples du désert avec qui se rencontrèrent les fils d'Israël. Et l'idée que le Sinaï se trouve dans cette zone est tout à fait sensée. L'hypothèse à laquelle tu fais référence, celle qui place le mont Sinaï à l'extrême sud de la péninsule, est d'origine byzantine et remonte peut-être aux pérégrinations en Terre sainte de la reine Hélène, la mère de Constantin, mais elle a toujours été dénuée de tout fondement réel. Là-bas, personne n'a jamais trouvé aucune trace de l'Exode biblique et toutes les reliques qu'on y montre sont des faux, tout au plus de l'imagerie populaire naïve...

— Je ne sais pas..., dit Sarah. Tout paraît si absurde... Pendant des siècles et des siècles, des centaines de millions de personnes parmi lesquelles des savants, des philosophes, des théologiens, ont accepté l'épopée de l'Exode comme un récit substantiellement cohérent. Comment est-il possible que tous, tous, se soient trompés ?

« Et maintenant, toi, William Blake de Chicago, tu dis que la foi de deux milliards et demi de personnes est le fruit de l'œuvre d'un imposteur. Je comprends tes arguments mais toutefois, je n'arrive pas à les accepter jusqu'au bout... Tu es certain de ta théorie ? Pour toi, il n'y a rien qui puisse la mettre en doute ? »

William Blake se tourna lentement vers elle.

« Peut-être, dit-il.

— Quoi ?

— Son regard. »

Omar al-Husseïni entra chez lui au début de l'après-midi et laissa son téléviseur allumé, passant d'une chaîne à l'autre, à mesure qu'arrivaient les programmes des journaux télévisés, mais il n'arriva pas à trouver le moindre signe indiquant qu'on avait révélé le contenu de la cassette remise au *Chicago Tribune*.

Il entra alors dans son bureau, s'assit devant son ordinateur et alla rapidement sur Internet. Il consulta sa boîte de réception et vit l'inscription « Blake ». Il ouvrit et se trouva devant une suite de cinq idéogrammes en caractères hiéroglyphiques :

MOÏSE

Puis la signature : *William Blake*.

Il s'abandonna sur le dossier de sa chaise, comme paralysé par le tonnerre. Il ne réussit qu'à murmurer : « Oh, Allah, Clément et Miséricordieux... »

10

« Un message très bref cette fois, dit Pollack avec un sourire hébété, en voyant que Blake n'avait envoyé à son collègue que cinq idéogrammes.

— Oui, dit Blake, laconique.

— C'est tout, alors ?

— C'est tout. Nous pouvons aller dîner. M. Maddox et les autres doivent nous attendre. »

Tandis que Pollack éteignait l'ordinateur, Blake rejoignit les autres commensaux sous la tente bédouine et s'assit, saluant d'un signe de tête. La tension était presque palpable autour de la table, et on pouvait lire le malaise sur le visage de Maddox comme si ses intentions pour les prochaines vingt-quatre heures étaient inscrites sur son front. Toutefois, à l'arrivée de Blake, il dit : « Je désire faire mes compliments à notre docteur Blake pour le brillant travail qu'il a exécuté et j'espère qu'il pourra au plus tôt nous faire connaître le contenu de l'inscription qu'il a transcrite du sarcophage et son interprétation de l'éboulis qu'il a trouvé à l'intérieur de la tombe. » Il parlait en termes recherchés, comme quelqu'un du métier. Encore une coquetterie de sa part.

Blake remercia et dit qu'il lui faudrait encore quelques heures de travail pour pouvoir rédiger un rapport exhaustif mais que, désormais, il n'était pas loin de la conclusion de son enquête. La conversation se poursuivit, laborieuse et intermittente comme si, après ce qu'ils avaient vu et vécu durant cette journée, les sujets de discussion manquaient.

Il était en revanche évident que chacun des présents suivait le fil de ses pensées et ses propres plans, ou peut-être était-ce une étrange électricité flottant dans l'air qui influait sur l'humeur et l'attitude de chaque personne.

Maddox et Blake spécialement, qui avaient pourtant été en contact proche toute la journée, semblaient ne rien avoir à se dire. Maddox ne réussit à tenir que des propos de circonstance, comme : « Cela a été l'expérience la plus excitante de ma vie, et pourtant j'en ai eu, en tant d'années de travail dans tous les pays du monde. »

Sarah intervint, de façon tout aussi prévisible : « Si on m'avait dit ce qui m'attendait quand j'ai accepté ce travail, j'aurais pensé que j'avais affaire à des fous ; et pourtant, c'est vrai, cela a été une expérience fantastique, surtout pour moi qui l'ai suivie jour après jour. »

Sullivan garda la tête penchée sur son assiette pendant toute la soirée, sans proférer la moindre parole, alors que Gordon, à un moment donné, se lança dans la météorologie, conformément à sa prédisposition d'habitant de Boston élevé en Angleterre. Et il annonça que la situation dans le camp pourrait bien se détériorer à cause de banals changements climatiques.

« J'ai écouté les prévisions sur notre émetteur satellitaire, dit-il alors qu'on servait le café. On attend dans les prochaines vingt-quatre heures une tempête de sable exceptionnelle qui concernera une large partie du Proche-Orient et qui pourrait même facilement s'abattre sur notre camp. On prévoit des perturbations dans les communications, l'interruption des vols réguliers, une mauvaise visibilité sur des milliers de kilomètres carrés.

— Nous sommes équipés pour faire face à de telles circonstances, répondit Maddox. Nous avons des vivres et de l'eau en quantité suffisante et nos baraques sont pourvues de filtres d'air que nous pouvons mettre en marche avec un générateur auxiliaire. Pollack, assurez-vous que tout soit prêt et parfaitement en état de fonctionner pour tenir dans cette situation. »

Pollack se leva et se dirigea vers le petit local qui abritait le générateur auxiliaire. Maddox, en revanche, salua la compagnie et se retira.

« Et toi, qu'est-ce que tu fais ? demanda Sarah à Blake quand ils furent seuls.

— Je reste. Il faut que je parle à Maddox.

— Tu veux un conseil ? N'en fais rien.

— Je n'ai pas le choix.

— Je m'en doutais... Alors, écoute-moi bien.

— Qu'est-ce qu'il y a ?

— Ne fais pas la moindre allusion à ce que je t'ai dit sur l'opération de demain ; sinon, tu es un homme mort et moi aussi je suis dans le pétrin parce qu'il n'aura pas grand mal à remonter jusqu'à la source de tes renseignements. S'il t'offre de l'argent, accepte-le. Si tu refuses, il sera convaincu qu'il ne peut pas te faire confiance et il se débarrassera de toi. Crois-moi. Il n'y réfléchira pas à deux fois : ce n'est rien de creuser un trou dans le sable. Personne ne sait que tu es ici, personne ne viendra te chercher. Ce sera comme si tu avais disparu dans le néant, tu comprends ?

— Il y a mes e-mails. »

Sarah haussa les épaules : « En hiéroglyphes ? Tu parles...

— Et toi ? Tu étais avec moi.

— Moi, je suis un trop gros morceau pour lui.

— Je comprends.

— Je t'en prie. S'il t'offre de l'argent, accepte-le : je crois que tu lui es assez sympathique. S'il n'estime pas indispensable de te tuer, il te sauvera volontiers la vie. Mais si tu refuses l'argent qu'il t'offre, à mon avis, tu signes ton arrêt de mort. Surtout dans les circonstances actuelles, avec tous ces gens et tout ce bordel qui semble devoir exploser d'un moment à l'autre.

« Je t'attends. Ne fais pas l'idiot. Je tiens beaucoup à reprendre la discussion que nous avons laissée en suspens l'autre nuit.

— Moi aussi », dit Blake comme se parlant à lui-même. Sarah allait s'en aller mais il la retint : « Sarah, il y a quelque chose que je ne t'ai pas dit.

— À quel propos ?

— L'inscription.

— Celle du sarcophage ? »

Blake fit signe que oui. Sarah sourit : « Je ne suis pas égyptologue, mais ça se lisait sur ton visage que tu me cachais quelque chose. Tu avais l'air d'une poule qui a trouvé un couteau... Alors ?

— Ce n'est pas vrai que le texte que je t'ai lu continuait par le Livre des Morts. Ce qui suit est une malédiction.

— Ça me semble normal. Le contraire serait étonnant. Et ne va pas me dire qu'un chercheur croit à ces sottises, qui n'ont jamais éloigné les voleurs, de tout temps.

— Évidemment. Mais celle-ci a quelque chose de convaincant... Attends-moi, si tu n'es pas trop fatiguée.

— Je t'attendrai », dit Sarah tout en s'éloignant du camp éclairé par la lune ; William Blake pensa un instant qu'il aurait voulu être avec elle en un tout autre endroit.

Il écrasa son mégot et suivit Maddox, qui avait presque atteint son logement.

« Monsieur Maddox, lui dit-il alors qu'il allait entrer. Je peux vous dire un mot ?

— Volontiers, répondit Maddox. Entrez, je vous en prie. » Mais il avait le visage de quelqu'un qui doit subir un casse-pieds.

Il alluma la lumière et alla ouvrir le mini-bar : « Scotch ?

— Très bien. Merci.

— Qu'est-ce que vous pensez de cette tempête de sable, Blake ? Il paraît qu'il s'agit d'un phénomène d'une intensité inhabituelle.

— De toute façon, elle va nous créer des désagréments. Et elle pourrait même provoquer des dégâts. Mais ce n'est pas de cela que je voudrais vous parler.

— Je sais, dit Maddox en lui versant le Mac Allan de sa réserve personnelle. Vous voulez me parler de la tombe de Ras Udash, mais moi... »

Blake tendit un doigt vers son interlocuteur, le fixa droit dans les yeux et parla ensuite d'un trait : « Monsieur Maddox, je dois vous demander si vous avez l'intention de saccager l'hypogée de Ras Udash et de transférer tous les objets du mobilier là où vous le jugerez bon.

— Blake, que diable...

— Non, écoutez-moi, Maddox, ou bien je n'aurai pas le courage de poursuivre : vous devez immédiatement bloquer cette opération parce que personne n'a le droit de l'entreprendre.

— Ça, c'est vous qui le dites, Blake. C'est moi qui commande dans ce camp et si vous vous mettez en travers de mon chemin, je n'hésiterai pas à...

— Maddox, avant de dire un mot de plus, écoutez ce que j'ai à vous dire : vous ne pouvez pas toucher à cette tombe parce qu'elle représente un ensemble extraordinaire dont le mystère a été à peine égratigné par mes recherches précipitées et superficielles. Si vous dispersez ces trésors, ce qui sera perdu, c'est un patrimoine de connaissances qui, après trente siècles, est parvenu dans son intégralité jusqu'à nous, ce sont des informations que nous ne pourrons plus jamais récupérer, des informations qui pourraient être vitales pour tout le genre humain. »

Maddox hocha la tête comme s'il avait entendu des propos en l'air. « Vous m'aviez dit que vous étiez sur le point de découvrir l'identité du personnage enseveli dans la tombe et que cela augmenterait la valeur de tout l'ensemble. Je vous ai même donné l'autorisation d'envoyer, à plusieurs reprises, à mes risques et périls, des e-mails à vos collègues pour les consulter. N'est-ce pas ?

— En effet, dit Blake, la tête baissée.

— Alors ?

— C'est précisément là la question : il y a de fortes probabilités pour que nous nous trouvions devant un personnage de très haut rang, peut-être même devant un personnage historique célèbre. Imaginez... » Blake chercha à reprendre son souffle qui s'était étouffé dans sa gorge : « Imaginez que la momie d'un très grand personnage ait été menacée de profanation pendant une période d'anarchie et que les prêtres aient voulu la transporter en un lieu inaccessible, ou bien qu'un chef militaire, engagé dans une campagne, soit mort loin de la capitale à la suite d'une blessure ou d'une maladie et qu'il n'ait pas été possible, pour des raisons que nous ignorons, de transporter le corps jusqu'à la Vallée des Rois pour l'embaumement. Monsieur Maddox, j'ai fait tout ce que j'ai pu pour tirer de cette sépulture toutes les informations possibles, mais il y a encore trop d'inconnues. Je ne sais encore pas si l'ouverture latérale par où s'est produit l'éboulement va plus loin, et jusqu'où, et je ne sais pas exactement à quoi elle sert.

— Malheureusement, nous n'avons plus le temps...

— En outre, vous n'avez jamais voulu me dire où nous nous trouvons.

— Je n'avais pas le choix.

— Je vous en prie.

— Désolé, Blake ; nos accords étaient clairs. Vous deviez faire un certain travail et vous l'avez fait, vite et bien. Le reste a toujours été mon affaire. N'est-ce pas ? »

Blake baissa la tête.

« Je regrette que vous n'ayez pas pu faire davantage et en savoir plus ; je me rends parfaitement compte de votre curiosité de chercheur, durement frustrée en ce moment, mais vous devez aussi considérer que vous avez eu une occasion unique au monde, un vrai privilège.

« Si vous êtes sage, vous vous en contenterez, vous recevrez une somme qui vous permettra de vivre largement pour le restant de vos jours et, si vous le voulez, de vous refaire une vie. Alan Maddox n'est pas un ingrat. Je disposerai de l'argent dans quarante-huit heures au maximum. Je peux vous verser une somme en liquide ou, mieux, vous la créditer sur un compte suisse dont je vous donnerai les références. Ce qui veut dire que vous renoncez à toute espèce de publication. Si vous deviez contrevenir à cet engagement, je regrette de devoir vous dire que vous le feriez à vos risques et périls. »

Le propos était parfaitement clair et Blake fit un signe de tête.

« Très bien, dit Maddox, prenant ce signe de tête pour un geste d'acceptation. Je vous ai fait retenir une place sur le vol direct El Al de 21 h 30 de Tel-Aviv pour Chicago.

— Pourquoi pas du Caire ?

— Parce que nous avons une convention très avantageuse avec El Al.

— Je ne peux rien faire pour vous faire changer d'avis ? »

Maddox secoua la tête.

« Laissez-moi au moins veiller sur les opérations d'emballage et de chargement : vous risquez de faire de gros dégâts.

— D'accord, dit Maddox. Je n'avais pas le cœur de vous le demander.

— Encore une chose : vous avez l'intention de toucher à la momie ? »

Il avait une expression étrange, comme quelqu'un qui veut mettre en garde son interlocuteur contre un danger mortel. Maddox accusa le coup et ne sut que répondre.

« Pourquoi me demandez-vous cela ? fit-il au bout de quelque temps.

— Parce que j'ai besoin de le savoir. En tout cas, moi, je ne le ferais pas, à votre place.

— Si vous croyez m'effrayer, vous vous trompez : vous ne vous attendez quand même pas à ce que je croie aux malédictions des pharaons et à toutes ces sornettes.

— Non. Mais je veux que vous sachiez que l'inscription sur le sarcophage contient la malédiction la plus atroce, la plus épouvantable que j'aie jamais lue en vingt-cinq ans de recherche et d'étude. Et il ne s'agit pas seulement d'une malédiction ; c'est plutôt une prophétie qui énumère avec une remarquable précision tout ce qui arrivera aux profanateurs.

— Donc, à vous aussi, dit Maddox avec un petit sourire ironique.

— C'est possible.

— Et qu'est-ce qui vous fait penser que cette malédiction sera plus efficace que toutes les autres qui n'ont pas servi à sauver une seule des tombes sur lesquelles elles avaient été gravées ?

— Le début. Il y est dit : "Celui qui ouvrira la porte de son éternelle demeure verra le visage ensanglanté d'Isis."

— Impressionnant, dit Maddox de plus en plus ironique. Et alors ?

— La nuit prochaine, il y aura une éclipse totale de lune. Et la lune prendra une couleur rougeâtre : le visage ensanglanté d'Isis. Si c'est une coïncidence, c'est vraiment remarquable.

— Effectivement, c'est une coïncidence.

— Mais, tout de suite après, l'inscription dit que le lendemain, le souffle de Seth obscurcira une large partie de la terre, de l'orient à l'occident, pendant une nuit, une journée et une autre nuit. Si monsieur Gordon a correctement donné les prévisions du temps, il me semble que nous devons nous attendre à une tempête de sable sur une bonne partie du Proche-Orient, à partir, comme par hasard, de demain soir, avec une forte baisse de la visibilité et des interruptions des communications en diverses localités pendant une durée de plus de vingt-quatre heures. Admettez que ça aussi, c'est une belle coïncidence, attendu que le "souffle de Seth" est universellement reconnu comme le vent du désert.

— Refermez le sarcophage, Blake, dit Maddox sans parvenir à masquer un peu de nervosité. Le mobilier de la tombe est déjà d'une grande richesse. Je n'ai pas besoin de ces quelques objets qui se trouvent à l'intérieur du sarcophage ; et, pour sortir le masque funéraire de la momie, le seul objet vraiment précieux, il nous faudrait encore relever le couvercle d'au moins vingt centimètres, ce qui signifie des heures de travail. Nous n'avons pas tout ce temps. D'ailleurs, cela m'est tout à fait égal.

— Tant mieux. Bonne nuit, monsieur Maddox. »

Gad Avner marchait derrière Ygael Allon, qui tenait dans sa main droite une lampe au néon, éclairant le tunnel qu'ils parcouraient désormais depuis presque un quart d'heure.

« Après avoir enlevé quelques obstacles dus à des éboulements de la fin de l'Antiquité et du Moyen Âge, nous avons constaté que la galerie est en grande partie accessible. Tenez : regardez, dit-il en approchant la lampe de la paroi gauche, voici des graffitis du début du VIe siècle. Ils remontent peut-être au siège de Nabuchodonosor. »

Ce nom provoqua en Avner un imperceptible tressaillement. Il se passa un mouchoir sur le front pour en éponger la sueur et examina le graffiti.

« Qu'est-ce qu'ils signifient ?

— Nous n'avons pas bien compris, mais cela semble être une indication topographique, comme si cela indiquait une déviation du tunnel vers une autre direction. Les lettres inscrites sous le dessin veulent dire : "eau", ou : "torrent au fond".

— Un puits ?

— C'est possible. Au cours des sièges, ils creusaient souvent des galeries comme celle-ci pour se ravitailler en eau. Mais cette inscription pourrait aussi signifier autre chose.

— Quoi ?

— Venez », lui dit Ygael Allon, recommençant à avancer le long du tunnel qui tournait vers la droite à un certain endroit en une courbe serrée, puis reprenait de façon assez rectiligne jusqu'à un point aveugle. À gauche, il y avait les traces d'un sondage sur la paroi. À droite, il y avait un plancher de bois fixé à la paroi par un verrou.

« Voilà, dit Allon. Au-dessus de nous, il y a trente mètres de roche compacte puis l'esplanade du Temple. Regardez ici, dit-il en se baissant et en éclairant avec sa lanterne.

— Il y a des marches, observa Avner.

— Effectivement. Des marches qui se perdent dans le flanc de la montagne. Je pense qu'il s'agit d'un escalier qui venait du Temple. Peut-être même du sanctuaire. Nous avons fait un petit sondage en cet endroit, vous voyez ? Et nous avons trouvé des matériaux incongrus, de la cendre, des fragments d'enduits, des gravats. Il pourrait même s'agir des matériaux de l'incendie et de la destruction du Temple en 586 av. J.-C., qui seraient tombés des niveaux supérieurs dans la cage d'escalier et l'auraient partiellement remplie.

— Vous voulez dire qu'en suivant ces marches, nous pourrions arriver au niveau du Temple de Salomon ou à ses dépendances inférieures ?

— Selon toute vraisemblance.

— Extraordinaire. Écoutez, Allon, qui d'autre que vous sait cela ?

— Mes deux assistants.

— Et les ouvriers ?

— Ce sont des Ukrainiens et des Lithuaniens récemment arrivés, qui ne comprennent pas un mot d'hébreu. Surtout l'hébreu technique que nous parlons entre nous.

— Sûr ?

— Aussi sûr que je suis ici avec vous.

— Et derrière ce plancher, qu'y a-t-il ? »

Allon sortit une clé de sa poche et ouvrit le cadenas.

« C'est ici que nous avons fait la découverte la plus sensationnelle. Elle est encore *in situ*. Venez, monsieur l'ingénieur. »

Devant eux s'ouvrait une nouvelle galerie qui allait vraisemblablement vers le sud : « Peut-être vers la piscine de Siloé et la vallée du Cédron, dit Allon. C'est ce que pourrait signifier le graffiti. En ce moment, nous suivons l'indication que nous avons trouvée gravée sur le mur du tunnel principal et nous sommes en train de parcourir une galerie qui devait être la suite du tunnel principal et de la volée de marches qui descendaient du temple. L'endroit où nous nous sommes arrêtés tout à l'heure devait être l'intersection des deux voies.

« Voilà, nous avons dû déplacer un peu des matériaux de sédimentation qui obstruaient presque totalement le passage à cet endroit. Et, en dessous, voilà ce que nous avons trouvé... »

Allon s'arrêta et éclaira de sa lanterne un bloc d'argile dans lequel se trouvait, comme enchâssé, un objet d'une splendeur éblouissante.

« Oh, Seigneur... fit Avner en s'agenouillant dans la boue encore humide. De toute ma vie, je n'ai jamais rien vu de tel.

— Pour être sincère, moi non plus », dit Allon en s'accroupissant sur ses talons. Il approcha encore la lanterne et la fit osciller, faisant scintiller des éclairs de saphirs, de cornaline, d'ambre et de coraux sur l'or fauve qui resplendissait dans la boue.

« Qu'est-ce que c'est ? demanda Avner.

— Un encensoir. Et le poinçon que vous pouvez voir ici, sur ce côté, dit qu'il appartenait au Temple. Mon ami, cet objet a brûlé de l'encens pour le Dieu de nos pères dans le sanctuaire érigé par Salomon. »

Sa voix trembla tandis qu'il prononçait ces mots et, dans la lueur de la lampe, Avner vit qu'il avait les yeux humides.

« Puis-je... le toucher ? demanda-t-il.

— Vous pouvez », répondit Allon.

Avner tendit la main et effleura la surface du vase : une coupe d'une admirable perfection, ornée à sa base d'une série de pierres précieuses encastrées dans une rangée de griffons ailés, tellement stylisés qu'ils semblaient n'être qu'une élégante succession de motifs géométriques. Tout autour du bord couraient des palmettes que l'on retrouvait sur le couvercle ajouré, unies à un damasquinage d'argent bruni par les siècles. Le pommeau du couvercle était une petite grenade d'or dont on voyait à l'intérieur les pépins réalisés avec des coraux minuscules.

« Pourquoi un objet si précieux se trouve-t-il ici ? demanda Avner.

— Je n'ai qu'une réponse à cette question : quelqu'un a cherché à mettre à l'abri les vases sacrés avant qu'ils fussent profanés par l'envahisseur babylonien. Entre autres choses, cet encensoir devait avoir été fait et donné récemment : c'est l'œuvre d'un atelier cananéen de Tyr ou de Byblos, ou bien le travail d'un artisan de ces villes, qui avait transféré son atelier ici, à Jérusalem, pour satisfaire les commandes du Sanctuaire. Ces motifs ornementaux que vous voyez sont caractéristiques d'un style très particulier que nous autres, archéologues, appelons "orientalisant". On peut le dater entre la fin du VIIe et le premier quart du VIe siècle av. J.-C.

— L'âge du siège de Nabuchodonosor.

— Exactement. Il est probable que les personnes qui ont mis ces vases sacrés à l'abri l'ont fait au tout dernier moment, quand il fut certain que les Babyloniens allaient faire irruption d'un moment à l'autre. Peut-être quand le roi Sédécias s'enfuit par une brèche du mur près de la piscine de Siloé... alors qu'un destin épouvantable l'attendait...

« La précipitation fut telle que les objets ne furent ni rangés ni emballés avec le soin nécessaire et, de ce fait, cet encensoir tomba par terre et resta là jusqu'à hier soir, quand nous l'avons trouvé. Il faut aussi penser que celui qui le transportait marchait très vite, au point de ne pas même remarquer la chute d'une partie, certes non négligeable, de son fardeau.

— Cela veut-il dire qu'au bout de ce tunnel, il pourrait y avoir le trésor du Temple ? »

Allon hésita : « Tout est possible. Certes, on ne peut pas exclure que cette galerie conduise à quelque pièce secrète mais ce n'est pas dit. Demain, nous reprendrons le travail. Maintenant, je vais emporter cet objet : un peloton de la police militaire m'attend pour m'escorter jusqu'au caveau de la banque nationale.

« Cet objet est la relique la plus précieuse qui ait jamais été retrouvée sur la terre d'Israël depuis notre retour en Palestine. »

Allon prit l'encensoir avec une grande délicatesse et le reposa dans un écrin doublé d'ouate qu'il portait en bandoulière.

Ils revinrent à l'entrée du tunnel sous l'arc de la forteresse Antonia. Alors qu'ils sortaient, Avner vit clignoter le témoin rouge de son portable : signal d'urgence maximale.

Il salua l'archéologue d'une chaleureuse poignée de main :

« Merci, docteur Allon. Cela a été un grand privilège. Je vous en prie, tenez-moi informé de la moindre nouveauté qui pourrait se présenter dans vos recherches. Maintenant, je dois me sauver, on m'appelle pour une intervention urgente ; il faut que j'aille voir de quoi il s'agit.

— Au revoir, monsieur Cohen », dit Allon. Et il suivit les policiers qui l'accompagnèrent jusqu'à une voiture blindée stationnée non loin de là.

Avner écouta son message. Celui-ci disait : « Appel d'urgence maximale au ministère de la Défense. État d'alerte maximale. » On aurait dit la voix de Nathaniel Ashod, le chef de cabinet du président.

Il regarda sa montre : il était onze heures. Il fallait que quelqu'un du bureau vienne le chercher ; il commença à composer le numéro de téléphone mais, à cet instant, une Rover de couleur foncée s'arrêta à côté de lui. Fabrizio Ferrario en descendit : « Monsieur Avner, vite, nous vous cherchons désespérément dans toute la ville. Vous avez vérifié si votre portable fonctionne bien ? Nous n'arrivons absolument pas à vous joindre.

— J'étais à trente mètres de profondeur sous les rochers. »

Le jeune homme lui ouvrit la portière puis s'assit à côté de lui sur le siège arrière. « Allons-y », dit-il au chauffeur. Puis, s'adressant à Avner : « Pardon, monsieur, vous disiez ?

— Tu as très bien entendu, Ferrario. J'étais dans le tunnel avec le professeur Allon, de l'université hébraïque. Et maintenant, que diable se passe-t-il ?

— J'ai peur que nous soyons dans le pétrin, monsieur, répondit l'officier. Monsieur le ministre vous expliquera tout. »

Ils entrèrent au ministère par une petite porte de service et Ferrario lui ouvrit la voie par des escaliers, des couloirs et des ascenseurs jusqu'à un petit salon nu, avec pour tout ameublement une table et cinq chaises.

Il y avait le Premier ministre Schochot, le ministre de

la Défense Aser Hetzel, le chef d'état-major Aaron Yehudaï, le ministre des Affaires étrangères Ezra Shiran et l'ambassadeur américain Robert Holloway. Au centre de la table, deux bouteilles d'eau minérale et un verre de plastique devant chaque participant.

Quand il entra, tout le monde se tourna vers lui, avec une expression bouleversée, comme hallucinée. Seul le général Yehudaï avait son visage habituel de soldat.

Fabrizio Ferrario se retira et ferma la porte derrière lui.

« Prenez un siège, Avner, dit le président. Nous avons de mauvaises nouvelles. »

Avner s'assit en pensant que, dans une minute, on lui dirait que l'opération Nabuchodonosor était déclenchée et qu'il se mettrait en rogne comme une bête et qu'il leur rappellerait qu'il le disait depuis deux mois au moins qu'il y avait un sérieux danger et que personne n'avait daigné l'écouter.

L'ambassadeur américain parla le premier : « Messieurs, il y a une heure, quelqu'un a appelé la rédaction des faits divers du *Chicago Tribune* pour annoncer l'arrivée imminente d'une cassette vidéo à visionner sans délai parce qu'il y allait de la vie de plusieurs milliers de personnes. Cinq minutes plus tard, un fourgon a remis un paquet contenant la cassette annoncée par le coup de téléphone.

Le chef de service du *Tribune* a visionné la cassette avec le directeur, puis a appelé le FBI. Quelques minutes après, l'enregistrement était transmis au bureau du président à Washington. La cassette montre trois groupes terroristes en train d'assembler des engins nucléaires dans trois localités différentes des États-Unis.

— Comment êtes-vous certain qu'ils sont réellement aux États-Unis ?

— Ils ont donné une preuve qui est en même temps une façon de nous tourner en dérision. Par un coup de téléphone anonyme, ils ont indiqué les lieux où les bombes ont été assemblées, exactement dans les conditions où elles apparaissaient sur l'enregistrement vidéo. À ceci près qu'il manquait les bombes. Mais il y avait les emballages...

— C'est peut-être des images fabriquées par ordinateur.

— Nous l'excluons, dit Holloway. Nos experts disent qu'il s'agit d'un original qui ne présente aucune trace de manipulation. De toute façon, il nous en a été adressé un exemplaire à nous aussi et il sera bientôt chez nous.

— Ou de belles maquettes comme on en voit au cinéma, mais pleines de sciure.

— Improbable : l'enregistrement montre en premier plan un compteur Geiger en fonction.

— Que veulent-ils ?

— Rien. Une inscription incrustée dit que d'autres messages suivront. Le FBI, la CIA et tous les corps spéciaux de la police des États-Unis ont reçu l'ordre de passer le pays au peigne fin d'un bout à l'autre et de retrouver ces salopards, mais nous devons faire face à la situation la plus dramatique qu'aient connue les États-Unis depuis Pearl Harbour.

— Aucun indice ? demanda Avner.

— Non, pas pour l'instant. Le président et son équipe pensent qu'il s'agit d'un commando d'intégristes islamistes. Mais les personnages qu'on voit sur la cassette ont le visage masqué d'un passe-montagne et ne sont pas identifiables.

« Les experts du Pentagone cherchent à identifier les bombes, mais les plans sont partiels et ne montrent jamais une vision d'ensemble : l'hypothèse est qu'il s'agirait de ces maudites bombes portables dont on parle depuis longtemps, des bijoux de la technique ex-soviétique, des engins qui peuvent tenir dans une mallette et qu'on peut transporter avec la plus grande facilité.

— Quelle puissance ?

— Ce serait, selon certains, des bombes tactiques de cinq cents kilotonnes, faciles à monter, à transporter, à cacher. Mais si on les faisait exploser dans une zone urbaine à forte densité de population, elles provoqueraient un massacre : entre cinq cent et sept cent mille morts, un demi-million de blessés et trois cent mille personnes touchées par des radiations mortelles, qui mourraient dans les trois ou quatre jours après l'explosion. Assez pour faire plier la nation. En outre, il semble que ces bombes pourraient être directement mises à feu par la personne même qui les transporte, sans qu'il y ait besoin de la fameuse valise noire qui accompagne toujours les présidents de la Russie et des États-Unis. »

Avner regarda Yehudaï droit dans les yeux : « Général, ceci est le début de l'opération Nabuchodonosor. Ils attaqueront demain, par mauvais temps, ils se serviront des moyens terrestres parce que nous ne pourrons pas nous prévaloir de notre supériorité aérienne et que personne ne pourra venir à notre secours : les États-Unis seront sous le poids d'une menace mortelle et ne pourront pas bouger ; et ils feront pression sur leurs alliés européens pour qu'ils ne bougent pas.

— Mon Dieu », fit le président, consterné.

— J'aurais dû m'y attendre, avoua Avner. Je continuais à scruter les montagnes du côté du désert de Juda et je ne prenais pas en considération le fait que l'attaque serait lancée de l'autre côté de l'Atlantique... Salaud, foutu salopard. »

Yehudaï se leva : « Messieurs, s'il en est ainsi, je sollicite l'autorisation de lancer une attaque préventive de notre aviation et de nos missiles pour détruire au sol le plus possible des forces arabes : je dois regagner mon état-major, lancer l'alerte rouge et préparer le plan de défense de notre territoire. Tous les réservistes peuvent être opérationnels dans les six heures et toutes les unités de combat déjà en place peuvent être pleinement efficaces d'ici une heure.

— Je crois que la proposition du général Yehudaï est la seule hypothèse envisageable, messieurs », affirma le président. Dans l'état actuel des choses, nous ne pouvons prendre le risque de tarder une minute de plus.

— Un instant, monsieur le président, dit l'ambassadeur Holloway. Je ne crois pas qu'il soit sage de prendre une telle décision. Nous n'avons aucune déclaration de guerre d'aucun pays arabe, aucun relevé de nos satellites qui révélerait des mouvements massifs de troupes, et encore aucune demande du commando terroriste qui a apporté les bombes sur notre territoire.

« Votre attaque serait un acte de guerre à tous points de vue ; elle détruirait pour toujours toute possibilité de mener à bon port un processus de pacification de cette zone. Ce à quoi mon gouvernement tient énormément. »

Tout le monde se regarda sans mot dire. Avner parla

le premier : « Monsieur le président, je suis sûr comme je suis sûr d'être ici que les deux faits sont liés : les terroristes ont porté ces bombes sur le territoire américain pour immobiliser l'Amérique quand sera lancée l'attaque décisive. Il y a Abou Ahmid derrière tout cela. Et l'attentat contre al-Bakri fait partie de cette stratégie.

« Je n'ai pas confiance en votre ami Taksoun, continua-t-il en s'adressant à Holloway. Je suis sûr qu'en ce moment, il est en train de préparer son plan de bataille dans quelque foutu bunker du palais d'al-Bakri. Je suis partisan d'attaquer, même contre l'avis des Américains. C'est de notre peau qu'il s'agit », fit-il en s'allumant une cigarette malgré les interdictions affichées de toutes parts, assorties de sévères sanctions.

Holloway devint cramoisi :

« Monsieur Avner, votre comportement est inadmissible...

— Pour une cigarette ? Allons donc, Holloway, des millions de personnes risquent leur vie et vous, vous vous inquiétez de ce que vos satanés poumons ramassent une modeste dose de goudron. Mon père et ma mère sont partis en fumée dans un four à Auschwitz. Allez au diable !

— Messieurs, intervint le président, messieurs, nous devons trouver ensemble la meilleure solution. Ce n'est sûrement pas le moment de nous disputer. Et vous, Avner, faites-moi le plaisir d'éteindre cette cigarette et je vous promets de vous faire envoyer une réserve des meilleurs havanes que l'on puisse trouver dans le commerce. Au frais du contribuable. Maintenant, monsieur Holloway...

— Je regrette, monsieur le président, j'ai des instructions précises de mon gouvernement : aucun geste inconsidéré tant que nous ne saurons pas ce qu'ils veulent.

— Et si nous ignorions votre conseil ?

— Vous resteriez seuls : pas un dollar, pas une pièce de rechange, pas un renseignement. Cette fois, mon gouvernement est tout à fait déterminé à ne pas se laisser entraîner dans une nouvelle guerre. L'opinion publique ne le comprendrait pas.

— En tout cas, c'est à nous que revient la décision, dit le président Schochot en s'adressant à Yehudaï. Général, prenez toutes les mesures d'alerte maximale, mais ne lancez aucune attaque sans mon ordre. »

Yehudaï se leva, mit son béret et sortit, croisant un soldat qui, au même moment, remettait un pli à l'officier de garde. Celui-ci le prit et frappa à la porte.

« Entrez », dit le président.

L'officier entra et lui tendit le pli : « Cela vient d'arriver, monsieur le président. »

Schochot l'ouvrit : il contenait une cassette vidéo. « Vous voulez la voir ? » demanda-t-il, s'adressant à Holloway.

L'ambassadeur fit signe que oui.

Avner haussa les épaules. « Je sais déjà tout ce qu'il y a à savoir. Bonne nuit, messieurs. Dieu veuille que ce ne soit pas la dernière pour nous. »

Il salua les présents d'un signe de tête et sortit.

Fabrizio Ferrario l'attendait dans la voiture et, dès qu'il le vit, il lui offrit une cigarette et la lui alluma : « Ça va aussi mal que cela en a l'air ? lui demanda-t-il.

— Pire. Conduis-moi chez moi. Je vais passer une nuit blanche, j'en ai peur. »

Ferrario ne posa pas de questions, démarra et se dirigea vers la vieille ville, vers l'appartement de son chef.

Tout le long du chemin, Avner resta silencieux, ruminant ses pensées. Quand la voiture s'arrêta devant chez lui, il ouvrit la portière et, un pied à l'intérieur, l'autre à l'extérieur, il s'adressa à son agent : « Ferrario, dans les prochaines vingt-quatre heures tout peut arriver, même un nouvel holocauste. Au fond, toi, tu es plutôt nouveau ici. Si tu veux rentrer en Italie, je ne te blâmerai pas. »

Ferrario ne se retourna même pas : « Avez-vous des ordres pour cette nuit, monsieur ?

— Oui, reste dans les parages, je pourrais avoir besoin de toi. Et, si tu as envie de bouger, va du côté de la forteresse Antonia, au tunnel d'Allon. Tu vois où c'est ?

— Oui.

— Surveille la situation. Assure-toi que les militaires maintiennent une surveillance sans faille. Si tu remarques la moindre chose suspecte, appelle-moi. »

Ferrario s'éloigna et Avner prit l'ascenseur jusqu'au sixième étage. Il ouvrit la porte de la terrasse et resta en silence, regardant la nuit qui recouvrait les montagnes du désert de Juda.

« C'est par là qu'il faudra que tu viennes me tuer, fils

de chien, grommela-t-il entre ses dents. Et je serai là pour t'attendre. » Puis il ferma la fenêtre et rentra dans le séjour. Il s'assit devant son ordinateur et fit passer toutes les informations de la banque de données sur tous les engins nucléaires connus ou supposés, pour voir s'il pouvait identifier un objet précis à partir des détails qu'il avait vus sur la vidéo.

Soudain, du coin de l'œil, il vit clignoter le signal de sa ligne privée. Sa montre marquait minuit passé de quelques minutes.

« Ici le portier de nuit, monsieur.

— Quoi de neuf, portier de nuit ?

— Le sarcophage a été ouvert et la momie a été identifiée.

— Avec certitude ?

— Oui. L'homme enseveli dans les sables de Ras Udash est Moïse, celui qui guida Israël hors d'Égypte. »

Avner se tut, pétrifié.

Puis il dit : « Ce n'est pas possible. Ce n'est absolument pas possible.

— Il y a des preuves irréfutables. On a dégagé sur le sarcophage une inscription qui l'identifie.

— Ce que tu dis est très grave, portier de nuit. Tu es en train de me dire que le guide d'Israël était un païen qui voulut mourir parmi les dieux à tête d'oiseau ou de chacal. Tu es en train de me dire que notre foi est inutile et que le pacte de Dieu avec Abraham n'a pas été observé.

— Je suis en train de dire que cet homme est Moïse, monsieur.

— Quelles possibilités d'erreur ?

— Très faibles, apparemment. Sur la poitrine de la momie, on a trouvé un scarabée qui portait son nom gravé.

— Je comprends... », dit Avner, hébété. Depuis le jour où on lui avait apporté la nouvelle de la mort de son fils au combat, il pensait qu'aucune nouvelle ne pourrait plus le secouer.

« Il y a autre chose, monsieur.

— Que peut-il y avoir d'autre, portier de nuit ?

— Demain au crépuscule, tout le mobilier de la tombe sera enlevé et vendu à un groupe d'extrémistes orthodoxes. Les gens de Jonathan Friedkin. Il peut y avoir encore d'autres objets qui n'ont pas été étudiés, qui apporteraient d'autres preuves sur l'identification. Il se peut que les hommes de Friedkin décident d'agir pour ne pas payer...

— Tu sais où aura lieu la livraison ?

— Pas exactement. Mais je pense qu'ils viendront par la piste de Mitzpe. Ils auront besoin de camions et c'est la seule route possible. Mais ils pourraient aussi venir de Shakarnut. Il y a une petite implantation de colons.

— Je vois.

— Vous voulez savoir autre chose ? »

Avner resta pensif quelques instants puis il dit : « Oui. À ton avis, le commando de la Delta Force est encore dans les parages de Ras Udash ?

— Il est resté une demi-douzaine de marines, je crois, mais ils vont partir eux aussi au plus tôt

— Très bien. C'est tout. Bonne nuit.

— Bonne nuit, monsieur. »

Avner raccrocha puis prit un autre téléphone et fit un numéro.

« Yehudaï, répondit une voix rauque.

— Ici Avner, général. Où es-tu ?

— À l'état-major.

— Écoute, il y a quelque chose de très grave : un groupe d'intégristes du Hamas a fait une opération au camp de la Warren Mining près de Mitzpe Ramon. Ils vont se servir de ce camp comme base arrière pour une série d'attaques terroristes au sud du pays. Et Be'er Sheva se trouve dans ce secteur. Tu te rends compte de ce que cela signifie ?

— Je m'en rends compte : ils pourraient tenter de désarmer notre force de représailles nucléaires.

— Détruis-les, général. Cette nuit même. Nous ne pouvons pas prendre le risque d'être menacés sur ce terrain, avec ce qui se prépare. Pas un ne doit en réchapper, général. Tu m'as bien compris ? Pas un.

— J'ai très bien compris, Avner, répondit le général Yehudaï. Pas un seul. Tu as ma parole. »

Avner raccrocha et alla à la fenêtre de la terrasse pour contempler la pleine lune qui s'élevait au-dessus des monts de Judée. Du coin de l'œil, il voyait sur sa table l'appareil, muet, de sa ligne privée.

« Adieu, portier de nuit, murmura-t-il. *Shalom.* »

11

William Blake revint à sa baraque et s'assit sur la marche d'entrée, réfléchissant à ce qu'il aurait à faire dans les prochaines vingt-quatre heures. Il pensait avoir agi sagement en ne révélant pas à Maddox l'identité du personnage inhumé dans la tombe de Ras Udash parce qu'il ne pouvait pas prévoir quel effet et quelles conséquences cette nouvelle pourrait avoir sur lui.

Plus il y pensait, plus il se rendait compte que le saccage et la dispersion de ce mobilier étaient une perte insupportable, qu'il désirait empêcher à tout prix. Son esprit avait échafaudé depuis quelque temps, presque automatiquement, une sorte de plan de sauvetage qui affleurait désormais comme la seule hypothèse praticable. Son attitude soumise durant l'entretien avec Maddox l'agaçait maintenant et il sentait qu'il lui fallait réagir au plus vite et prendre l'initiative. Mais il ne pouvait agir tout seul.

Il alla frapper à la porte de Sarah.

« Comment ça s'est passé ? » lui demanda-t-elle en le faisant entrer. Elle avait encore les cheveux mouillés après sa douche et elle ne portait qu'un T-shirt, comme si elle était sur le point d'aller se coucher.

« J'ai essayé par tous les moyens de le convaincre, mais il n'y a rien eu à faire.

— Le contraire m'aurait étonnée : toute sa morgue d'intellectuel, c'est du cinéma. Il n'y a que l'argent qui l'intéresse. Et à propos d'argent : il t'en a offert ?

— Oui, un crédit substantiel sur un compte en Suisse.

— Tu as accepté, j'espère. »

Blake se tut, embarrassé.

« Tu n'as pas fait l'imbécile... ?, insista Sarah, inquiète.

— Non, non, j'ai accepté... ou plutôt je lui ai laissé croire que j'étais disposé à accepter.

— L'important, c'est qu'il l'ait cru. Sinon, tu es un homme mort. »

Elle lui mit ses bras autour du cou et lui donna un baiser. « Je me suis habituée à l'idée que tu existes : ça m'ennuierait de devoir te considérer comme disparu.

— Moi aussi, si tu veux bien me croire.

— Alors, ne faisons pas les imbéciles. Demain soir, Maddox remettra tout aux fanatiques et tu lui donneras un coup de main, s'il en a besoin. Nous prendrons notre argent, nous nous en irons de ce bled et nous ferons comme si nous n'y avions jamais été. Moi, j'ai fait ce que j'avais à faire. Toi aussi. Si nous avions pu faire plus et mieux, nous l'aurions fait. Mais il est temps de décamper, crois-moi. Ici, il peut se déclencher d'un moment à l'autre un bordel que tu ne peux même pas imaginer... Au lieu de ça, après-demain nous serons sur un vol pour ces bons vieux États-Unis, et adieu.

« Dès que j'aurai réglé certaines choses, je viendrai te chercher pour passer un week-end au bord du lac. On loue un chalet et on reste là quelques jours. Je sais aussi cuisiner, tu sais...

— Sarah, je suis en train de penser à aller à Ras Udash. »

Sarah en resta muette.

« Et je veux que tu m'aides.

— Tu es fou à lier. Pour faire quoi à Ras Udash ? »

Blake sortit de sa poche un bloc-notes et fit un rapide croquis : « Écoute, quand nous avons vidé la galerie de l'éboulis... je n'ai pas tout enlevé. L'éboulis, dans sa partie supérieure, était assez tassé. Je l'ai arasé avec ma truelle de façon à lui donner l'allure du fond d'une niche, mais en quelques coups de pioche, nous pouvons ouvrir une voie vers le couloir latéral et voir où il conduit. Je pense qu'il devrait mener à quelque voie de sortie et peut-être même à une autre chambre.

— Et quand bien même ?

— C'est ça mon plan : si nous trouvons la sortie, je veux mettre à l'abri tout ce que je peux. Ensuite, fermer la galerie et bloquer les accès.

— Il me semble que tu ne te rends pas compte...

— Non, Sarah, j'ai déjà pensé à tout. Dans la tombe, il y a cinq pièces d'une certaine dimension : trois en bois et deux en calcaire peint. Celles de calcaire peuvent peser une cinquantaine de kilos, mais à deux, nous pouvons les transporter aisément. Les statues de bois sont légères. Les autres pièces, brûle-parfums, appuie-tête, candélabres, vases, coupes, armes et bijoux : il y en a cinquante-six et toutes de dimensions réduites. Il ne faudra pas plus d'une heure et demie. Encore une heure pour fermer le sarcophage : nous le faisons descendre en mettant des épaisseurs de plus en plus minces.

« Puis une demi-heure pour placer les charges et ensevelir tout l'ensemble sous une centaine de milliers de mètres cubes de sable. Il y a cette petite élévation tout de suite à l'est de l'ouverture pratiquée par Maddox. Si nous faisons exploser une charge à mi-côte, la pente suffira pour faire glisser l'éboulement jusqu'à l'ouverture et la boucher.

— J'ai compris, dit Sarah. Tu t'en fiches du week-end et de tout le reste, la seule chose qui t'intéresse, c'est ton foutu honneur académique. Tu rentres en Amérique, tu présentes ta documentation, puis tu reviens ici et tu ressors tout à la lumière du soleil : la découverte archéologique la plus sensationnelle de tous les temps. Excuses et applaudissements pour le grand William Blake et, si ça se trouve, la direction de l'Oriental Institute.

— Tu te trompes, je...

— Mais tu ne penses pas aux conséquences ? Ta découverte plongera dans la confusion les deux tiers de l'humanité, minera l'un des piliers de l'hébraïsme, de l'Islam et du christianisme.

— Râ et Amon sont morts, comme Baal et Tanit, Zeus et Poséidon. Le Yahvé d'Israël peut disparaître lui aussi sans que Dieu cesse d'exister.

— Je t'aiderai à mettre une charge explosive à l'intérieur de cette tombe : c'est ce qu'il y a de mieux à faire, crois-moi.

— Non, Sarah. Si cette tombe est parvenue intacte

jusqu'à nous après plus de trois mille ans, nous n'avons pas le droit de la détruire.

— Mais ton plan est irréalisable : nous ne pouvons pas nous éloigner du camp sans qu'ils s'en aperçoivent...

— Tu l'as fait.

— Nous n'avons pas d'explosif.

— Ce n'est pas difficile d'entrer dans le dépôt. Les ouvriers ont la clé. Trouve une excuse...

— Et nous ne savons pas ce qu'il peut bien y avoir derrière ce diaphragme au bout du couloir de l'éboulis. Il pourrait y avoir un autre éboulement, nous pourrions être pris au piège et mourir étouffés...

— Si tu ne m'aides pas, je le ferai tout seul. »

Sarah baissa la tête.

« Alors ?

— Je t'aiderai. Parce que, sinon, tu te feras tuer. Mais ensuite nous réglerons ça tous les deux.

— Ça me va.

— J'imagine que tu te rends compte que nous ne pourrons pas revenir. Tu as une idée de ce que nous ferons ensuite ?

— La voiture tout-terrain a toujours de l'eau et le plein d'essence. On prend un ou deux paquets de rations de survie et on s'en va. J'éviterais la piste de Mitzpe Ramon et je me dirigerais en revanche vers le sud par la vallée Arava jusqu'à Yotvata et Eilat. Là, on verra... Alors, je vais au magasin.

— Il vaut mieux pas. Je m'en charge. Tu éveillerais les soupçons. Rassemble tes affaires, remplis les gourdes et rejoins-moi au parking dans un quart d'heure. N'oublie pas la crème solaire : il n'est pas impossible que nous ayons chaud. »

Blake entra dans sa baraque et commença à préparer ses affaires. Il se sentait en proie à une étrange excitation parce que, désormais, cet emprisonnement était devenu insupportable et que l'idée de partir loin de ce campement et de ces gens lui semblait un rêve. Il regarda plusieurs fois sa montre, comptant les minutes, et il fuma nerveusement une dernière cigarette avant de sortir.

La lune ne s'était pas encore levée derrière les collines, mais une clarté diffuse vers l'orient indiquait que l'astre allait se montrer au-dessus du désert de Paran. Quelques minutes avant le rendez-vous, Blake éteignit sa cigarette, alla à la salle de bains et descendit par la petite fenêtre de derrière après avoir jeté son sac par terre.

Il s'arrêta un instant pour regarder vers le fond du campement et il vit une ombre qui s'approchait lentement du parking : Sarah.

Il rampa dans sa direction jusqu'au moment où il fut assez proche d'elle.

« Je suis là, murmura-t-il.

— Moi aussi, dit Sarah. Vas-y, dans une minute, nous nous en allons. »

Il s'approcha pour mettre son sac dans la benne, mais il n'eut pas le temps de faire un mouvement : on entendit le bruit du générateur et la zone s'illumina soudain *a giorno*.

« Restez où vous êtes ! dit une voix.

— Maddox, nom de Dieu ! jura Sarah. Saute ! Sauvons-nous ! »

— Arrêtez-les ! » cria Maddox à un groupe d'hommes qui arrivaient à ce moment-là à côté de lui.

Blake sauta dans la benne tandis que Sarah démarrait et partait à toute vitesse. Les hommes de Maddox se mirent à courir vers le parking et certains commencèrent à tirer en criant : « Stop ! »

« Qu'est-ce qu'ils font ? » cria Sarah qui ne voulait pas quitter la piste du regard. Blake se retourna et ce qu'il vit lui coupa le souffle : « Bon Dieu, dit-il en saisissant le bras de Sarah, regarde, regarde là-bas ! »

Sarah se retourna un instant et elle vit des phares fendre le ciel sombre puis elle entendit un battement de pales et le vacarme de moteurs poussés au maximum : « Des hélicoptères d'assaut ! s'écria-t-elle. Fichons le camp ! ». Elle accéléra à fond pendant que les hommes de Maddox sautaient dans la jeep et manœuvraient pour sortir du parking.

Ils n'en eurent pas le temps : l'obscurité fut immédiatement déchirée derrière eux par une série d'éclairs aveuglants et par le fracas assourdissant des canons qui atteignaient avec une précision meurtrière les baraques, les voitures, les dépôts. Le bruit des canons était accompagné du crépitement des armes automatiques qui balayaient le sol dans le cône de lumière des projecteurs frontaux en soulevant des jets de sable et en projetant vers le ciel des centaines de pierres incandescentes comme des météores.

Les jeeps sautèrent en l'air comme des jouets de fer-blanc puis un grondement secoua les montagnes et un gigantesque globe de feu illumina le territoire à une distance de plusieurs kilomètres quand le dépôt des explosifs fut touché.

« Que se passe-t-il ? Que diable se passe-t-il ? » criait Sarah qui ne pouvait pas détourner le regard parce qu'elle conduisait.

« Les hélicos ont attaqué le campement et sont en train de le raser, cria Blake. C'est l'enfer : ils tirent avec tout leur armement sur tout ce qu'ils voient. »

Sarah avait éteint les phares et roulait avec les seuls feux de position pour ne pas se faire voir.

« Ils descendent, maintenant, cria Blake qui regardait en arrière. Le camp est caché derrière les collines, mais je vois les hélicoptères qui descendent en faisant des cercles de plus en plus larges. »

Les hélicoptères disparurent derrière la ligne des collines, mais le reflet des phares et le sillage des balles traçantes embrasaient le ciel comme la clarté d'une aube irréelle.

Pendant un instant, on n'entendit que le battement des pales des rotors et le bruit des moteurs, puis le crépitement des armes automatiques reprit.

« Ils se sont posés. Ils sont sans doute en train de ratisser le terrain. Accélère ! Nous devons nous éloigner le plus vite possible.

— Nous avons fait presque cinq kilomètres. Maintenant, nous devrions être en sécurité. »

Pendant ce temps, la lune commençait à s'élever dans le ciel, diffusant une intense clarté sur la surface blanchâtre du désert et Sarah put garder une allure soutenue ; elle accéléra encore quand elle entra dans la zone plate de la hamada.

Le tout-terrain filait comme un bolide, laissant derrière lui un nuage laiteux de poussière blanche que traversaient les rayons de la lune.

Quand ils arrivèrent à proximité de Ras Udash, Sarah

coupa le moteur, descendit et se laissa tomber au sol, complètement épuisée.

Blake s'approcha d'elle : « Je n'ai jamais conduit cet engin, mais j'aurais pu te relayer si tu m'avais dit comment ça...

— Laisse tomber. Nous avons sauvé notre peau par miracle. Une minute de plus et...

— Mais qui était-ce ?

— Je ne sais pas. Je n'ai rien vu parce qu'il fallait que je regarde où je mettais les roues. Est-ce que, par hasard, tu aurais vu des emblèmes sur les hélicos ?

— C'était un enfer : des explosions, des trajectoires de balles traçantes, des éclairs... je n'ai réussi à rien distinguer ; et ensuite, nous nous sommes éloignés à toute vitesse.

— Maddox a dû piétiner les plates-bandes de quelqu'un qui l'a mal pris, dit Sarah. Bon sang, nous nous en sommes tirés mais il s'en est fallu d'un souffle.

— On voit encore le reflet des incendies dans la direction de Mitzpe, regarde. »

Sarah se leva et scruta l'horizon vers le nord, où l'on voyait confusément palpiter des lumières derrière la ligne basse et ondulée des collines.

« Oui, dit-elle. Et maintenant, qu'est-ce que tu as l'intention de faire ? Il me semble que ton plan n'a plus grand sens.

— C'est vrai, mais je veux quand même descendre dans l'hypogée pour contrôler le couloir latéral et fermer le sarcophage. Ensuite, je placerai les charges. »

Il prit la pelle du tout-terrain et dégagea la surface de la plaque d'acier. Puis il prit le câble du treuil et l'accrocha à l'anneau.

« Écoute, lui dit Sarah. Allons-nous-en tout de suite. On peut s'être aperçu que nous nous sommes échappés. Il n'est pas dit que nous soyons en sécurité, même ici.

— Aide-moi, vite, fit Blake comme si elle n'avait rien dit. Mets en marche et tire la plaque de couverture. Il suffit que tu dégages cinquante centimètres pour qu'on puisse entrer. Nous descendrons avec une corde. »

Sarah obéit, mit en marche arrière et accéléra : le tout-terrain s'enfonça à plusieurs reprises dans la hamada, dérapa à gauche et à droite jusqu'à ce qu'il trouve un peu d'adhérence, puis il commença à tirer : la plaque glissa lentement, découvrant une partie de l'orifice d'accès. Blake attacha une corde à sa ceinture, l'autre bout à l'anneau de la plaque et se laissa descendre à l'intérieur.

Il alluma une torche au néon et regarda autour de lui : tout était en ordre et le couvercle du sarcophage reposait encore sur la grossière machinerie d'élévation qu'il avait fabriquée. Il enleva la feuille de plastique qui enveloppait le sarcophage, monta sur l'escabeau, et fixa, concentré et immobile, le masque qui recouvrait le visage de la momie.

L'impressionnant réalisme du portrait restituait les traits d'un visage majestueux et austère, l'expression puissante et sévère d'un homme habitué à guider des multitudes par la seule force de son regard.

Il sursauta comme s'il s'éveillait brusquement quand il sentit la main de Sarah lui toucher le bras.

Il descendit en silence et relia avec un piquet les leviers de chacun des deux couples de vérins, de façon qu'ils pussent être actionnés simultanément par une seule personne. Il les tendit, avec l'aide de Sarah, pour libérer les supports du poids du couvercle, remplaça ceux-ci par d'autres, de moindre épaisseur, et détendit les vérins, abaissant à chaque fois le couvercle de quelques centimètres jusqu'à la fermeture totale.

« Nous avons mis soixante-cinq minutes, dit-il quand ils eurent fini, en s'épongeant le front et en regardant sa montre. Plus que prévu.

— On met toujours plus de temps que prévu, dit Sarah. Et maintenant, allons-nous-en, s'il te plaît, pendant qu'il fait encore sombre. »

Blake se retourna en direction du couloir latéral d'où il avait ôté l'éboulis : « Je veux voir ce qu'il y a là, dit-il en saisissant une pioche.

— Allons-nous-en, insista Sarah. Je n'aime pas cet endroit. Et puis tu n'as pas fini de me raconter cette histoire de malédiction...

— Nous n'avons pas eu beaucoup de temps pour les explications.

— Effectivement. En tout cas, il est temps de partir. Fermons ce trou, faisons sauter les explosifs et filons vers Yotvata. Si cet engin-là dehors tient le coup, nous pouvons espérer atteindre Eilat avant que le temps ne change. Le tout-terrain peut rouler au maximum à soixante-dix à l'heure, ce qui veut dire une moyenne de quarante, cinquante. Tu y as réfléchi ? Bon Dieu, tu pourras toujours revenir ici quand tout se sera calmé et tu pourras creuser jusqu'au centre de la terre si tu veux. Mais maintenant, allons-nous-en.

— Une demi-heure, seulement, implora Blake. Laisse-moi seulement une demi-heure et ensuite, nous nous en irons. Je ne sais pas si je pourrai revenir ici un jour : je veux voir ce qu'il y a là-derrière. Donne-moi de la lumière, s'il te plaît. »

Sarah tourna sa lampe vers le couloir de l'éboulis et Blake commença à creuser le fond compact comme s'il démolissait un mur. Au bout de quelque temps, il sentit que sa pioche rencontrait le vide.

« Je le savais, dit-il de plus en plus excité. Il y a une cavité de l'autre côté. »

Haletant, il élargit l'ouverture et demanda sa lampe à Sarah pour éclairer l'espace derrière la masse de débris.
« Qu'est-ce qu'il y a ? demanda Sarah.

— Le reste de l'éboulis ; il bouche partiellement une galerie qui monte comme une espèce de rampe.

— Il nous reste encore un quart d'heure, dit Sarah. Tu as promis.

Blake continua à creuser avec sa pioche et à tirer en arrière les débris jusqu'à ce que s'ouvrît un passage suffisant pour laisser passer une personne.

« Viens », dit-il tout en commençant à avancer de l'autre côté.

Sarah le suivit, hésitante, en éclairant le passage étroit. Ils firent environ une dizaine de mètres ; Sarah s'arrêta soudain, tendant l'oreille.

« Qu'est-ce qu'il y a ? demanda Blake.

— Les hélicos... Bon sang, ils ont attendu qu'il fasse jour et ils ont suivi les traces du tout-terrain.

— Sarah, ce n'est pas sûr. Nous avons vu des hélicoptères passer par ici d'autres fois... »

Mais le bruit se faisait plus fort et plus proche. Et peu après, on entendit le crépitement d'une mitrailleuse.

Sarah cria : « Sortons d'ici, vite ! » Et elle allait retourner en arrière quand une explosion fit trembler le sol sous leurs pieds ; un éclair illumina l'hypogée et le couloir, qui furent aussitôt secoués par un grondement sourd et plongés dans l'obscurité.

« Ils ont touché le tout-terrain et les explosifs. Nous sommes enterrés là-dessous !

— Pas encore, fit Blake. Vite, par ici. Éclaire-nous, éclaire-nous ! »

On entendit une autre explosion.

« Les réservoirs d'essence... », dit Sarah en grimpant péniblement la rampe. On entendit alors derrière eux un bruit sinistre, une espèce de craquement puis un bruit plus fort de rochers qui s'écroulaient.

« Mon Dieu, les vibrations font s'écrouler le tunnel, cria Sarah. Vite, courons, vite ! »

Tandis qu'ils couraient, suivis par un effondrement continu de roches et de sable, dans une poussière étouffante, que la lampe au néon perçait à peine, Blake s'arrêta brusquement, comme pétrifié, regardant vers la gauche du tunnel où s'ouvrait une sorte de niche.

« Viens ! cria Sarah. Qu'est-ce que tu attends ? Vite ! Vite ! »

Mais Blake semblait paralysé par ce qu'il voyait, ou peut-être par ce qu'il croyait voir, devant lui : un éclat confus d'ailes d'or dans le nuage de poussière blanche sous la voûte de pierre, les reflets, voilés, d'un trésor.

Sarah l'attrapa par un bras et le secoua un instant avant que la voûte du tunnel ne lui tombât sur la tête. Elle continua à le traîner jusqu'au moment où elle se sentit défaillir.

Ils s'écroulèrent au bout de la galerie : ils n'avaient plus la moindre force.

On n'entendait plus aucun bruit : seuls quelques cailloux continuaient à tomber des parois. La poussière s'éclaircissait lentement et on pouvait voir qu'un souffle d'air l'entraînait lentement vers le haut.

« Il y a une ouverture là-haut, haleta Sarah. Peut-être pouvons-nous y arriver. »

Blake se releva le premier ; il ruisselait de sang ; il avait été atteint et griffé par les pierres tombées de la voûte ; il avait les mains en sang et le visage maculé de sueur et de poussière blanchâtre. Il brandissait encore sa pioche et semblait avoir perdu la tête.

« Il faut que je retourne là-bas, dit-il en se retournant. Tu ne peux pas imaginer ce que j'ai vu... »

Sarah le saisit par les deux bras et le poussa contre la paroi : « Pour l'amour de Dieu, Will, nous devons sauver notre peau. Si nous ne sortons pas d'ici, nous mourrons. Allons-nous-en d'ici, pour l'amour de Dieu, allons-nous-en... »

Blake sembla sortir de son étrange catatonie et se remit à marcher vers le haut, continuant à se retourner de temps en temps, jusqu'au moment où ils virent un peu de lumière.

C'était un mince rayon qui filtrait d'une fissure au bout du tunnel – lequel semblait s'arrêter en cet endroit.

Blake s'approcha et leva sa pioche pour élargir la fente mais il vit alors tomber de la poussière et entendit des voix étouffées. Il fit signe à Sarah de rester immobile et de ne pas faire le moindre bruit puis approcha son oreille de la fissure : on entendait un bruit de pas qui s'éloignaient et, plus loin, celui d'un hélicoptère et le battement des pales d'un rotor qui tournait au ralenti.

« Ils se sont posés, souffla-t-il. Ils ratissent la zone, ils nous recherchent probablement.

— Tu arrives à entendre quelle langue ils parlent ? demanda Sarah.

— Non, ils sont loin maintenant et leurs voix sont couvertes par le bruit de l'hélico. Je propose d'essayer de sortir : comme ça, nous pourrons voir. »

Il élargit la fente avec sa pioche jusqu'à pouvoir passer la tête puis les épaules et il se retrouva à l'intérieur d'une petite grotte où stagnait une insupportable puanteur d'urine. Au fond, il y avait des traces fraîches de bottes militaires.

Quand il fut complètement sorti, il aida Sarah.

« Mon Dieu, dit celle-ci, qu'est-ce que c'est que cette puanteur ?

— Simplement de l'urine de bouquetin. Ils utilisent ces grottes comme abris pour la nuit et le sable du fond est complètement imprégné de leurs excréments. J'en ai vu des tas dans tout le Moyen-Orient. Viens, allons voir ce qui se passe. » Mais, comme il disait ces mots, il entendit le moteur de l'hélicoptère qui accélérait et le sifflement des pales qui vrillaient l'air.

Ils rampèrent sur le fond de la grotte, arrivant à son entrée, et se retrouvèrent sur le flanc de la colline de Ras Udash, qui dominait le chantier où ils avaient travaillé durant tant de jours et d'où s'élevait maintenant une dense colonne de fumée noire. L'hélicoptère était loin.

« Mon Dieu, quel désastre ! » dit Blake.

Le tout-terrain avait été détruit en plein et ses restes gisaient, éparpillés un peu partout. L'explosion avait creusé un cratère, et les débris, en retombant, avaient formé un énorme tumulus là où il y avait précédemment l'entrée de l'hypogée.

Il y avait deux charges d'explosif et quatre bidons d'essence. « Une sacrée explosion », commenta Sarah. Elle regarda l'hélicoptère, tout petit maintenant dans le ciel gris.

« Tu as vu s'ils avaient des emblèmes ? » demanda-t-elle.

Blake secoua la tête : « Je n'ai rien vu. Tu as observé les traces de bottes ? »

Sarah jeta un coup d'œil sur les empreintes dessinées un peu partout autour de l'entrée de la grotte : « Amphibies. Type OTAN. C'est ce qu'il y a de plus courant : des dizaines d'armées les ont en dotation. Pour ce que j'en sais, elles pourraient être égyptiennes, américaines, saoudiennes, israéliennes. En tout cas, l'hélicoptère était occidental. Mais ça non plus, ça ne nous dit pas grand-chose. »

Elle ouvrit son sac à dos : « Il ne nous reste que les provisions que nous avions emportées. Toi, qu'est-ce que tu as ? »

Blake ouvrit son petit sac : « Une gourde d'eau, quelques barres de céréales, deux ou trois boîtes de viande, des crackers, une boîte de dattes et une de figues séchées.

— C'est tout ?

— Des allumettes, de la ficelle, des aiguilles et du fil, un couteau suisse, une savonnette, de la crème solaire. Les bricoles habituelles... et puis aussi une carte topographique, une boussole. »

Il se mit à descendre vers la plaine déserte. Le ciel commençait à s'éclaircir et un vent froid du nord se levait, couchant au sol la colonne de fumée et la faisant serpenter au loin entre les rochers et les pierres de la hamada.

Soudain, Sarah vit Blake se tourner vers sa gauche et se baisser pour ramasser quelque chose.

Elle s'approcha : « Qu'est-ce que c'est ? »

William Blake se retourna : il tenait entre ses mains une bible aux pages brûlées par l'explosion.

« Rien d'autre n'en a réchappé, dit-il. Rien d'autre...

— Si c'étaient des Occidentaux, ils l'auraient ramassée, tu ne crois pas ? C'étaient peut-être des Arabes... Ah ! inutile de se torturer les méninges. Nous n'arriverons à rien, je crains. »

Ils s'assirent par terre et burent avec parcimonie de l'eau de leurs gourdes. Puis Blake prit son paquet de cigarettes dans sa poche et en alluma une, en continuant à fixer le nuage de fumée qui rampait sur l'étendue déserte. Il semblait loin, absent.

« La route de Yotvata. C'est encore la meilleure solution, dit Sarah. Si nous rationnons l'eau et les vivres, nous pouvons y arriver. Il y a environ cent trente kilomètres.

— Bien sûr. Si la tempête ne nous surprend pas cette nuit.

— Rien ne dit qu'elle doive toucher cette zone.

— Non. Mais c'est possible.

— Will.

— Oui.

— Pourquoi t'es-tu arrêté dans ce tunnel ? Tu as failli mourir.

— J'ai vu...

— Quoi ?

— Des ailes d'ange... en or. »

Sarah hocha la tête : « Tu es fatigué. Tu as des visions...

— J'ai peut-être seulement cru voir...

— Voir quoi, au nom du ciel ?

— Les anges d'or agenouillés... au-dessus de l'Arche. Et il y avait d'autres objets, des vases, des encensoirs... »

Sarah le regarda dans les yeux, ahurie : « Mon Dieu, Will, tu es sûr d'avoir tous tes esprits ?

— Oui. Et finalement, tout s'éclaire. Je sais pourquoi il y avait cette sandale dans la tombe et je sais peut-être à qui elle appartenait. » Sous les yeux de Sarah, il se mit à feuilleter la Bible brûlée : « Tu vois ? Je l'ai découvert ici... dans un passage du Livre des Macchabées. »

Sarah le fixa d'un regard plein de stupeur et se serra dans son blouson de coton. Celui-ci la protégeait mal du vent perçant qui soufflait de plus en plus fort du nord.

« Cette sandale remonte plus ou moins à l'époque où les Babyloniens, conduits par le roi Nabuchodonosor, assiégèrent Jérusalem. Quelqu'un a dû se rendre compte que les païens allaient bientôt faire irruption dans la ville, profaner le Temple, saccager le trésor, emporter l'Arche. Par quelque passage secret qu'il était seul à connaître, il emporta ces trésors au loin. Son but était un lieu dans le désert de Paran où s'était élevé le premier sanctuaire sous la tente, au pied du mont Sinaï. Là, il pensait cacher l'Arche, là où elle avait été la première fois. Peut-être a-t-il trouvé cette petite grotte par hasard et a-t-il pensé que cela pourrait être une bonne cachette, ou peut-être savait-il qu'il y avait une grotte à proximité de l'ancien sanctuaire de la Tente et s'y est-il dirigé intentionnellement.

« Il descendit dans le tunnel et déposa son trésor dans une niche qui s'ouvrait dans la paroi...

— Et ensuite ? » demanda Sarah, fascinée et comme étourdie de vertige par ce passé si éloigné d'elle.

Blake reprit : « L'homme avait accompli son devoir et s'apprêtait à revenir sur ses pas mais ce tunnel qui s'enfonçait dans les entrailles de la terre et qui semblait avoir attendu sa visite depuis tant d'années, attira irrésistiblement sa curiosité et lui, au lieu de remonter, commença à descendre.

« Il éclairait sans aucun doute ses pas à la lumière incertaine d'une lanterne et quand, sans le savoir, il se retrouva derrière l'entrée de cette tombe, il déclencha sans s'en rendre compte le grossier mécanisme qui la protégeait et il fit s'écrouler une masse énorme de terre et de cailloux. C'est alors que, entraîné à l'intérieur de la tombe par cet éboulement soudain, il perdit sa sandale, le seul objet qui, dans ce petit univers funèbre, vienne d'une autre époque.

« Il est probable qu'il fut entraîné lui aussi vers le bas, mais l'éboulement s'arrêta bientôt parce que, sans doute, quelque infiltration d'eau en avait cimenté une partie avec le calcaire. Toute l'entrée n'avait pas été obstruée et il put probablement voir l'intérieur de la tombe et lire les premières lignes de l'inscription, si, comme il est probable, il connaissait les hiéroglyphes égyptiens.

« S'il devina la vérité, il dut en rester bouleversé. Il regagna la sortie en proie au désespoir et disparut sans laisser de trace.

— Qui était cet homme ? Tu as dit que tu savais à qui appartenait cette sandale ? » demanda Sarah.

Blake feuilleta les dernières pages du gros volume à demi brûlées par les flammes : « Ce volume contient un appendice précieux : les apocryphes de l'Ancien Testament.

« Ce sont des textes que j'ai lus bien souvent à l'occasion de mes recherches, mais en relisant un passage en particulier l'autre nuit, j'ai eu une illumination.

— Quel passage ? » demanda de nouveau Sarah qui n'arrivait toujours pas à comprendre comment cet homme pouvait lire des indices vieux de trente siècles comme un détective qui arrive sur la scène d'un crime quelques heures après qu'il a été commis.

« C'est un texte apocryphe de Baruch. Il dit que, pendant le siège de Jérusalem, son maître disparut de la ville et resta absent deux semaines. Son maître était celui-là même dont parle le Livre des Macchabées : le prophète Jérémie ! Et deux semaines, c'est exactement le temps nécessaire pour venir ici de Jérusalem à dos de mulet et y revenir. Oui, l'homme à la sandale était Jérémie, le prophète qui pleura la désolation de Jérusalem, abandonnée par ses habitants et traînée en esclavage par ses rois. »

Sarah ne dit rien et resta à le regarder intensément tandis qu'il fixait le vide devant lui, avec le vent qui soufflait dans ses cheveux blancs de poussière et dans son âme déserte.

« Allons-y, Blake, dit-elle soudain. Il faut qu'on se remue. La route est longue et difficile. Si la tempête de sable nous prend en route, cette fois, nous sommes vraiment perdus.

— Un instant, demanda Blake. « Je t'ai tout raconté à mon sujet, mais je ne sais encore pas qui tu es.

— Je suis vraiment une technicienne : tu l'as vu toi-même. Et j'ai fait mon travail pour la Warren Mining. Mais j'y ai été introduite par une organisation privée qui travaille pour le compte du FBI. Ils ont depuis longtemps Maddox dans le collimateur et le bureau trouvait que cette campagne, à cet endroit et en cette saison, était suspecte.

C'est tout. Mais je ne travaille pas comme un employé : j'ai mon point de vue et ma façon d'agir et, quand je suis en situation, j'agis comme je l'entends.

— Je m'en suis aperçu.

— C'est vrai : en un premier temps, je ne t'ai pas fait confiance parce que, dans mon travail, je sais que je ne dois faire confiance à personne. Ensuite, j'ai seulement cherché à te tenir le plus possible à l'écart parce que j'étais sûre que, d'une façon ou d'une autre, tu trouverais le moyen de te faire tuer. Et maintenant, s'il te plaît, allons-nous-en. »

Ils avancèrent sur la lande déserte, à travers une étendue plate et désolée, parsemée çà et là de buissons épineux brûlés par la sécheresse. Le soleil s'était élevé au-dessus de l'horizon, commençant à chauffer l'atmosphère, et la plaine sans fin scintillait des innombrables éclats de silex noir qui la couvraient à perte de vue.

Quand le soleil fut haut dans le ciel, ils s'arrêtèrent pour manger une bouchée mais il n'y avait pas un brin d'ombre où s'abriter des rayons brûlants du soleil.

Blake chercha à faire le point sur la carte topographique tandis que Sarah grignotait une barre de céréales.

« Et dire que, dans le bureau, il y avait un GPS portable... Avec ça, nous saurions exactement où nous sommes avec une approximation maximale de dix mètres.

— Il faut nous arranger avec ce que nous avons, dit Blake. À vue de nez, nous avons dû parcourir une quinzaine de kilomètres. Si nous continuons comme ça, dans la soirée, nous devrions couper la piste de Be'er Menuha, approximativement à cet endroit », dit-il en posant son doigt sur la carte.

Il regarda vers l'orient où le ciel se voilait d'une brume laiteuse.

« Tu ne m'as encore pas dit ce qu'il y avait sur le reste de l'inscription, observa Sarah.

— En effet », répondit Blake, qui replia la carte, rangea la boussole et se mit en marche sous le soleil aveuglant.

Selim Kaddoumi atterrit le soir du 5 février à l'aéroport de Louqsor et se fit conduire en taxi dans la banlieue de la ville ; il paya et s'éloigna à pied.

Il lui fallut une vingtaine de minutes pour arriver à la vieille maison où n'était restée que sa mère : celle-ci, de prime abord, ne voulait pas ouvrir, ne pouvant croire que c'était vraiment lui et qu'il se présentait à cette heure nocturne sans même l'avoir avisée.

« Mère, lui dit-il, je vous expliquerai tout plus tard. Pour l'instant, j'ai quelque chose d'important à régler. »

Il quitta aussitôt ses vêtements occidentaux, mit une djellaba et sortit rapidement par la porte de service. Il marcha près d'une demi-heure pour se retrouver dans une zone solitaire aux confins du désert. Il y avait un bouquet de palmiers non loin d'un puits ; peu après, il vit arriver un jeune garçon avec une outre sous le bras. Celui-ci commença à puiser de l'eau.

Il s'approcha de lui et lui dit : « *As-salam 'aleyk*, n'est-ce pas une heure un peu tardive pour tirer de l'eau ? On risque de tomber dans le puits, avec cette obscurité.

— *'Aleyk salam, el sidi*, répondit le jeune garçon sans se troubler. On tire de l'eau quand on a soif. »

Selim se découvrit et s'approcha « : Je suis Kaddoumi, dit-il. Où est Ali ? »

— Partons d'ici, dit le jeune garçon. Suis-moi. » Ils prirent un sentier éclairé comme en plein jour par la pleine lune et atteignirent le haut d'une petite colline. Au fond, on voyait, au centre de la vallée, le village d'El-Gournah. Ils s'arrêtèrent devant une masure à mi-pente. L'enfant poussa la porte et fit entrer son compagnon.

« Je ne vois personne, ici, fit Selim.

— J'imagine qu'Ali t'a dit qu'il est surveillé. Il y a dans le secteur les mêmes gens que l'autre fois, tu comprends ? Il faut être extrêmement prudent. Tu as l'argent ? »

Selim fit signe que oui.

« Alors, attends ici. À une certaine heure de la nuit, Ali arrivera. Si au lever du soleil tu ne l'as pas vu, reviens demain soir sans te faire voir et attends de le voir arriver... *Inch Allah*.

— *Inch Allah* », dit Selim.

Le jeune garçon referma la porte et le bruit de ses pas se perdit au loin sur le sentier qui menait à El-Gournah.

Selim éteignit la lanterne et attendit en silence dans le noir, en fumant une cigarette. Quand ses yeux furent habitués à l'obscurité, la chambre nue, crépie à la boue séchée, lui parut presque lumineuse sous les rayons bleutés de la pleine lune. Son long voyage l'avait fatigué et, malgré l'heure tardive, il cherchait à rester éveillé à tout prix. Il fumait, cigarette sur cigarette, et se levait de temps en temps pour marcher de long en large dans la petite pièce. Parfois, il jetait un coup d'œil par les fentes des volets pour voir si quelqu'un montait la rue.

À un moment donné, il fut vaincu par la fatigue, laissa aller sa tête sur le dossier de la chaise et s'assoupit. Il dormit aussi longtemps que la fatigue l'emporta sur l'inconfort et la dureté de son siège. Quand il rouvrit les yeux et qu'il regarda autour de lui, il vit qu'était tombée une étrange obscurité et que la pièce était plongée dans une lumière trouble et rougeâtre. Il s'approcha de la fenêtre pour regarder dehors et vit devant lui le disque de la lune suspendu au-dessus des maisons d'El-Gournah, voilé d'une ombre rouge qui le recouvrait presque complètement.

Une éclipse comme il n'en avait jamais vu de sa vie : l'ombre ne cachait pas le disque lunaire mais le voilait d'une brume couleur sang, et ce visage transfiguré de l'astre des nuits avait fait descendre sur la vallée un silence total et profond, comme si même les animaux de la nuit regardaient, interdits, cette inquiétante transfiguration.

Il se sentait affreusement las et pensa à s'en aller mais, au moment où il prit sa valise, il vit la porte s'ouvrir et une silhouette sombre l'occuper presque totalement. Il tressaillit.

« Ali, c'est toi ? » dit-il.

La silhouette sembla osciller un instant puis elle tomba en avant. Selim la retint avant qu'elle ne s'effondrât au sol et l'allongea délicatement en mettant sa veste sous sa tête. « Ali... c'est toi ? » Il alluma son briquet et reconnut le visage de son ami, d'une pâleur de mort. Et, quand il retira la main de son dos, il vit qu'elle était pleine de sang.

« Oh, Allah miséricordieux... Mon ami... mon ami... qu'est-ce qu'on t'a fait ?

— Selim... râla le jeune homme. Selim... le papyrus... » À son front, perlait une sueur froide.

« Où est-il ? Où est-il ?

— Winter Palace... l'homme chauve aux moustaches rousses... il a un sac rouge avec des fermoirs... d'argent. »

Il tourna ses yeux pleins de terreur vers la lune rouge puis s'affaissa avec un long soupir.

Selim regarda autour de lui, hébété, puis il tendit l'oreille vers un son lointain : des sirènes. Dans quelques minutes, il se retrouverait comme le docteur Blake, mais dans une situation bien plus dangereuse. Il devait partir immédiatement. Il ferma les yeux de son ami et sortit dans la nuit en courant le plus vite qu'il pouvait vers le fond d'un oued qui coupait en deux la vallée sur sa droite à une distance d'environ huit cents mètres.

Il eut à peine le temps de se jeter au sol derrière un rocher, qu'il vit deux véhicules de la police monter la colline à toute vitesse et s'arrêter devant la petite maison où gisait son ami mort. S'il y était resté ne fût-ce que quelques secondes de plus, il aurait été pris, les mains ensanglantées, à côté d'un cadavre.

Il attendit qu'ils fussent partis et, s'étant assuré qu'il n'y avait personne dans le secteur, s'achemina lentement vers le sentier par lequel il était arrivé.

Quand il fut dans la cour, chez lui, il alla tirer un seau d'eau au puits et y plongea les mains. L'eau se colora de rouge.

12

Fabrizio Ferrario entra dans le bureau d'Avner avec une valise noire qu'il posa par terre devant la table de travail de son chef.

« Voici comment ils font pour se déplacer dans la tempête de sable », dit-il en faisant jouer les serrures.

Avner se retourna et fit le tour de sa table.

« Qu'est-ce que c'est ? » demanda-t-il en jetant un regard à l'appareil disposé à l'intérieur de la valise.

« Un radiophare. Ils en ont mis partout le long des voies d'invasion. Ils avancent dans la brume la plus épaisse en se guidant sur le signal émis par ces engins.

— Et nous, nous ne pouvons utiliser nos hélicoptères et notre aviation qu'à vingt pour cent de leurs possibilités. Les conditions climatiques à l'est du Jourdain sont prohibitives... Comment as-tu réussi à mettre la main sur cet appareil ?

— Ils en ont mis dans les tentes bédouines, un peu partout. J'ai réussi à en intercepter un grâce à un informateur. Quelles sont les prévisions météo ?

— Exécrables : pendant vingt-quatre heures encore, ça va empirer. Quand ça s'éclaircira, nous risquons de les trouver devant chez nous. »

Ferrario ferma la valise.

« Je dois aller à la réunion avec l'état-major et les experts américains. Il faut que tu viennes aussi. Je sais malheureusement déjà que nous n'aurons que de mauvaises nouvelles, mais au moins, nous saurons de quelle mort nous devons mourir. Emporte la valise. »

Ferrario prit le volumineux bagage et le traîna jusqu'à l'ascenseur, il attendit qu'Avner fût entré et appuya sur le bouton pour descendre. La voiture de l'état-major les attendait dans la rue ; ils s'assirent à l'arrière.

« Il paraît que ceux qui ont envoyé la cassette se sont manifestés : c'est pour ça que les Américains seront aussi à la réunion d'aujourd'hui. Il faudrait leur flanquer des coups de pied au cul. Ils nous ont empêché d'agir en avance et maintenant, ils vont nous dire qu'ils ne peuvent rien faire. Tu peux en être sûr.

— Avec trois bombes atomiques chez eux, on ne peut même pas les blâmer », commenta Ferrario.

L'auto s'arrêta devant le 4, rue Ashod, et Ferrario confia aux hommes de garde la charge de faire monter au quatrième étage, où avait lieu la réunion, l'encombrant bagage qu'il apportait.

Étaient présents les mêmes hommes qui avaient participé à la première réunion. En même temps qu'Avner, entrèrent le général Yehudaï, chef d'état-major, et le commandant de l'armée.

De l'autre côté de la table étaient assis trois hommes en civil qui venaient d'arriver de l'ambassade des États-Unis. Avner fit signe à Ferrario d'attendre dehors avec sa valise et il entra en saluant les présents. À leur mine, il était facile de comprendre qu'il n'y avait aucune bonne nouvelle à attendre.

L'un des trois, le général Hooker, du Pentagone, commença à parler, non sans gêne :

« Nous avons le regret d'admettre que nous nous sommes trompés..., commença-t-il. Le général Yehudaï avait raison : la présence des engins nucléaires que nous avons vus sur la cassette remise au *Tribune* est directement liée à ce qui se passe dans cette région du monde. Il y a eu un appel au département d'État et une voix enregistrée a prononcé le message que vous allez entendre. »

Il pressa le bouton d'un magnétophone. La cassette fit entendre une voix étrange, au timbre métallique, complètement dépourvue d'accent :

« *Tandis que vous écoutez ce message, se déroule l'attaque des forces islamistes contre l'entité sioniste pour la balayer une fois pour toutes des territoires qu'elle a usurpés avec l'aide des impérialistes américains et européens. Il s'agira d'un choc loyal parce que, cette fois, il ne pourra y avoir aucune intervention extérieure. Si le gouvernement américain ou l'un quelconque des gouvernements qui sont ses alliés intervenait, les armes nucléaires qui vous ont été montrées et qui se trouvent sur le territoire des États-Unis seraient immédiatement armées.* »

Suivit un léger ronronnement puis le silence. Tous les présents s'entre-regardèrent. Avner ne dit rien, pensant que ce qu'il avait à dire, tout le monde le savait déjà, mais son regard était plus éloquent que mille paroles.

« La menace est hélas absolument crédible. Nos experts ont vérifié que le document vidéo était authentique et original et, comme vous le savez, les terroristes en sont arrivés à un tel point de cynisme qu'ils nous ont permis de retrouver les lieux où il a été filmé, avec des traces physiques de l'opération représentée, de façon qu'il ne puisse subsister aucun doute.

— J'imagine que la nouvelle a été tenue secrète, dit le ministre de l'Intérieur.

— En effet, dit le général Hooker, mais si nous réussissions à établir où se trouvent les bombes, alors on mettrait en œuvre des mesures de neutralisation et, en même temps, un programme d'évacuation de la population. Des avions embarquant des appareils très sophistiqués survolent le territoire des États-Unis pour chercher à localiser d'éventuelles sources de radiations, mais il s'agit d'une opération dont l'issue est incertaine.

« Il est assez vraisemblable que nos ennemis ont fait en sorte de masquer les engins pour éviter un repérage possible par nos instruments. Les tentatives d'intercepter d'éventuelles communications de leur part n'ont, pour l'heure, donné aucun résultat.

« Malheureusement, tout le pays est pris en otage par ces criminels et n'a pour le moment aucune possibilité de secourir qui que ce soit parce qu'il ne peut même pas s'aider lui-même. Désormais, nous ne pourrons pas prendre le risque de participer à d'autres réunions comme celle-ci, parce que, si elles étaient découvertes, elles pourraient être considérées comme une forme d'aide et déchaîner les représailles. »

Il baissa la tête et se tut.

« Je vous remercie, général Hooker, dit le président

Schochot. Nous nous rendons compte de votre situation et nous vous sommes reconnaissants : c'est à cause de l'amitié que vous nous avez toujours témoignée que vous devez supporter cette effrayante menace. » Il s'adressa au chef d'état-major : « Général Yehudaï, voulez-vous nous rendre compte de la situation ?

— Trois corps d'armée, deux irakiens et un syrien, avancent dans la tempête, apparemment sans se soucier des mauvaises conditions météorologiques. Monsieur Avner vous expliquera ensuite comment ils y sont parvenus. Un quatrième corps d'armée, iranien, est en train de traverser le Koweït en direction des champs pétrolifères d'Arabie saoudite. Il paraît évident qu'ils veulent en prendre le contrôle.

« Nos informateurs tiennent pour imminent en Égypte un coup d'État d'origine fondamentaliste, soutenu par la Libye et le Soudan et nous devons donc nous méfier aussi de ce côté. Notre hypothèse est que l'actuel gouvernement de ce pays pourrait être contraint de dénoncer le traité de paix avec nous et d'entrer en guerre aux côtés des autres pays belligérants. Les ultra-nationalistes organisent déjà des troubles et des manifestations de rue.

« Une attaque pourrait prendre forme aussi d'un moment à l'autre sur le front du Sinaï. De la plupart de nos terrains d'aviation, nous viennent des informations selon lesquelles nos avions de chasse ont de grandes difficultés à décoller du fait des très mauvaises conditions météo, mais, au moins, les leurs connaissent les mêmes conditions. Le problème se posera quand nous devrons affronter toutes ces forces aériennes ennemies coalisées ; entre autres, les Iraniens ont rendu aux Irakiens les avions qui leur avaient été remis pendant la guerre du Golfe. Maintenant, monsieur Avner va vous montrer comment les divisions cuirassées réussissent à avancer vers nos frontières au cœur du nuage de poussière. »

Avner s'approcha de la porte et fit entrer Ferrario. Le jeune homme ouvrit la valise et la montra à l'assistance : « Des radiophares, annonça-t-il, alimentés par des batteries, ou rechargeables là où il y a de l'électricité. Ils émettent un signal constant qui guide les blindés le long d'itinéraires précis.

— Y a-t-il eu déclaration de guerre ? demanda le général Hooker.

— Non, évidemment, répondit le Premier ministre. Taksoun nous a informés qu'il s'agit de manœuvres conjointes avec la Syrie. Il ne manque pas d'air et il sait qu'il n'a rien à craindre. »

À ce moment, on frappa à la porte ; Ferrario sortit pour voir de quoi il s'agissait. Il rentra peu après, pâle et tendu : « Messieurs, dit-il, nous venons d'apprendre que des raids de commandos du Hezbollah ont commencé en Galilée, appuyés par des missiles et, plus grave encore, trois engins ont explosé à Tel-Aviv, Haïfa et Jérusalem ouest il y a dix minutes. Il y a plus de soixante-dix morts et une centaine de blessés, certains dans un état très grave.

« On craint que, dans les prochaines heures, les attentats de commandos-suicide du Hamas se multiplient.

— Que pensez-vous faire ? demanda Hooker.

— Nous battre. Que pouvons-nous faire d'autre ? Nous avons déjà vaincu une fois, tout seuls, les armées arabes coalisées, dit Yehudaï. Je lancerai mes parachutistes sur tout le Liban méridional pour m'opposer au Hezbollah, j'enverrai tous les bombardiers en état de voler et nous leur déverserons dessus toutes les bombes que nous avons dans nos dépôts. Les blindés et l'artillerie sont prêts à engager le combat sur le Jourdain. Il est très probable que la Jordanie se joindra à eux ou qu'elle sera balayée ; et alors, l'Égypte n'aura pas le choix... Mais si nous n'arrivions pas à les arrêter, il nous reste toujours une dernière carte. Nous ne nous ferons pas rejeter à la mer. Nous ne redeviendrons pas un peuple sans terre... »

Le général Hooker se dressa et le fixa dans les yeux : « Général Yehudaï, dit-il, êtes-vous en train de me dire que vous pensez recourir à l'arme nucléaire ?

— Sans aucune hésitation, répondit Yehudaï après avoir échangé un bref regard avec son président. Si cela devient indispensable.

— Mais vous rendez-vous compte qu'eux aussi pourraient s'être procuré des engins atomiques dans les républiques islamiques ex-soviétiques ? C'est sûrement de là que viennent les bombes placées sur notre territoire. Une réponse nucléaire pourrait provoquer des représailles analogues. Leurs missiles ont une portée brève mais suffisante... »

Yehudaï regarda son président puis le général américain : « Armagueddon..., dit-il. S'il doit en être ainsi, qu'il en soit ainsi. Et maintenant, général Hooker, veuillez m'excuser, je dois rejoindre mes hommes sur le front. » Il salua d'un signe de tête : « Monsieur le président, monsieur Avner... », puis il s'éloigna et le bruit de ses bottes de combat résonna plus fort que nature dans la salle plongée dans le silence.

Les trois Américains saluèrent et se levèrent, allant vers la sortie, mais, alors que la porte s'ouvrait pour les laisser passer, Avner fit un signe à Ferrario, qui s'adressa au général Hooker sorti le dernier : « Mon général, dit-il, monsieur Avner m'a chargé de vous demander un entretien privé. Il vous attend dans une heure au bar du King David Hotel. Il dit que c'est plus tranquille là-bas. Puis-je confirmer le rendez-vous ? »

Hooker resta pensif un instant puis il dit : « Confirmez. Je serai là. »

Avner arriva vers seize heures et alla s'asseoir en face de son hôte dans un salon privé : « Cet endroit est plus tranquille que l'état-major de l'armée et, à mon avis, plus discret également. La fumée vous dérange ? » demanda-t-il en allumant une cigarette.

« Pensez donc, dit Hooker, au point où nous en sommes, il en faudrait plus.

— Général, j'ai besoin de votre aide.

— Je regrette, Avner, je ne peux rien faire. Ce que j'ai dit à la réunion de ce matin n'admet pas de dérogations...

— Je sais. Il ne s'agit pas de ça. Il y a un autre problème.

— Un autre problème ? Vous voulez dire : en plus de ceux que nous avons ?

— Oui, mais pas de la même importance, j'espère... Vous êtes certainement au courant de l'opération Warren Mining à Mitzpe Ramon, n'est-ce pas ?

— Je suis au courant. Mais tout est réglé, me semble-t-il... Notre commando a été retiré.

— Il ne s'agit pas de cela, général. Il y a malheureusement une complication. Le camp de la Warren Mining a subi cette nuit une attaque dévastatrice, peut-être un raid préparatoire des forces ennemies pour faire le vide dans une zone d'accès à un secteur hautement stratégique, ou bien un acte de représailles : dans l'état-major irakien, il y a encore bien des officiers fidèles au président défunt qui étaient peut-être au courant du commando que vous aviez installé dans cette localité pour tuer Bakri.

— Mais ce n'est pas nous qui l'avons fait.

— Il n'y a pas de différence pour eux, si je les connais bien. En tout cas, nous avons effectué une reconnaissance là-bas et nous n'avons trouvé aucun survivant : ces salauds ont tué avec une précision scientifique. Toutefois, mes informateurs m'ont dit qu'il y aurait quelques rescapés, qui pourraient être pour nous de précieux témoins de ce massacre dont ont été victimes plusieurs de vos concitoyens. J'inclinerais à croire que, si quelqu'un s'est sauvé, c'est qu'on lui a permis de se sauver. Je ne sais pas si je suis bien clair.

— Vous êtes tout à fait clair. Vous pensez qu'il s'agit de ceux qui ont trahi.

— Je ne peux pas me l'expliquer autrement. Le camp a été complètement encerclé, balayé par des armes automatiques, mètre carré par mètre carré, bouleversé par des explosions épouvantables. Mais un tout-terrain est parti quelques minutes avant que se déchaîne l'enfer. Étrange, non ? On l'a trouvé abandonné à proximité de la frontière égyptienne dans une localité appelée Ras Udash et il est logique de penser que, s'il y avait à bord des gens du campement de la Warren Mining, ils se soient dirigés vers l'Égypte, où il y avait peut-être quelqu'un qui les attendait.

« Nous avons aussi intercepté des messages radio du camp de la Warren Mining et nous savons que, là-bas, quelqu'un avait des contacts avec les fondamentalistes islamistes pour des raisons qui ne nous sont pas encore claires.

« Dans le logement de la direction, nous avons trouvé les fiches des membres du camp : celles-ci appartiennent aux deux seules personnes dont il n'a pas été possible de retrouver les corps. Elles pourraient être les personnes que nous recherchons. Ce que je vous demande, c'est de nous avertir si vous veniez à savoir où elles se trouvent ou si elles s'adressaient directement à vous, en leur qualité de citoyens américains.

— Je ferai ce que je pourrai, monsieur Avner. Et si nous trouvons quelqu'un, vous serez le premier à le savoir.

— Je vous remercie. Je savais que vous nous aideriez. »

Ils se saluèrent et Avner resta assis à fumer sa cigarette, pensant à ce secret enfoui au milieu du désert, un secret qui, s'il avait filtré, aurait détruit l'âme de sa nation... mais aurait peut-être effacé pour toujours les guerres comme celle qui allait éclater.

Il pensa longuement, absorbé, regardant la braise qui se consumait lentement, se transformant en cendre. Mais, au fond de lui-même, il savait très bien qu'il n'y avait qu'une chose qu'il ne voulait pas : que le peuple d'Israël disparût, avec son histoire, sa conscience. Selon lui, il n'y avait pas de prix trop élevé pour empêcher cela.

Il se ressaisit quand il entendit des pas derrière lui.

« Ferrario. Quoi de neuf ?

— Yehudaï a lancé l'aviation et les hélicoptères malgré le mauvais temps, mais il rencontre de la résistance de la part des aviations ennemies : en tout cas, il y a des pertes et on prévoit une dégradation du temps dans les prochaines heures. Les Nations unies ont lancé un ultimatum aux Iraniens pour qu'ils se retirent immédiatement du territoire saoudien mais ça a autant d'effet que si c'était le pape qui l'avait lancé.

« En tout cas, les troupes saoudiennes sont en déroute. Sans l'aide des Américains, ils n'arrivent même pas à se moucher.

— Le front nord ?

— Des raids de l'aviation syrienne, des missiles sur la Galilée et le Golan, des Hezbollah déchaînés sur toute la ligne de front : nous effectuons sans cesse des lâchers de parachutistes derrière eux mais la pression est forte. Le gouvernement est en train d'évacuer les civils sur une profondeur de vingt kilomètres.

— L'Égypte, dit Avner. Rien ne doit bouger là-bas sans que je le sache.

— Je sais, commandant. Notre réseau est complètement sous pression. Il est difficile que quelque chose nous échappe. »

Avner le regarda : « Ne dis pas de sottises, Ferrario ; personne sur cette terre ne peut présumer tout savoir de ce qu'il y a à savoir. C'est l'imprévu qui a changé le sort de l'histoire pendant les millénaires... toujours l'imprévu, souviens-t'en.

— Vous voulez que je vous ramène à la centrale, monsieur Avner ?

— Non, Ferrario, je vais y aller seul. Pendant ce temps, tu vas me faire un travail.

— Dites. »

Il lui tendit un fascicule : « Il faut faire parvenir aux Égyptiens un renseignement concernant les personnages de ces dossiers. Deux d'entre eux pourraient être déjà sur leur territoire : ils représentent pour nous un danger mortel, mais nous n'avons pas la possibilité d'intervenir avec une liberté suffisante en Égypte. Nous devons faire en sorte que ce soient les Égyptiens qui les éliminent. C'est compris ?

— Parfaitement, monsieur Avner, dit Ferrario en feuilletant les fiches du dossier. Je m'en occupe tout de suite.

— Ah, écoute : je veux savoir ce qui se passe dans le tunnel d'Allon, tiens-moi régulièrement au courant.

— Bien sûr, monsieur. »

Avner sortit dans la rue et s'arrêta pour regarder le ciel encore limpide de Jérusalem, tandis que lui parvenaient de toutes parts les lamentations des sirènes des ambulances pleines de corps meurtris, puis il s'achemina par un sentier qu'il ne prenait plus depuis bien des années.

Il marcha seul, les mains enfoncées dans les poches, le col relevé, pendant presque une demi-heure, jusqu'au moment où il se trouva devant la porte de Damas. Il parcourut la rue El Walid, coupa la Hashalshelet et se trouva devant l'esplanade qui dominait le mur occidental du Temple. Des soldats en tenue de combat surveillaient tous les accès de la place et tous ceux qui y passaient, le doigt sur la détente de leur Uzi. Avner parcourut l'esplanade balayée par un vent froid et s'approcha du mur. Quelques fidèles orthodoxes, aux cheveux rasés sur le front et aux longues boucles noires sur les tempes, se balançaient de façon régulière dans leur lamentation millénaire pour le Sanctuaire perdu.

Avner fixa les deux grands blocs de pierre polis par la piété de millions de fils d'Israël, exilés dans la diaspora et exilés dans leur patrie. Pour la première fois depuis la mort de son fils, il désira prier et, par une étrange ironie du sort, il ne pouvait pas le faire parce qu'il avait en son âme un secret qui ne laissait place à rien d'autre.

La rage et le dépit se muèrent en une profonde douleur et Gad Avner, qui avait pourtant enterré son fils sans une larme, sentit que ses yeux se mouillaient. Alors, il les toucha du bout des doigts et en mouilla la pierre du temple, ajoutant ses larmes à celles de tous ceux qui l'avaient précédé pendant des siècles.

Il ne put rien faire d'autre. Il se retourna pour s'éloigner mais, arrivé à l'autre bout de la place, il vit un vieillard transi, assis sur le trottoir qui demandait l'aumône. Il le regarda et lut dans ses yeux une étrange lueur, comme une expression inspirée.

« Donne-moi quelque chose pour manger, dit le vieillard, et moi, je te donnerai quelque chose en échange. »

Avner resta surpris par ces mot auxquels il ne se serait jamais attendu ; il prit un billet de cinq shekels et le lui tendit en disant : « Que peux-tu bien me donner, en échange ? »

Le vieillard rangea le billet dans sa besace puis il leva les yeux sur lui et dit : « Peut-être... l'espoir. »

Avner sentit un frisson lui parcourir la peau comme si le vent froid qui descendait du Carmel s'était glissé sous ses vêtements : « Pourquoi dis-tu cela ? » demanda-t-il. Mais le vieillard ne répondit pas : son regard éteint fixait le vide, comme si, un instant, il avait été le médium inconscient et involontaire d'une force inconnue qui, de façon tout aussi soudaine, s'était évanouie.

Avner le regarda quelque temps sans mot dire, puis il reprit son chemin, absorbé dans ses pensées.

Le dernier reflet du couchant s'éteignait sur la vaste étendue déserte et quelques étoiles commençaient à briller dans le ciel qui s'assombrissait. Blake continua à avancer bien qu'il eût les pieds en sang dans ses brodequins. Sarah, qui portait des chaussures de jogging, avait le pas plus léger et était moins éprouvée, mais tous les deux étaient presque à bout de forces.

Soudain, une lame de vent traversa l'immense espace vide et tous les deux se regardèrent avec angoisse, chacun lisant dans l'expression de l'autre la conscience de ce qui allait arriver. « Elle arrive, dit Blake. Courage.

— Mais où nous trouvons-nous, selon toi ?

— Nous devrions maintenant être au croisement avec la piste de Be'er Menuha. Nous devrions la voir quand nous aurons dépassé cette petite butte, là-bas devant nous. Mais cela ne signifie pas grand-chose, sauf que, sur la piste, nous pourrions plus facilement trouver quelqu'un.

— Qu'est-ce que nous ferons si nous sommes surpris par la tempête ?

— Ce que je t'ai déjà dit : si nous trouvons un abri, nous nous y réfugierons. Sinon, nous nous étendrons par terre en cherchant à nous protéger l'un l'autre, en nous couvrant la tête, la bouche et le nez, et nous attendrons qu'elle passe.

— Mais ça pourrait durer des jours...

— C'est vrai, mais il n'y a pas d'autre solution. C'est ça ou mourir étouffé : la poussière est fine comme du talc et t'empêche de respirer en quelques minutes. Il faut tenir bon. »

Blake se tourna vers l'orient et vit que l'horizon était noyé dans une brume blanchâtre. Il se traîna le plus vite qu'il put vers la petite hauteur qui se dressait maintenant à quelques dizaines de mètres et, quand il fut en haut, il vit la piste de Be'er Menuha, déserte aussi loin qu'on pouvait voir, Mais, au-dessous de la hauteur, il y avait une pierre grande comme un homme, une espèce de gros bulbe de silex, entouré d'autres pierres de dimensions moindres, qui s'en étaient détachées au cours des temps sous l'effet des féroces sautes de température.

Blake se retourna pour appeler Sarah et l'entendit dire : « Oh, mon Dieu, regarde : la lune rouge, le visage ensanglanté d'Isis... »

Et Blake aussi vit ce spectacle irréel : le disque lunaire qui s'élevait alors au-dessus de l'horizon était obscurci par une ombre couleur sang qui s'étendait sur la plaine infinie.

« L'éclipse, dit Blake. Vite, viens avant que la tempête nous surprenne ; elle est proche maintenant, je le sens. »

Sarah le rejoignit et vit que, ayant posé son sac à terre, il était en train d'entasser précipitamment des pierres autour d'un gros rocher, comme pour former une sorte de muret de protection. Elle s'y mit aussi tandis que le vent forcissait de minute en minute et que l'air devenait trouble et dense.

« Essayons de manger quelque chose et de boire, dit Blake. Nous ne savons pas quand nous pourrons le refaire. » Sarah fouilla dans son sac à dos et lui passa un paquet de biscuits et quelques dattes et figues sèches. Blake prit sa gourde et la lui tendit ; quand Sarah eut bu, il avala lui aussi quelques longues gorgées.

Il commençait maintenant à sentir dans sa bouche le goût de la poussière. Il lança un regard vers la lune qui se couvrait de plus en plus de l'étrange voile cruel puis dit : « Il faut que nous trouvions la manière de nous défendre, sinon nous allons mourir : elle arrive. »

Il regarda anxieusement autour de lui puis leva de nouveau les yeux vers l'horizon.

« Qu'est-ce que tu regardes ? demanda Sarah avant de commencer à nouer un mouchoir devant sa bouche.

— Cet abri ne sera pas suffisant, ni ce mouchoir... mon Dieu... nous n'avons plus le temps... nous n'avons plus le temps... »

Puis il regarda soudain fixement le sac de Sarah : « En quoi sont faits ces sacs à dos ? lui demanda-t-il.

— En Gore-Tex, je crois.

— Alors, il y a peut-être un espoir : si j'ai bonne mémoire, les pores du Gore-Tex ne laissent passer que les molécules de vapeur d'eau vers l'extérieur ; ils devraient donc arrêter la poussière et nous permettre de respirer. »

Sarah secoua la tête : « Tu ne penses pas à...

— C'est exactement à cela que je pense », dit Blake et il vida les sacs, plaçant leur contenu dans un petit sac de plastique qu'il coinça entre les pierres. Ensuite, il retourna le sac à dos et fixa Sarah dans les yeux : « Mets ta tête là-dedans. Nous n'avons pas le choix. »

Elle obéit et Blake serra les cordons de l'ouverture autour de son cou, puis il lui mit son foulard autour du cou en faisant plusieurs tours.

« Ça va ? » demanda-t-il.

Elle répondit par un grognement qui aurait pu signifier n'importe quoi mais que Blake prit pour l'assurance que tout allait bien. Il lui serra fortement la main puis il fit la même opération pour lui, cherchant à boucher du mieux qu'il pouvait l'ouverture de son sac autour de son cou à l'aide de quelques mouchoirs noués ensemble.

Quand il eut fini, il chercha à tâtons les mains de Sarah et la fit s'allonger par terre. Ils s'étendirent, la tête appuyée au roc, serrés l'un contre l'autre, et ils attendirent l'arrivée de la tempête.

En quelques minutes, le tourbillon se déchaîna dans toute sa puissance, la surface du désert fut raclée par la fureur du vent et le nuage de poussière engloutit toute chose, effaçant le ciel et la terre, les pierres, les collines. Seule la lune parvenait encore à percer sous forme d'un vague halo orangé dans l'hémisphère occidental du ciel, mais personne ne pouvait la voir dans l'immense étendue déserte.

Blake se serra frénétiquement contre Sarah, comme pour lui transmettre toute sa volonté de résister à cet assaut infernal ou peut-être pour tirer d'elle sa force.

Il entendait, sur la grosse masse de silex, un bruit semblable à celui de la grêle car la force du vent était telle qu'il projetait devant lui une myriade de petites pierres et les mots d'Élie lui revinrent en mémoire : « Il y eut un vent si fort qu'il secouait les montagnes et qu'il brisait les pierres... » C'était cela l'enfer de Paran, un lieu où seuls les prophètes, guidés par la main de Dieu, avaient osé s'aventurer.

Le sifflement continuel et aigu, le crépitement incessant des pierres contre le rocher, la totale obscurité qui les entourait, lui firent perdre la notion du temps. Il cherchait à se concentrer sur le corps de Sarah, sur les battements de son cœur, pour résister à l'effort épouvantable, à la sensation d'oppression de plus en plus forte et étouffante. La poussière était désormais partout : elle couvrait chaque millimètre de sa peau, pénétrait ses vêtements mieux que si elle eût été de l'eau, mais ses narines et ses poumons étaient pour l'instant épargnés et il se rendait compte que la respiration était difficile mais non impossible.

Il se demandait seulement combien de temps encore il résisterait dans ces conditions extrêmes, et combien de temps résisterait Sarah. Il se rendait parfaitement compte que, de toute façon, ce n'était qu'une question de temps ; tôt ou tard, l'humidité de la respiration imprégnerait les très fins grains de poussière, bouchant les pores du Gore-Tex. Alors, ils devraient choisir entre mourir étouffés par la poussière ou par le manque d'oxygène. Combien de temps restait-il encore avant le moment où cette nature formidable leur assènerait le coup de grâce et les écraserait comme des insectes dans la poussière ?

La tension diminua ; à un certain moment, à demi inconscient, Blake desserra son étreinte et il lui sembla que la tourmente diminuait quelque peu, que le vent avait lui aussi besoin de reprendre des forces.

Il se leva et défit le bandage noué autour de son cou et ôta le sac de Gore-Tex. Il vit alors devant lui une apparition spectrale : une masse obscure, énorme et luminescente, deux halos de lumière pâle, laiteuse. Au fond, un bruit continuel et rythmé, comme un lent halètement. Il réussit à distinguer une silhouette grâce aux faisceaux de lumière qui perçaient le magmas poussiéreux de l'atmosphère nocturne : on aurait dit un sous-marin posé sur le fond d'un océan et c'était en revanche un *desert-bus*, une de ces étranges machines qui réussissent à transporter jusqu'à cinquante passagers de Damas à Djeddah, d'Oman à Bagdad, par les pistes les plus infernales. Des machines étanches comme des vaisseaux spatiaux, pourvues de puissants filtres et d'air conditionné.

Il secoua sa compagne qui semblait presque inconsciente et dégagea sa tête : « Sarah, Sarah, lève-toi, pour l'amour de Dieu. Nous sommes sauvés. Regarde, regarde devant toi ! »

Sarah s'assit, se protégeant le visage avec sa main tandis que Blake commençait à marcher vers la lumière des phares.

« Eh ! Eh !, criait-il. Au secours ! Nous nous sommes perdus dans la tempête de sable. Aidez-nous ! »

À ce moment-là, des hommes en armes sortirent du véhicule : l'un d'eux se retourna brusquement, pointant son fusil comme s'il avait entendu quelque chose.

Blake ne s'était pas rendu compte de la situation, emporté par l'enthousiasme, et, lorsqu'il se remit à crier, il se sentit plaquer au sol. Sarah lui avait sauté dessus et le maintenait face contre terre.

« Ne bouge pas, lui dit-elle à l'oreille. Ne bouge pas. Regarde, ils sont armés. »

L'homme au fusil pointé avança de quelques pas vers eux en sondant la poussière dense avec une torche électrique. Mais Blake et Sarah, aplatis par terre et couverts de poussière, étaient parfaitement camouflés. L'homme regarda encore un peu, tendant l'oreille, puis, rassuré, retourna à l'autobus. De la porte arrière du véhicule, sortaient trois ou quatre individus armés de fusils-mitrailleurs, la tête complètement couverte de leur keffieh, qui se plaçaient aux quatre coins du car comme pour contrôler la situation cependant que deux autres semblaient vérifier les pneus.

« Mais qui cela peut-il être ? fit Blake.

— À mon avis, nous ne pouvons pas prendre de risques. À coup sûr, ce ne sont pas des Israéliens. Retournons à notre abri... Quelle heure est-il ? »

Blake nettoya le verre de sa montre-bracelet. « Un peu plus de minuit. Nous avons encore six heures avant les premières lueurs de l'aube. »

Ils revinrent en rampant vers leur rocher alors que le vent recommençait à souffler avec force, mais on sentait que la violence de la tempête diminuait lentement.

À un certain moment, la lumière des phares éclaira d'autres masse sombres qui semblaient émerger du néant.

« Des chameaux..., dit Sarah. Mais comment font-ils, par ce temps ?

— Ce sont des Bédouins, murmura Blake. Ils sont dans le sable comme des poissons dans l'eau... Tu arrives à voir quelque chose ?

— Oui, il arrive d'autres soldats... Visiblement c'est un rendez-vous, c'est incroyable !

— Ils sont arrivés les yeux fermés, répondit Blake. Au cours de milliers d'années passées dans le désert, ils ont acquis un sens de l'orientation extraordinaire... Par ce temps, ils se déplacent comme des fantômes, ils sont pratiquement invisibles. »

L'un des hommes ouvrit la porte arrière du car et fit entrer les nouveaux arrivants, tous armés de fusils-mitrailleurs.

Quand le dernier fut entré, le véhicule se remit en marche et, peu après, disparut vers le nord dans le nuage de poussière.

Blake et Sarah se blottirent de nouveau derrière le

rocher, se couvrant encore la tête de leurs sacs à dos, et restèrent immobiles sous la violence de la tourmente. Le manque d'oxygène, la fatigue, la déception qui avait suivi le bref enthousiasme pour un salut qui semblait à portée de main, les plongèrent dans un état de profonde apathie, de lassitude, mi-veille mi-sommeil, où la seule sensation était celle du froid qui les perçait jusqu'aux os. La poussière impalpable commençait à pénétrer par l'ouverture de leurs sacs et se mêlait à leur salive et aux sécrétions de leurs narines.

Soudain, Blake leva la tête vers l'Occident.

« Qu'y a-t-il ? réussit à dire Sarah qui avait perçu son mouvement brusque.

— De la cordite, dit Blake. Tu sens cette odeur dans le vent ? C'est l'odeur de la guerre. »

Blake tendit l'oreille, et le vent sembla apporter brièvement le grondement de coups de tonnerre lointains.

Vint l'aube : les deux fugitifs se découvrirent et s'assirent, le dos appuyé au rocher. Le vent soufflait encore mais la phase la plus violente de la tempête était passée. L'atmosphère était trouble comme si pesait sur le désert une brume épaisse, toutefois on arrivait à entrevoir à l'orient une traînée de lumière qui filtrait à travers ce brouillard dense.

« Tu te sens la force de te remettre en marche ? » demanda Blake.

Sarah fit signe que oui.

« Nous n'avons pas le choix. Si nous restons ici, nous mourrons. Il faut chercher à suivre la piste vers le sud : tôt ou tard, nous trouverons quelque chose... si nous en avons la force. »

Ils ramassèrent leurs provisions, les mirent dans les sacs à dos et reprirent leur route. Ils se traînèrent des heures durant, au prix d'une fatigue énorme et, alors qu'ils étaient prêts à tomber d'épuisement, Blake vit sur la gauche une construction basse, faite de blocs de béton et d'un toit de tôle, avec des volets à demi arrachés.

Il entra et regarda autour de lui : il y avait de la poussière partout mais ils purent s'asseoir à même le sol dans une petite pièce abritée, boire ce qu'il restait d'eau dans leurs gourdes et manger deux barres de céréales, les dernières. Les paquets de dattes et de figues qui avaient été ouverts étaient entièrement mélangés à la poussière. Ils se reposèrent une demi-heure, puis reprirent la piste de Be'er Menuha. Ils marchèrent pendant des heures, fouettés par le vent, se protégeant de leur mieux, se reposant de temps en temps quand leur énergie faiblissait. Ils passèrent le croisement de Be'er Menuha en fin d'après-midi et s'acheminèrent sur la route de Yotvata.

Au bout de quelque temps, passa une camionnette qui transportait des chèvres et qui les amena à Yotvata. Il faisait sombre et ils réussirent à trouver une chambre sans trop de mal. Le propriétaire, un homme d'une soixantaine d'années, les regarda avec stupéfaction. On aurait dit des fantômes, le corps, les vêtements, les cheveux, les cils et les sourcils blancs de poussière, et le visage couvert d'écorchures et de blessures.

« Nous sommes des touristes, expliqua Blake, nous avons été surpris par la tempête, et notre voiture est tombée en panne avant Be'er Menuha. Nous avons dû marcher pendant des heures et des heures au milieu de la tempête de sable.

— Je comprends, dit le propriétaire, vous devez être épuisés.

— Et nous avons faim. Vous avez quelque chose de prêt, pour manger dans la chambre ?

— Pas grand-chose, malheureusement. Le gouvernement a fait des réquisitions pour le front et il manque beaucoup de denrées. Mais je peux vous donner un peu de pain et du *hommous*, du thon et quelques bières bien fraîches.

— Le front ? demanda Blake. Nous... avons été longtemps dans le désert, nous ne savons rien.

— C'est la guerre, dit l'aubergiste. Et encore une fois, nous sommes seuls, personne n'accourt à notre aide... si vous voulez me laisser vos passeports, en attendant...

— Écoutez. Nous avons tout perdu dans la tourmente. Si vous voulez, nous pouvons vous donner nos coordonnées par écrit : comme ça, vous n'aurez pas de problèmes en cas de contrôle. »

L'homme resta un instant perplexe, puis acquiesça. Blake écrivit, sous les yeux de Sarah, une fausse identité et elle fit de même. Ils montèrent dans leur chambre en tant qu'époux Randall, ils se lavèrent, nettoyèrent tant bien que mal leurs vêtements et mangèrent avidement les sandwiches que l'aubergiste leur avait fait monter.

Quand ils eurent fini, Sarah s'effondra sur le lit, mais Blake descendit dans la rue et marcha dans la semi-obscurité à la recherche d'une station de taxi. Il en trouva une avec deux voitures en tout et pour tout.

« Il faut que je parte cette nuit pour Eilat, dit-il à l'un des chauffeurs. Attendez-moi à trois heures du matin devant le kiosque à journaux. »

L'homme, un Falacha, accepta, et Blake retourna vers l'hôtel. Il n'y avait personne par les rues et l'on voyait de temps en temps passer un véhicule militaire en patrouille.

Il trouva Sarah profondément endormie, la lumière allumée : elle n'avait même pas eu la force de l'éteindre. Il régla la sonnerie de sa montre, éteignit la lampe et se laissa aller, complètement épuisé. Dans l'obscurité, il sentit que Sarah le cherchait de sa main et il l'embrassa avant de tomber dans un profond sommeil.

Le bourdonnement aigu de sa montre le réveilla, encore terriblement las et abruti, à trois heures moins le quart. Il éveilla Sarah, qui s'assit avec une expression bouleversée.

« Qu'y a-t-il ? Que se passe-t-il ?

— Allons-nous-en. Je n'ai confiance en personne, ici. Et je suis sûr que l'aubergiste n'a pas confiance en nous non plus. À l'aube, nous pourrions avoir une mauvaise surprise. Il y a un taxi qui nous attend dans un quart d'heure. Vite, partons. »

Blake posa sur la table de nuit un billet de cinquante dollars, puis il prit l'escalier de secours, suivi de Sarah. Il descendit lentement en essayant de ne pas faire le moindre bruit. Le vent était encore fort et la ville était plongée dans la brume.

Blake et Sarah se glissèrent derrière l'hôtel et prirent la rue principale en marchant derrière les acacias et les mimosas qui bordaient l'avenue.

Au premier carrefour, ils virent le kiosque et, peu après, les phares d'une auto qui approchait.

« Le taxi, dit Blake, nous sommes sauvés. »

Le Falacha les fit monter, Blake devant, Sarah derrière, et il partit. Ils passèrent Shamar, Elipaz, Be'er Ora, et arrivèrent à Eilat alors qu'il faisait encore sombre. Ils demandèrent au taxi de se diriger vers la frontière égyptienne.

« Il suffit que vous nous accompagniez jusque après la frontière, dit Blake au chauffeur. Ensuite, nous nous débrouillerons. »

Le Falacha acquiesça et se présenta à la frontière égyptienne, s'arrêtant devant le poste de contrôle.

« Tu as un visa égyptien ? demanda Blake à Sarah.

— Non.

— Ça ne fait rien. Tu peux le faire faire à la frontière. Moi, j'ai coupé dans mon passeport la page où il y avait l'annotation qui me définit comme *persona non grata* : j'espère qu'ils ne vont pas se mettre à compter les pages et surtout qu'il n'y a pas mon signalement sur les registres de frontière.

— Et s'il y était ?

— Le pire qui puisse nous arriver est qu'ils ne nous laissent pas entrer. Dans ce cas, nous chercherons un bateau qui nous conduise dans les Émirats. »

Sarah descendit et entra dans la cabine automatique pour se faire faire trois photos d'identité, si laides qu'elle ne put pas se reconnaître, et elle commença à remplir les formulaires. Blake montra son visa à un officier somnolent aux moustaches jaunes de nicotine, qui tamponna son passeport sans lui poser de questions.

Blake poussa un soupir de soulagement et monta en voiture en attendant que Sarah arrive puis il demanda au Falacha de les conduire à la gare routière. L'endroit était encore désert et le vent faisait tourbillonner les papiers jaunis et les feuilles de journal qui couvraient le terrain poussiéreux. Il prit dans son portefeuille un billet de cinquante dollars, comme convenu, et prit congé en lui serrant la main :

« Adieu, l'ami, merci. Je te donnerais davantage si je le pouvais, mais j'ai encore une longue route, et difficile. *Shalom*.

— *Shalom* », répondit le Falacha en le fixant un moment de ses grands yeux sombres et humides, des yeux d'animal africain. Puis il monta dans sa voiture et disparut dans un nuage de poussière.

Le guichet ouvrit quelque temps après et Blake prit

deux billets pour le Caire, puis il acheta deux cafés avec des beignets au sésame et alla s'asseoir à côté de Sarah.

« Ça y est, dit-il, si nous arrivons au Caire, nous irons à notre ambassade : là nous trouverons quelqu'un qui nous aidera.

— Si nous atteignons l'ambassade, il n'y a plus de problèmes, fit Sarah. Et il faudra qu'on m'explique ce qui s'est passé à Ras Udash : c'est une plaisanterie que je n'ai pas du tout appréciée. Je n'aime pas ce genre d'imprévus.

— Effectivement, c'est quelque chose que je n'arrive pas à comprendre. »

Il fouilla dans ses poches et réussit à trouver son paquet de Marlboro : les cigarettes étaient toutes cassées sauf une. Il la planta dans sa bouche et l'alluma ; il aspira une longue bouffée.

« Tu n'as pas assez de cochonneries dans les poumons ? demanda Sarah.

— Ça me détend. Je me sens comme le héros d'un film d'action : j'ai mal partout, aux os, aux ongles et aux cheveux. »

Sarah le regarda : il faisait une grimace qui voulait ressembler à un sourire et son regard n'arrivait pas à masquer une angoisse qui ne venait plus de la fatigue et de la douleur physique. Au moment où il entrevoyait le salut, William Blake sentait que cela aurait peut-être été un bien pour l'humanité que lui et sa compagne fussent morts, étouffés par la poussière dans le désert de Paran.

« Qu'allons-nous faire de ce secret ? demanda Sarah, devinant ses pensées.

— Je ne sais pas. En ce moment, je n'arrive pas à considérer ce qui s'est passé comme un fait réel. J'ai l'impression d'avoir rêvé.

— Mais il y aura un moment où tu te réveilleras.

— Je déciderai à ce moment-là. Si j'étais certain de pouvoir arrêter cette guerre en révélant ce que j'ai vu... en révélant qu'il n'y a pas de peuple élu, nulle part, je le ferais...

— Tu devrais peut-être le faire de toute façon : la vérité, par nature, exige d'être révélée. Tu ne crois pas ? »

Blake secoua la tête : « Par nature, la vérité n'est jamais crue. En réalité, le silence est presque toujours la seule vérité possible... »

Ses paroles furent interrompues par le bruit du car qui s'approchait du quai. Ils montèrent les premiers et allèrent s'asseoir au fond, suivis, peu après, par de petits groupes de personnes qui arrivaient sans se presser, les femmes portant de lourds paquets, les hommes avec des cartouches de cigarettes américaines qu'ils avaient probablement achetées à Aqaba.

Finalement, le car démarra avec une secousse et se mit en route, prenant lentement de la vitesse. Bercée par le roulis du véhicule et par le ronflement du moteur, morte de fatigue, Sarah posa sa tête sur l'épaule de son compagnon et s'endormit profondément. Blake chercha à rester éveillé quelque temps, mais lui aussi céda à la fatigue et à la tiédeur du corps de Sarah.

Il s'éveilla quand il sentit que le car s'arrêtait brusquement et il pensa que le chauffeur faisait halte dans une station-service pour prendre de l'essence. Il allait se rendormir, mais quelque chose de dur qui appuyait contre son épaule l'obligea à s'éveiller complètement et à se retourner. Devant lui, un homme pointait sur lui le canon d'une mitraillette.

13

William Blake éveilla Sarah, qui ne s'était aperçue de rien, mais il fit semblant de ne pas comprendre les ordres des deux militaires égyptiens qui leur ordonnaient de descendre.

S'énervant, le plus gradé cria quelque chose en arabe, les obligeant à se lever, et l'autre les poussa du canon de sa mitraillette le long du couloir central du car, au milieu des regards stupéfaits des autres passagers.

Quand ils furent dehors, Blake vit que le car avait été arrêté au milieu du désert par la camionnette des deux militaires, garée en travers de la route.

Ils les fouillèrent, en s'attardant plus qu'il n'était nécessaire sur le corps de Sarah, puis les firent monter dans la camionnette et ils s'éloignèrent le long d'une piste qui s'enfonçait à l'intérieur. Pendant ce temps, le car s'était remis en route dans un vacarme terrible.

« Je n'arrive pas à y croire... tout cela n'a aucun sens... », commença à dire Sarah, mais Blake lui fit signe de se taire parce que leurs deux gardiens étaient en train de parler entre eux et qu'il ne voulait rien perdre de leur conversation. Sarah observa que Blake devenait plus sombre tandis qu'il écoutait ce qu'ils se disaient en ricanant.

« Tu comprends ce qu'ils disent ? »

Blake fit signe que oui.

« De mauvaises nouvelles ? »

Il fit encore signe que oui puis dit à voix basse : « Ils ont l'ordre de nous conduire dans une prison militaire, où nous subirons un interrogatoire et un procès, vraisemblablement sommaire, mais avant, ils ont l'intention de s'amuser un peu avec toi. Tous les deux. L'officier d'abord, naturellement. »

Sarah pâlit de colère impuissante. Blake lui serra fortement la main : « Désolé, mais il vaut mieux que nous y soyons préparés. »

Le soldat leur ordonna de se taire, mais Blake continua délibérément à parler, feignant de ne pas avoir compris, jusqu'au moment où l'autre lui flanqua une gifle qui lui fendit la lèvre supérieure.

Blake sursauta de douleur et chercha un mouchoir dans la poche de sa veste pour arrêter le sang qui coulait dans sa bouche et sur sa chemise et, pendant ce temps, il pensait anxieusement à ce qu'il pourrait faire, sans armes, épuisé comme il l'était, pour éviter ce qui était sur le point d'arriver. Et, tandis qu'il prenait le paquet de kleenex dans sa poche, il sentit les deux capuchons de stylo qui dépassaient du bord et il se rappela que le premier ne couvrait pas une plume, comme on aurait pu le croire, mais son bistouri d'archéologue. Il prit celui-ci et le mit dans sa poche de veste après en avoir ôté le capuchon de protection dès que le soldat se fut retourné pour parler à son supérieur.

La camionnette s'enfonça à l'intérieur pendant presque une demi-heure, franchit une petite colline puis s'arrêta. Le soldat ouvrit la portière mais, au moment où il posait le pied sur le sol, Blake lui planta son bistouri dans le foie avant qu'il eût le temps de sortir son pistolet et, tandis qu'il s'écroulait dans un gargouillement de sang, Blake lui ôta vivement son pistolet et le déchargea sur l'officier qui lui tournait le dos, encore assis au volant, puis il tira à nouveau sur le soldat qui se contorsionnait dans le sable mettant fin à ses souffrances.

Le tout se déroula en quelques secondes et Sarah le regarda tandis qu'il reculait, incrédule, tenant encore son bistouri serré dans sa main gauche, complètement couverte de sang, et le pistolet fumant dans sa main droite.

« Nom de Dieu, Blake, je n'aurais jamais cru que...

— Moi non plus, si tu veux savoir... », répondit-il.

Il laissa tomber ses armes et se plia en deux, vomissant dans le sable le peu qu'il avait dans l'estomac. Quand les spasmes cessèrent, il se releva, le visage verdâtre, s'essuya du mieux qu'il put, puis s'approcha de la jeep en titubant et prit la pelle qui se trouvait à l'arrière.

« Maintenant, enterrons-les », dit-il. Et il commença à creuser.

Quand ils eurent terminé, ils déshabillèrent les deux hommes et les mirent dans la fosse, puis les recouvrirent de sable. Blake jeta la chemise du soldat, toute souillée de sang, mais il prit sa veste, mit son pantalon, son chapeau, ses bottes. Et Sarah fit de même, ajustant tant bien que mal les vêtements de l'officier, trop grands pour elle. « Tu sais que, si l'Égypte est par hasard en guerre, nous risquons d'être fusillés », dit Sarah en s'habillant.

Blake jeta un regard à la fosse : « Ça aussi, ça veut dire que nous risquons d'être fusillés. Comme on ne peut pas nous fusiller deux fois, autant vaut prendre le risque. Nous ne pouvons pas nous promener en civil dans une voiture militaire. Et, sans voiture, nous ne pouvons aller nulle part. Quand nous serons près d'un lieu habité, nous verrons ce qu'on peut faire. »

Il nettoya minutieusement son bistouri avec un kleenex, jusqu'à ce qu'il le voie briller : « Produit anglais, dit-il en vissant le capuchon et en le remettant dans la poche de sa veste, le meilleur, absolument. »

Ils montèrent dans la jeep et commencèrent à la fouiller ; ils trouvèrent une carte du Sinaï.

« Magnifique, dit Blake. Avec ça, nous pouvons chercher un itinéraire peu fréquenté. Je propose de se diriger sur Ismaïlia plutôt que sur Le Caire : il est bien plus facile d'y passer inaperçus. Il devrait y avoir assez d'essence.

— Attends, j'ai trouvé autre chose. Regarde », dit Sarah. Et elle lui montra une enveloppe de plastique qui se trouvait dans la poche intérieure de la veste qu'elle portait. Elle contenait deux feuillets écrits en arabe, avec leurs photos.

Blake les lut : « Il paraît que nous sommes des espions du Mossad, envoyés pour préparer la reprise du Sinaï par Israël.

— Mais c'est absurde. On est en train de me jouer un sale tour au nom de je ne sais quelle foutue raison d'État, mais ils se sont trompés d'adresse... Si j'arrive à sortir de ce bordel, il faudra qu'on me donne des explications convaincantes. »

Elle démarra et partit, mais, au bout de quelques minutes, la radio commença à crachoter en arabe : « Abou Sharif à Lion du désert, répondez. À vous. »

Blake et Sarah se regardèrent l'un l'autre tandis que la radio répétait la même demande. Blake prit le micro : « Lion du désert à Abou Sharif. Je vous reçois cinq sur cinq. »

Il y eut comme un instant d'incertitude de l'autre côté, puis la voix dit : « Quoi de neuf, Lion du désert ?

— Le lion a saisi sa proie : la gazelle et le bouquetin sont tombés sous ses griffes. Mission accomplie. À vous.

— Très bien, Lion du désert. Rentrez à la base. Terminé, je coupe. »

Blake poussa un long soupir. « Par bonheur, cette radio est mal protégée et pleine de parasites, ils ne doivent pas avoir reconnu ma voix.

— Mais où est-ce que tu as appris l'arabe de cette façon ?

— J'ai passé plus de temps en Égypte qu'à Chicago.

— C'est pour ça que ta femme t'a quitté ?

— Peut-être. Ou elle avait quelqu'un d'autre. Je n'ai jamais voulu l'admettre, mais, au fond, pourquoi pas ?

— Parce que tu ne le mérites pas. Parce que tu es un homme extraordinaire.

— Clark Kent le timide qui devient Superman. Ne te fais pas d'illusions : c'est seulement une question d'environnement. Une fois à Chicago, si nous y arrivons un jour, je redeviendrai Clark Kent. »

Il fouilla instinctivement dans ses poches : « Est-ce qu'il fumait, au moins, ce salopard ? » Il trouva un paquet de cigarettes égyptiennes. « Il fumait des cochonneries. C'est mieux que rien », dit-il en allumant son briquet.

Ils conduisirent pendant plusieurs heures sans rencontrer rien d'autre que quelques camions militaires qui les saluaient d'un coup de klaxon. En fin d'après-midi, ils arrivèrent aux portes d'Ismaïlia. Blake chercha un abri derrière un monticule, démonta les plaques et les enterra, puis ils se changèrent et se dirigèrent vers la ville.

Il régnait une drôle d'agitation : on entendait des

sirènes au loin, on voyait clignoter de froides lumières bleues contre le rouge brûlant du soleil couchant.

« J'ai un peu d'argent égyptien, dit Blake. Je l'avais emporté la nuit où je suis parti puisque je pensais venir en Égypte. Nous pouvons prendre un taxi et chercher un hôtel.

— Plutôt un bus, malgré tout », répondit Sarah.

Ils prirent des billets à un kiosque, des beignets de sésame, et ils attendirent sous l'auvent. Ils virent alors une escadrille d'avions de combat volant à basse altitude se diriger vers l'est, faisant trembler les immeubles sous l'effet du vacarme assourdissant de leurs moteurs.

D'une rue latérale sortit une colonne de camionnettes chargées de soldats et suivies d'un groupe d'engins blindés.

« Mais qu'est-ce qu'il se passe ? fit Sarah.

« Rien de bon. Il y a des militaires partout, des blindés : ou il y a eu une émeute ou un coup d'État. Nous le saurons dès que je pourrai acheter un journal. »

Ils montèrent dans le bus et parcoururent les rues de la ville, mais quand ils virent qu'il y avait des barrages de contrôle partout, ils descendirent au premier arrêt et cherchèrent à se faufiler vers le bazar, où il était plus facile de se mêler à la foule.

Ils arrivèrent aux abords de la mosquée alors que le ciel s'assombrissait au-dessus des toits de la vieille ville et que le chant du muezzin dominait tous les bruits : un instant, il sembla que même les sirènes et le grondement des chars d'assaut se calmaient pour que le peuple pût entendre l'appel à la prière.

Blake s'arrêta lui aussi pour écouter le long chant plaintif qui flottait dans l'air sombre et dense du soir et l'idée que, peut-être, il n'y avait jamais eu là-haut aucun Dieu pour l'écouter, ni le Dieu d'Israël, ni Allah, ni le Dieu des chrétiens, emplit son âme de désarroi.

Il se remit en marche le long des ruelles du centre historique pour chercher un logement bon marché. « Nous n'avons pas beaucoup de temps, dit-il. Maintenant, ils ont dû se rendre compte que le "Lion du désert" n'est pas rentré dans sa tanière et ils doivent se douter qu'il a été mis hors de combat. Ils vont commencer à chercher partout :

si nous allons dans un hôtel, nous serons localisés tout de suite. »

Il trouva des chambres à louer derrière la mosquée et négocia quelques nuits dans une chambre avec les toilettes et le téléphone dans le couloir.

Les toilettes étaient un W.-C. à la turque qui empestait l'urine mais il y avait un robinet d'eau à la bonne hauteur pour les ablutions des parties intimes. La douche, à côté, était un box commun à tout l'étage, entartré de savon, et aux murs complètement masqués par des couches de crasse et de moisissures.

Il y avait un téléphone mural, relié à un compteur et branché sur une prise. Sarah décida de se laver petit à petit dans la chambre, avec une éponge et du savon, dans une cuvette. Quant à Blake, il alluma la radio pour avoir des informations. Toutes les stations donnaient de la musique religieuse et Blake s'étendit sur le lit pour se reposer et regarder Sarah occupée à ses laborieuses ablutions, mais soudain la musique s'arrêta et on entendit la voix d'un speaker : il annonçait que le président avait pris acte qu'une nouvelle majorité s'était constituée au Parlement et avait nommé un nouveau gouvernement qui avait instauré la loi islamique et dénoncé le traité de paix avec Israël.

« Nom de Dieu ! s'écria Blake. Il y a eu un coup d'État et l'Égypte est entrée en guerre. Israël est complètement encerclé. La Libye et le Liban ont également déclaré la guerre et le gouvernement algérien pourrait tomber d'un moment à l'autre. Mais pourquoi notre gouvernement n'intervient-il pas ? Qu'est-ce qui se passe ? Il a dû se passer quelque chose de terrible pendant que nous étions enfermés à Ras Udash, Sarah ; quelque chose qui a déclenché cette catastrophe. »

Sarah s'essuya et commença à se frictionner les cheveux avec une serviette de bain : « C'est un sacré désastre. Et notre situation devient encore plus difficile. Signalés comme espions du Mossad, dans une situation de guerre, nous n'avons aucune chance d'en réchapper si on nous trouve. Nous nous sommes fourrés dans un piège pire que celui auquel nous avons échappé.

— Notre seul espoir est d'atteindre l'ambassade américaine. Nous devons nous mettre en contact avec eux pour leur demander comment nous devons faire.

— D'accord, je m'en occupe. Je connais quelqu'un d'important là-bas. Donne-moi seulement deux minutes pour que je finisse de m'habiller.

— D'accord, répondit Blake. Pendant ce temps, je vais donner un coup de fil : il y a quelqu'un qui peut nous procurer un refuge et de l'aide ici en Égypte, au cas où il y aurait des problèmes pour atteindre l'ambassade. C'est mon assistant, Selim. »

Il sortit dans le couloir, demanda la ligne au standard, puis il fit le numéro. Le téléphone sonna longuement mais personne ne répondit dans l'appartement de Selim, à Chicago. Il ne lui restait plus qu'à déranger un autre ami : il fit le numéro de Husseïni et laissa sonner.

Husseïni dérocha presque tout de suite : « Allô, fit-il.

— Omar, ici William Blake.

— Bon Dieu, mais où es-tu ? J'ai cherché à te joindre par tous les moyens. Mais ton e-mail n'est plus accessible.

— Je crois bien, il a été bombardé. Je suis en Égypte, en pleine guerre. Écoute, j'ai absolument besoin de me mettre en contact avec Selim, mon assistant. Sais-tu où il est ? Peux-tu me fixer un rendez-vous téléphonique ?

— Selim est en Égypte, à El-Gournah. Le papyrus est toujours là-bas.

— Tu plaisantes, ce n'est pas possible...

— C'est comme je te le dis, insista Husseïni. Selim est en train d'essayer de l'acheter.

— Avec quel argent ?

— Je... je n'en sais rien. Tu demanderas à Selim. Si tout se passe bien, à l'heure qu'il est, il devrait déjà avoir pris contact. Appelle-le à ce numéro. » Blake prit note en écrivant dans la paume de sa main : « Après dix heures, heure égyptienne. »

À ce moment, un des clients de la pension sortit de la chambre d'en face et Blake s'interrompit pour ne pas risquer d'être entendu. Quand cet homme eut disparu dans l'escalier, il se remit à parler : « D'accord, je vais l'appeler ce soir même... Allô, allô, Omar ? » La communication avait été coupée. Il essaya plusieurs fois de refaire le numéro mais cela sonnait continuellement occupé.

Il reporta le numéro de Selim sur un papier et rentra

dans la chambre. Sarah s'était habillée et était en train de fouiller dans son sac à dos.

« Tu as trouvé la personne que tu cherchais ? demanda-t-elle.

— Non, mais j'ai son numéro ici, en Égypte, je rappellerai plus tard. Si tu veux téléphoner, tu peux : il n'y a personne dans les parages. »

Sarah continua à farfouiller dans son sac : « J'ai bien mieux là-dedans, si ça marche encore.

— Mais, on ne t'a pas fouillée, à la frontière ?

— Si, mais pas ça », dit-elle en sortant un paquet de serviettes hygiéniques. Elle en ouvrit une et en sortit un minuscule joyau électronique bivalve : la moitié droite était un téléphone cellulaire, la moitié gauche un ordinateur. Elle l'alluma et le petit écran s'éclaira d'une lumière verte.

« Hourrah, ça marche ! » exulta Sarah. Elle fit le numéro et approcha l'oreillette de son visage :

« Affaires étrangères, répondit une voix masculine au bout de quelque temps.

— Ici Sarah Forrestall. Je me trouve en Égypte avec une autre personne. Nous sommes en danger et nous avons un besoin urgent d'aller à l'ambassade. Dites-moi comment nous devons faire.

— Où êtes-vous ? répondit la voix après quelque hésitation.

— Dans un meublé à Ismaïlia, Shara al-Idrisi, numéro 23, deuxième étage, deuxième porte à gauche.

— Restez où vous êtes. Nous allons envoyer quelqu'un vous récupérer. Nous aurons recours à nos collaborateurs égyptiens, mais il va nous falloir un peu de temps.

— Faites vite, pour l'amour du ciel.

— Soyez tranquille, répondit la voix rassurante. Nous ferons tout notre possible.

— Alors ?, demanda Blake.

— Ils ont dit de ne pas bouger ; ils vont envoyer quelqu'un nous chercher.

— C'est la meilleure solution. Écoute, je descends au bazar pour acheter des vêtements arabes ; il vaut mieux ne pas attirer l'attention. Je ne crois pas qu'il y ait encore beaucoup d'Occidentaux dans les parages avec ce qui se passe. Je prendrai aussi quelque chose à manger : j'ai vu qu'ils font du *doner kebab* au coin de la rue : ça te va ?

— Je déteste le mouton. Si tu trouves du poisson, je préférerais, mais s'il n'y a rien d'autre, je mangerai du *kebab* : je meurs de faim.

— Je vais voir ce que je peux trouver », répondit Blake en sortant.

Sarah rentra et regarda sa montre : il était neuf heures. Dehors, les rues étaient complètement vides, on entendait au loin des voix excitées qui venaient de haut-parleurs. Elle pensa qu'il devait y avoir une manifestation en préparation, ce qui faciliterait peut-être les choses.

Elle chercha à imaginer jusqu'où Blake pouvait être allé ; s'était-il perdu dans le dédale du bazar ? Bien sûr, cela prendrait du temps avant que les secours n'arrivent : il fallait appeler des agents qui ne résidaient peut-être pas dans la ville et qui se déplaceraient difficilement au milieu de cette cohue de véhicules militaires encombrant les rues. Ils ne seraient certainement pas là avant minuit, ou même plus tard.

Mais où Blake avait-il bien pu se fourrer ? Combien fallait-il de temps pour acheter deux bouts de chiffon et un peu de *kebab* ? Elle écarta les rideaux de la fenêtre et regarda dans la rue : on ne voyait qu'un marchand de pistaches, immobile au coin à demi désert du pâté de maisons.

Il était dix heures : Sarah rappela.

« L'opération est en cours, répondit la même voix, mais il faut du temps. Ne bougez pas, on va venir vous chercher ».

À onze heures, Sarah était désormais certaine qu'il était arrivé malheur à son compagnon ; peut-être l'avait-on arrêté et conduit à la police pour vérification. Peut-être l'avait-on reconnu et avait-on rapproché sa présence de la disparition d'un officier et d'un soldat de l'armée égyptienne dans le désert du Sinaï.

Elle imaginait qu'on était en train de l'interroger, peut-être de le torturer, et que lui cherchait à résister pour lui donner le temps de comprendre et de fuir. Elle sentit sa gorge se nouer.

Elle devait prendre une décision : Blake avait la possibilité de téléphoner à la pension de n'importe quelle cabine ; s'il ne le faisait pas, cela voulait dire qu'il était dans l'impossibilité de le faire. Elle devait partir de là et chercher à atteindre toute seule l'ambassade américaine. Ce serait le point de ralliement pour lui aussi, s'il réussissait à se manifester.

Elle avait encore de l'argent : elle pourrait prendre un taxi et arriver au Caire.

Elle n'avait plus d'autre choix. Elle écrivit sur un bout de papier : « Je ne peux plus attendre. Je vais chercher à atteindre le lieu convenu par mes propres moyens. Je t'attends. Sois prudent, Sarah. » Et elle le fixa sur la porte. Que ce soit Blake ou les agents de l'ambassade, ceux qui arriveraient comprendraient.

Elle prit son sac, cacha celui de Blake dans l'armoire et, avant de sortir, donna encore un coup d'œil sur la rue faiblement éclairée par un réverbère ; elle vit alors une voiture qui s'arrêtait et deux hommes en descendre, d'aspect égyptien mais vêtus à l'européenne : ce devait être eux. En les voyant entrer, Sarah, après un instant de soulagement, fut prise de mille doutes et eut l'idée de s'enfuir et de gagner seule, de toute façon, l'ambassade américaine au Caire. Mais il était trop tard : on entendait les pas des deux hommes qui montaient l'escalier ; il n'y avait pas d'autre possibilité de fuir, à moins de se jeter par la fenêtre.

Alors qu'elle prenait cette éventualité en considération, elle entendit frapper à sa porte. Elle chercha à se calmer, elle pensa que, finalement, il n'y avait rien à craindre : c'étaient sûrement les agents envoyés par l'ambassade américaine et elle alla ouvrir, mais, dès qu'elle eut vu les nouveaux arrivants, elle se rendit compte qu'elle était perdue.

« Je suis un officier de la police militaire égyptienne, dit l'un deux dans un anglais tout à fait passable. Le propriétaire de cette pension nous a dit que vous n'avez pas déclaré votre identité. Pouvez-vous nous montrer vos papiers, s'il vous plaît. »

Les deux agents ne pouvaient pas voir le billet affiché sur la partie intérieure de la porte, tournée vers le mur et Sarah espéra encore qu'il s'agissait d'un contrôle de routine. Elle dit, montrant sa carte d'identité : « Je m'appelle Sarah Forrestall. J'étais entrée en Égypte pour faire du tourisme et je suis restée bloquée par la guerre... C'est vraiment dommage : je n'ai pas encore vu Louqsor, ni Abou Simbel, mais... »

L'homme regarda sa carte d'identité et échangea un rapide coup d'œil d'entente avec son compagnon.

« Madame, dit-il d'une voix ferme, où est votre ami ? »

Sarah comprit qu'elle n'avait plus aucune chance : « Je ne sais pas, dit-elle, il est sorti il y a plus de deux heures pour acheter quelque chose à manger et il n'est pas encore rentré. Je n'ai pas la moindre idée de l'endroit où il se trouve.

— Vous allez venir avec nous au commandement et vous nous raconterez tout ce que vous savez. Nous nous occuperons de lui plus tard.

— Mais je... » dit Sarah. Elle ne put rien ajouter. L'homme la prit par le bras et la fit sortir de la chambre tandis que son compagnon s'attardait pour ramasser les objets qui étaient restés sur le lit et sur le dallage, puis ils s'engagèrent tous les trois dans le couloir. Mais, ayant fait quelques pas, ils se trouvèrent soudain face à deux autres individus, qui venaient de sortir du palier et tenaient des pistolets avec silencieux.

Sarah devina ce qui était en train de se passer et se jeta à terre, se couvrant la tête de ses deux mains tandis qu'au-dessus d'elle la semi-obscurité du couloir était déchirée par des éclairs orangés et que l'air s'emplissait d'une fumée âcre et dense. Touchés en pleine poitrine, les deux policiers égyptiens s'effondrèrent sur le sol à côté d'elle, sans une plainte.

Elle leva la tête et vit l'un des deux hommes qui tenait de sa main droite son bras gauche blessé tandis que l'autre venait vers elle, son arme encore fumante à la main ; ils étaient tous les deux égyptiens.

« Juste à temps, si je ne m'abuse, lui dit-il en s'approchant. Excusez-nous, miss Forrestall, ajouta-t-il avec un demi-sourire, nous avons rencontré un peu de circulation. Où est votre ami ? » On sentait à son humour qu'il fréquentait des Américains et cela la rassura.

« Je ne sais pas, répondit-elle. Il est descendu acheter quelque chose à manger vers neuf heures et il n'est pas rentré. Cela fait plusieurs heures que je l'attends, mais maintenant, je crains qu'il ne revienne pas. Nous ne pouvons pas rester ici et, par-dessus le marché, votre camarade est blessé...

— Juste une égratignure, par bonheur, dit l'autre, il suffira de serrer son bras avec un mouchoir. »

Il se fit aider pour accomplir cette médication sommaire, puis il remit son pardessus et prit l'escalier, suivi de Sarah et de son compagnon qui tenait encore son pistolet.

Un vieil Arabe montait au même moment l'escalier en s'appuyant sur une canne et murmura entre ses dents : « As-*salam 'aleykoum.*

— *'Aleykhoum salam* », répondit l'homme au pistolet. Mais Sarah tressaillit en reconnaissant la voix de Blake. Un instant plus tard, la même voix retentit encore, plus robuste et plus décidée, derrière eux : « Jetez vos armes et remontez immédiatement. J'ai dit : Jetez vos armes ! » répéta Blake de façon résolue en pointant sur eux un pistolet. Sarah le regarda : c'était celui de l'Égyptien qu'il avait tué dans le Sinaï avec son bistouri. Les deux hommes laissèrent tomber leurs armes, que Blake ramassa aussitôt, et ils commencèrent à remonter l'escalier, suivis de Sarah. Ils passèrent à côté des cadavres des deux policiers encore étendus sur le dallage dans une flaque de sang qui continuait à s'élargir, mouillant la moquette.

« Rentrez ! » dit Blake, montrant la porte de la chambre encore ouverte. Il ôta le keffieh qui lui couvrait presque complètement le visage : « J'ai vu des mouvements suspects autour de la pension, dit-il en s'adressant à Sarah. Et j'ai dû me cacher. Voilà pourquoi je ne suis pas monté.

— Mais pourquoi les menaces-tu ? demanda Sarah stupéfaite. Ils sont venus nous sauver. L'un d'eux a été blessé dans le combat contre deux agents égyptiens, ceux que tu as vus dans le couloir.

— Monsieur Blake, reprit l'autre. Je vous en prie, soyez raisonnable... Il n'y a pas de temps à perdre, nous devons partir. Vous ne comprenez pas...

— Comment connais-tu mon nom ? demanda Blake, son arme toujours pointée sur lui.

— C'est madame Forrestall qui l'a dit...

— C'est faux ! Madame a seulement dit qu'il y avait

une autre personne avec elle. J'étais là. Comment connais-tu mon nom ?

— Will, je t'en prie..., dit encore Sarah.

— Sarah, ne t'en mêle pas, je sais ce que je fais. Nous ne pouvons plus nous fier à personne. Mon nom était seulement sur les listes de la Warren Mining : comment se retrouve-t-il à l'ambassade américaine ? Comment se trouvait-il dans les papiers des deux types qui nous ont arrêtés dans l'autobus ? Attache-les maintenant. Prends les cordes du rideau et attache-les. »

Sarah obéit et, quand les deux hommes furent immobilisés, Blake fouilla dans leurs poches : l'un d'eux avait un portable. Il l'alluma.

« À quel numéro devais-tu rendre compte ? »

L'homme secoua la tête : « Vous êtes fou. La police pourrait arriver d'un moment à l'autre. »

Blake releva le chien du pistolet : « Le numéro ! »

L'homme se mordit les lèvres, mais il composa un numéro et le téléphone commença à appeler.

« Dès qu'on répondra, tu diras que vous vous êtes battus avec la police égyptienne et que nous sommes morts tous les deux. Compris ? Morts. Et pas de blagues si tu ne veux pas finir en compagnie des deux autres, là-bas. »

Une voix répondit au téléphone et Blake approcha l'oreille : « Bureau "M". Parlez.

— Youssouf à l'appareil. Ça s'est mal passé : la police égyptienne nous attendait ; il y a eu un échange de coups de feu. Nos amis se sont trouvés au milieu. Ils sont... morts. Abdul est blessé, mais pas gravement. »

Il y eut un silence de l'autre côté.

« Vous avez compris ce que j'ai dit ? insista l'homme.

« J'ai compris, Youssouf. Rentrez immédiatement. Je vais vous envoyer une ambulance à l'endroit dont nous avions convenu pour les remettre. »

Blake éteignit le téléphone.

« Qu'est-ce que vous voulez faire de nous ? demanda le dénommé Youssouf.

« Nous allons envoyer quelqu'un vous récupérer », répondit Blake. Puis il fit signe à Sarah de rassembler leurs affaires et ils sortirent en fermant la porte à clé derrière eux.

« Mets ça, lui dit-il en lui jetant une djellaba sombre. Il faut que nous nous éloignions au plus vite. »

Ils descendirent les marches et passèrent devant le vieux propriétaire, debout derrière son comptoir, ahuri, ne se rendant pas compte de ce qui se passait.

« Appelle la police tout de suite, lui dit Blake en arabe, il y a des morts et des blessés là-haut. »

Il fila dans la rue, tirant Sarah enveloppée dans sa djellaba, la tête et le visage couverts d'un voile.

« Mais qu'est-ce qu'il t'a pris..., essaya-t-elle de lui dire.

— Pas maintenant. Je t'expliquerai ensuite. Il faut filer en vitesse, nous n'avons que quelques minutes. »

Il s'engagea dans une ruelle sombre et la parcourut jusqu'au bout en s'arrêtant à chaque croisement pour s'assurer qu'il n'y avait pas de surprises dans les rues latérales. Il y avait encore des gens à proximité du bazar. Des marchands et des porteurs, la plupart transportant des marchandises pour le lendemain ; les affaires continuaient malgré la guerre sainte. De temps en temps, l'air immobile était secoué par le bruit des hélicoptères ou le vrombissement des avions qui se dirigeaient vers le front. Soudain, il s'arrêta sous la voûte noircie d'une vieille forge de charron et se cacha dans l'ombre, serrant Sarah contre lui.

« Et maintenant ? demanda-t-elle.

— Maintenant, prie un Dieu quelconque, répondit Blake tout en regardant sa montre. Dans cinq minutes, nous saurons s'il t'a écoutée. »

Ils restèrent immobiles, en silence, tendant l'oreille au moindre bruit. Cinq minutes d'attente crispée s'écoulèrent, puis dix, puis quinze, et Blake, anéanti, se laissa tomber au sol, la tête appuyée sur les genoux.

Sarah l'agressa : « Mais tu vas m'expliquer ce que nous faisons là ? Pourquoi n'avons-nous pas suivi ces deux hommes ? À l'heure qu'il est, nous serions en route vers l'ambassade américaine, bon sang !

— À l'heure qu'il est, nous pourrions aussi être morts, pour autant que je sache. J'ai commencé à avoir des doutes quand les Égyptiens nous ont pris et quand nous avons trouvé ces documents dans la veste de l'officier. Toi aussi, si je ne me trompe pas. Et cet homme connaissait mon nom ; qui le lui a dit ? »

Sarah secoua la tête : « Je ne sais pas, je ne suis plus

sûre de rien... Ça pourrait être moi... » Elle n'eut pas le temps de finir sa phrase : du coin de la rue déboucha une vieille Peugeot 404 noire qui s'arrêta devant eux. « Nous sommes peut-être sauvés, dit Blake. J'aurais pourtant dû le savoir, que les Égyptiens sont rarement ponctuels. Vite, monte. » Il fit asseoir Sarah sur le siège arrière et monta à côté du chauffeur, un jeune Nubien à la peau sombre, qui le salua d'un sourire éclatant : « *As-salam 'aleyk, el sidi.*

— *'Aleyk salam*, répondit Blake. Tu es sans doute Khaled.

— Je suis Khaled, el sidi. Selim m'a dit que je vous trouverais ici. Et il m'a aussi dit de vous conduire chez lui, au Caire, le plus vite possible. Lui, il est à Louqsor, il vous rejoindra demain. Nous allons rouler toute la nuit parce qu'il faut faire un grand détour par de petites routes où il n'y a ni soldats ni police. Il y a de quoi manger dans ce sac plastique : vous devez être affamés.

— En effet, dit Blake. Ça fait des jours que nous n'avons pas fait un repas décent. » Il prit un pain farci aux légumes et à la viande d'agneau et il en passa un autre à Sarah, qui mordit dedans avec avidité. Khaled conduisait lentement, très prudemment, prenant des routes secondaires, sans circulation ou presque.

« Je te tiendrai compagnie, dit Blake, mais ma femme est morte de fatigue, laissons-la dormir. »

Il tendit la main vers le siège arrière et serra celle de Sarah, longuement. Puis il s'appuya au dossier et resta à écouter en silence le ronflement du vieux moteur et à regarder la route qui glissait silencieusement sous la lumière des phares.

Khaled quitta presque tout de suite la route asphaltée et prit un chemin de terre battue, poussiéreux, plein de nids-de-poule, et s'enfonça dans la plaine du Delta. De temps en temps, ils traversaient des villages dont les maisons étaient faites de briques d'argile séchée, aux toits couverts de paille et de roseaux, comme aux temps de l'Exode, et Blake pouvait sentir dans l'air l'odeur de fumier et de boue, la même odeur qu'il avait sentie dans les villages de Haute et de Basse-Égypte, de Mésopotamie et de l'Inde, l'odeur des lieux oubliés par l'histoire.

La ville biblique de Pi-Ramsès, d'où était partie la

grande migration, ne devait pas être bien loin : ils étaient en train de traverser la terre de Gosen.

À minuit, Khaled alluma la radio pour écouter le journal et Blake put entendre les accents triomphalistes du speaker qui décrivait Israël encerclé de toutes parts, un pays dont le sort était désormais définitivement fixé. Suivait l'interview d'un homme politique qui disait qu'après la victoire arabe les quelques Israéliens survivants qui pourraient faire la preuve qu'ils étaient nés en Israël auraient la possibilité de rester en prenant la citoyenneté palestinienne et en jurant fidélité au nouveau drapeau.

Blake chercha une radio européenne ou israélienne, mais toutes étaient fortement perturbées, inaudibles en fait.

Vers une heure, ils s'arrêtèrent sur les rives d'un bras du delta du Nil et Khaled descendit pour uriner, imité par Blake. La lune, encore presque pleine, flottait un peu au-dessus de l'horizon, abandonnant le reste du ciel au fourmillement des étoiles. Un souffle de vent faisait onduler la cime des papyrus qui brillaient comme des fils d'argent dans la lumière lunaire et se reflétaient comme des tentacules de méduse dans le miroir tranquille des eaux.

Soudain on entendit, à l'est, des explosions semblables à des coups de tonnerre lointains et l'horizon frémit d'éclairs répétés. Peu après, un fracas assourdissant laboura le calme profond du ciel et quatre avions de chasse marqués de l'étoile de David passèrent à basse altitude au-dessus des roseaux, laissant derrière eux de longs sillages de feu : Israël réagissait rageusement à l'attaque et Blake pensa à la loi implacable qui, depuis trente siècles, guidait contre ses ennemis ce peuple à la longue mémoire : œil pour œil.

Khaled laissa tomber sur la pointe de ses souliers le bord de sa djellaba qu'il avait relevée jusqu'à la ceinture et, s'étant assuré que Sarah dormait, prit dans sa poche une lettre et la tendit à Blake. « Selim veut que tu la lises seul, dit-il. Reste ici, je vais allumer les feux de position. »

Blake s'accroupit sur ses talons devant la voiture et, à chaque ligne qu'il parcourait du regard, il sentait le sang lui monter à la tête et son front se mouiller de sueur. Quand il eut fini, il s'effondra sur ses genoux, se couvrant le visage de ses mains.

La main de Khaled posée sur son épaule le fit se ressaisir : « Allons-y, la route est encore longue. » Il le fit remonter en voiture, s'assit au volant et, imperturbable, reprit la route. Les premiers faubourgs du Caire se dessinèrent sur un ciel couleur de perle à cinq heures du matin et le chant sonore du muezzin vibra sur la ville déserte aux aiguilles de minces minarets, plus comme un cri de guerre que comme une prière. Khaled prit encore des rues tortueuses dans la banlieue de l'interminable métropole et, après de longs détours, il s'arrêta au bout d'une rue poussiéreuse, flanquée de ternes édifices de béton et de briques creuses, sans crépi, des ronds à béton dépassant aux bouts, avec des trottoirs disjoints, pleins d'ornières.

Les fils électriques étaient accrochés tels de bizarres festons le long des murs et certains des poteaux étaient encore au milieu de la rue, traces d'un urbanisme dépassé par l'expansion tumultueuse de la plus grande ville du continent.

Khaled prit un trousseau de clés dans sa poche, ouvrit la porte d'entrée d'un immeuble, fit monter ses compagnons jusqu'au dernier étage, puis il ouvrit une porte sur le palier et les fit alors entrer dans un appartement sobre et modeste, mais étonnamment propre et ordonné, dépourvu du lourd clinquant habituel aux maisons égyptiennes. Il y avait un téléphone, une petite télé, une machine à écrire portable sur une table de travail.

Blake inspecta toutes les fenêtres une à une pour se rendre compte de la situation de l'édifice et des accès et, soudain, en ouvrant la porte qui donnait sur un petit balcon à l'arrière de l'appartement, il vit au loin les silhouettes grandioses de Gizeh : la pointe de la grande pyramide et la tête du sphinx qui s'élevaient au-dessus d'une étendue de masures grises.

Il frissonna et se rappela ces mêmes silhouettes telles qu'elles lui étaient apparues, œuvres de la nature, sur l'étendue désertique de Ras Udash. Le cercle s'était refermé, et lui, il était le fragile point de suture de cet anneau magique et maudit.

Khaled fit chauffer un peu de lait et prépara un café turc pour ses hôtes, mais Blake ne but qu'une tasse de lait.

« Si vous voulez vous reposer un peu, il y a un lit dans l'autre pièce, dit Khaled. Moi, j'attendrai Selim.

— Je me suis reposée en voiture, dit Sarah, je resterai avec Khaled. Va dormir, toi. »

Blake aurait voulu rester, mais il céda à la terrible fatigue qui lui était brutalement tombée dessus : il se jeta sur son lit et s'enfonça dans un sommeil de plomb.

Il fut réveillé par la sonnerie insistante du téléphone dans l'appartement sombre et désert.

Gad Avner s'approcha du parapet en inox et soupira en regardant le grand modèle topographique lumineux au centre du bunker souterrain, où étaient représentés les mouvements des forces en action, comme sur l'écran d'un inoffensif jeu vidéo. Le réalisme de l'effet tridimensionnel, tant pour ce qui est de la représentation du territoire que pour ce qui est des objets en mouvement, donnait à l'observateur l'impression de se déplacer physiquement au cœur du théâtre des combats.

On voyait les villes et les villages où avaient prêché les prophètes, la plaine de Gelboé où Saül et Jonathan étaient tombés au combat, le lac de Gennézareth et le Jourdain qui avaient entendu les paroles de Jésus et de Jean et, au fond, la rude forteresse de Massada, ceinte de rampes démantelées et de squelettes de camps retranchés, souvenir d'un épouvantable sacrifice humain offert à la liberté.

On voyait la mer Morte enserrée entre des rivages de sel scintillant, tombe de Sodome et Gomorrhe et, au fond, aux limites du désert de l'Exode, Be'er Sheva, coupole du She'ol, caverne d'Armagueddon.

Au centre, entre les vagues de la Méditerranée et le désert de Juda, Jérusalem se dressait sur son rocher, avec sa coupole d'or, l'enceinte de ses remparts et de ses tours.

Une voix le fit sursauter : « Un beau jouet, n'est-ce pas ? »

Et Avner vit surgir devant lui la silhouette massive du général Yehudaï, le visage sombre.

« Regarde, dit-il, il est évident que l'effort principal de l'ennemi tend à isoler Jérusalem, comme s'il cherchait à l'assiéger en coupant ses voies d'accès. »

Un jeune officier se mit à la console du grand ordinateur, simulant, à chaque demande de son commandant, les mouvements des divisions cuirassées, les attaques en rase-mottes des chasseurs-bombardiers, et montrant les scénarios qui résultaient de chaque mouvement possible d'attaque ou de défense sur chacune des zones du conflit.

Ce n'était plus comme au temps de la guerre des Six Jours. Le fait de ne pas avoir détruit au sol les forces aériennes ennemies avait créé une situation d'équilibre qui glissait dangereusement, au fil des heures et des jours, vers une sorte de stagnation, avec de très violents duels d'artillerie et des lancements de missiles par batteries mobiles.

Les raids continuels à l'intérieur du territoire israélien suscitaient le découragement parmi la population civile et mettaient en difficulté le système des communications. Les attaques aériennes sur tous les fronts contraignaient l'aviation à une tâche exténuante et les pilotes à des efforts de plus en plus durs, du fait de leur infériorité numérique et de l'absence de renouvellement du personnel.

« Nous sommes en difficulté, dit Yehudaï, surtout depuis que l'Égypte est entrée en guerre. Et les choses pourraient empirer. Nous devons absolument infliger un coup destructeur à nos ennemis, sinon il risque d'en venir d'autres. Si s'esquissait pour eux le plus petit espoir de victoire, d'autres chercheraient à monter dans le char du vainqueur.

— Effectivement, dit Avner, pour l'instant, l'Iran se borne à un appui extérieur, se satisfaisant de ses conquêtes en Arabie, où il vise la garde des lieux saints de l'Islam, mais les forces les plus extrémistes pourraient prendre le dessus d'un moment à l'autre et faire pression pour une intervention directe, surtout si la menace qui immobilise Américains et Européens reste efficace. N'oublions pas que les Iraniens aussi ont juré de prendre Jérusalem. Et on me signale des mouvements jusque dans les républiques islamiques ex-soviétiques. »

Il se tut un instant, comme plongé dans une réflexion angoissée, puis il demanda : « Quelles sont les probabilités de recours à l'arme nucléaire ?

— C'est notre dernière carte, dit Yehudaï dont le regard se posa sur Be'er Sheva. Mais cela pourrait devenir inévitable. Voilà la situation : nous sommes en train de chercher à contre-attaquer partout où l'ennemi s'est enfoncé profondément sur notre territoire en direction de la capitale, et, d'ici à demain, nous saurons si la contre-offensive a réussi.

« Si nous ne réussissions pas, dans un délai de vingt-quatre heures à partir de demain soir, la situation pourrait évoluer de façon décisive en leur faveur et nous approcherions du point de non-retour. Alors, il ne nous resterait pas d'autre choix. »

Avner baissa la tête : « Malheureusement, à Washington, rien de nouveau : la situation est toujours la même en Amérique. Ils n'arrivent pas à localiser les commandos, ils ne savent pas où sont les bombes et, pour l'instant, il n'y a pas de raison de penser que les choses changeront dans les prochaines quarante-huit heures.

« Nous ne devons compter que sur nos propres forces, si nous exceptons l'appel du pape à un cessez-le-feu. Mais je crains qu'il ne serve pas à grand-chose. »

La porte pneumatique du bunker s'ouvrit alors et Ferrario entra, visiblement très excité : « Messieurs, dit-il, les appareils d'écoute des satellites ont identifié une centrale de communications à l'intérieur de notre territoire. Selon les experts américains, il pourrait s'agir du principal nœud de coordination de toute l'opération Nabuchodonosor. Si notre ordinateur principal se met en ligne avec le satellite, l'endroit sera localisé sur notre théâtre virtuel. Regardez. »

Il s'approcha de l'officier qui était à la console et lui remit la séquence des procédures à suivre pour se mettre en syntonie avec le satellite militaire en orbite géostationnaire et, en moins d'une minute, une petite lumière bleue commença à clignoter sur la carte tridimensionnelle.

« Mais c'est entre ici et Bethléem ! s'écria Yehudaï stupéfait. Presque sous notre nez. »

— Entre ici et Bethléem..., répéta Avner comme s'il cherchait dans ses souvenirs. Il n'y a qu'un salopard arrogant et présomptueux qui puisse avoir placé une centrale de coordination entre ici et Bethléem... Abou Ahmid !

— Ce n'est pas possible, fit Yehudaï.

— Et moi, au contraire, je crois que si », rétorqua Avner. Puis, se tournant vers Ferrario : « Où est Allon ? » Ferrario regarda sa montre : « Il devrait être encore dans le tunnel.

— Conduis-moi immédiatement à lui.

— Qui est Allon ? demanda Yehudaï.

— Un archéologue, répondit Avner en sortant avec son assistant. Quelqu'un qui sait tout de Nabuchodonosor. »

14

La porte s'ouvrit dans un léger grincement et une silhouette sombre se découpa dans l'ouverture : celle d'un homme plutôt grand, tenant à la main un porte-documents.

« Selim ? C'est moi, dit-il. Je viens d'arriver.

— Pourquoi demander l'assistant quand le professeur est sur place, docteur Olsen ? lui répondit une voix dans le noir.

— Qui est là ? Qui ? dit l'homme en reculant.

— Tu ne reconnais pas ton vieil ami ? dit encore la voix dans le noir.

— Mon Dieu... William Blake. C'est toi, Will ? Oh, ça alors, ça c'est une surprise, mais... qu'est-ce que tu fais là, dans le noir... Allez, ne fais pas de blagues, montre-toi. » Une lampe s'alluma soudain et Bob Olsen se trouva face à William Blake, assis dans un fauteuil délabré, les mains appuyées sur les accoudoirs, un pistolet à côté de lui, posé sur une petite table.

— Je suis ici, Bob. Comment se fait-il que tu sois en Égypte, en un moment si difficile ? Et comment se fait-il que tu sois ici, en un lieu si loin de tout ?

— Will, j'étais à Louqsor pour travailler et je suis venu ici parce que Selim m'a promis de m'aider à rejoindre notre ambassade. Tu sais, je me suis donné du mal, comme je te l'avais promis, j'ai cherché des témoignages, des appuis ; j'étais en train d'essayer d'éclaircir les choses avec les autorités égyptiennes qui se sont montrées disponibles... Je t'avais promis de rouvrir ton affaire à la faculté et je le ferai, crois-moi. Si seulement nous sortons de cet enfer, je te jure que tu seras réintégré dans tes fonctions... tes mérites seront reconnus...

— Et toi aussi, Bob, tes mérites seront reconnus pour t'être donné tant de mal pour ton malheureux ami. »

Olsen cherchait à ne pas poser les yeux sur le pistolet, pour montrer que cela ne le concernait pas, mais c'était le seul objet qui brillât dans cette pièce opaque. Il regarda autour de lui, hébété, et la tension de cette situation surréelle commença à percer dans le calme qu'il affichait. Quand il parla, il y avait de la peur dans sa voix :

« Qu'est-ce que tu veux dire ? Qu'est-ce que c'est que ce ton ironique ? Écoute, Will, quoi qu'on ait pu te dire, je ne...

— Je veux dire que tu as trahi ma confiance et mon amitié de toutes les façons possibles : tu es même l'amant de ma femme. Depuis combien de temps, Bob ?

— Will, tu ne vas pas accorder crédit à des ragots qui n'ont pour but que...

— Depuis quand ? » répéta Blake sur un ton péremptoire.

Olsen recula : « Will, je... » Un tic nerveux lui faisait cligner l'œil gauche et une rigole de sueur coulait le long de ses tempes.

« Voilà pourquoi tu t'es donné tant de mal pour me faire obtenir le financement : comme ça, tu avais la place libre pendant que j'étais en Égypte.

— Tu te trompes, j'étais sincère, je...

— Oh, pour ça, je te crois. Tu savais que j'étais sur une bonne piste. Tu m'as fait suivre par un de tes amis au siège de l'institut au Caire et, quand tu as su que j'avais organisé le rendez-vous, tu m'as envoyé la police égyptienne... Comme ça, j'étais hors jeu et tu pouvais mettre la main sur le papyrus. Mais, ça n'a pas marché car ils n'ont pas apporté le papyrus. Moi, en tout cas, j'étais un homme fini : viré de chez moi, viré de l'institut, viré de partout ! Le papyrus ressortirait tôt ou tard ; il suffisait d'un peu de patience et la découverte aurait été toute à ton honneur. Tu te rends compte ? Une version égyptienne de l'Exode biblique, la seule source non hébraïque de l'événement le plus important de l'histoire de l'Orient, et de l'Occident ! Pas mal.

« Tu serais devenu directeur de l'Oriental Institute, le successeur de James Henry Breasted. Gloire, popularité, riches contrats éditoriaux, et même le lit de Judy... »

Olsen bredouillait, il avait la bouche sèche et se passait inutilement la langue sur les lèvres : « Will, crois-moi, ce n'est qu'un échafaudage de mensonges. Ceux qui t'ont raconté ça ne veulent que nous dresser l'un contre l'autre, pour quelque obscur dessein... Réfléchis, j'ai toujours été ton ami...

— Vraiment ? Bien : je ne demande pas mieux que de croire à ce que tu me dis. Mais laisse-moi d'abord achever ce que j'ai à te dire. Nous avons le temps : personne ne sait que nous sommes ici. Et Selim est d'accord avec moi, évidemment. Quelqu'un a fait tuer Ali Mahmoudi, l'homme qui avait le papyrus Breasted, peu avant qu'il le remette et a ensuite envoyé la police... Ça ne te rappelle rien, cette méthode, Bob ? Mais Ali n'est pas mort. Bizarre ? Un homme avec trois balles dans le corps. Tu vois, Bob, ces paysans égyptiens sont robustes, ils descendent de la race des pharaons. Le pauvre Ali, à moitié vidé de son sang, a réussi à atteindre le lieu du rendez-vous et, avant de mourir, a décrit à Selim celui qui lui avait tiré dessus : l'homme aux moustaches et aux cheveux roux. L'homme avec une sacoche aux fermoirs d'argent. N'est-ce pas celle-là, Bob ? N'est-ce pas la sacoche que tu as à la main ?

— Mais... c'est de la folie pure, Will, bafouilla Olsen. Tu ne peux pas croire sérieusement que je...

— Je ne le croirai plus si tu me montres ce que contient cette sacoche. »

Olsen serra le sac contre sa poitrine : « Will, ça, je ne peux pas le faire... Cette sacoche contient des documents extrêmement secrets et je n'ai pas le pouvoir de... »

Blake posa sa main droite sur le pistolet : « Ouvre ce sac, Bob. »

À ce moment, un grand fracas fit trembler les vitres et les lampes, et la pièce fut illuminée un instant par l'éclairage stroboscopique des explosions, lequel fut aussitôt suivi du rugissement des moteurs à réaction et du bruit rythmé des canons de la défense contre-aérienne qui tonnaient. Israël avait encore la force de frapper le cœur de l'Égypte. Aucun des hommes ne sourcilla. Olsen baissa la tête : « Comme tu voudras, Bob, mais tu commets une grave erreur... Ce sont des documents qui... »

Les deux fermoirs d'argent s'ouvrirent l'un après l'autre avec un déclic, la main d'Olsen plongea rapidement dans le sac, en sortit un pistolet, mais, avant qu'il eût le temps de le relever en position de tir, Blake prit le sien et fit feu. Un seul coup, au cœur.

On entendit un bruit de pas précipités dans l'escalier et, un instant plus tard, apparurent Sarah et Selim.

« Oh, Seigneur ! » jura Sarah en trébuchant presque sur le cadavre d'Olsen étendu en travers de la porte.

« Il avait un pistolet, comme tu peux le voir, dit Blake. Et il a cherché à s'en servir : je n'ai pas eu le choix. » Sarah le regarda, interdite.

« Maintenant, il faut se remuer, dit Selim. Le bruit du bombardement et de la D.C.A. devrait avoir couvert le coup de feu, mais lui, on ne peut pas le laisser ici. »

Blake ne semblait pas entendre. Il s'agenouilla par terre tandis que des éclairs de feu projetaient des ombres fantastiques sur les murs de la pièce ; il ouvrit le sac d'Olsen, et en sortit une cassette de métal qu'il ouvrit. Une autre rafale d'explosions, très proches cette fois, fit trembler tout l'édifice. Devant les yeux de Blake apparurent les énigmatiques idéogrammes si longtemps poursuivis : « Oh, mon Dieu..., dit-il, mon Dieu... le papyrus Breasted ! »

Concentré sur le déchiffrement de ces mots, sur l'élucidation de ce message millénaire finalement sorti de l'obscurité, il semblait avoir oublié qu'il venait de tuer un homme.

Sarah le secoua : « Will, il faut se débarrasser du cadavre.

— Au bout du couloir, il y a encore l'échafaudage de l'entreprise de construction et le monte-charge. Nous pouvons nous en servir, dit Selim. Mais j'ai besoin que vous m'aidiez. »

Il prit dans sa poche les clés de sa voiture et les tendit à Sarah : « Miss Forrestall, vous devriez descendre, prendre la Peugeot de Khaled qui est garée le long du trottoir, faire le tour du pâté de maisons et vous arrêter près de l'échafaudage. Nous descendrons dans une minute avec le corps du docteur Olsen. »

Sarah acquiesça, un peu désorientée par le macabre formalisme de son interlocuteur et elle descendit l'escalier dans le noir tandis que Selim et Blake, après avoir jeté un regard alentour, traînaient le cadavre d'Olsen enveloppé dans une couverture et le portaient jusqu'à la fenêtre. Selim enjamba l'appui pour monter sur le monte-charge, d'où il commença à hisser le corps, aidé de Blake qui poussait par en bas.

Quand ils l'eurent chargé, Selim coupa les fils du poste de commande du monte-charge, les fit se toucher pour envoyer le courant au moteur. La plate-forme se mit en mouvement avec un léger ronronnement tandis que Selim faisait un clin d'œil et levait le pouce, avant de disparaître sous l'appui de la fenêtre.

Blake descendit l'escalier sur la pointe des pieds, sortit sur le trottoir et fit le tour du pâté de maisons jusqu'en bas de l'échafaudage. Toutes les lumières du quartier étaient éteintes. De toute évidence, le couvre-feu était en vigueur.

Sarah avait ouvert le coffre de la Peugeot et Selim traîna son fardeau hors du monte-charge. Ils durent s'y mettre tous les trois pour soulever le lourd paquet et le déposer dans le coffre.

« Je passerai prendre Khaled et je me ferai aider pour jeter ça dans le Nil. Vous, attendez-moi à la maison et ne bougez sous aucun prétexte.

— Selim, merci, dit Blake. Je n'oublierai pas.

— Tout va bien, docteur Blake. Ne répondez pas au téléphone avant la dixième sonnerie », précisa Selim avant de partir.

Sarah et Blake montèrent à l'appartement et fermèrent la porte à clé.

« Il vaut mieux ne pas allumer, dit Sarah. Les rideaux ne ferment pas bien et la lumière filtre. Il ne faut pas qu'on sache qu'il y a quelqu'un à l'intérieur. Tu pourras déchiffrer ton papyrus au calme quand nous serons de retour. »

Blake l'enlaça dans le noir et ils restèrent ainsi, Sarah dans ses bras, à écouter les bruits de la guerre qui parcouraient le ciel au-dessus de la ville, puis la jeune femme rompit le silence : « Comment allons-nous faire pour sortir de ce pays ?

— Je ne sais pas. On va voir ce qu'en pense Selim. Jusqu'à maintenant, il a été très bon. »

Il pensa à Husseïni : il avait des amitiés haut placées, en Égypte. Peut-être pourrait-il les aider.

« Sarah, ton téléphone portable ! Je voudrais appeler quelqu'un en qui j'ai confiance et qui peut peut-être nous sauver ».

Sarah lui passa son téléphone et alluma une petite torche électrique pour l'éclairer tandis qu'il faisait le numéro. Le téléphone de Husseïni sonnait mais personne ne venait répondre ; le répondeur n'avait même pas été branché. Étrange. Il essaya de nouveau, une fois, deux fois, sans résultat.

Il referma l'appareil, chercha à tâtons une chaise et s'assit. Il essaya de mettre de l'ordre dans ses pensées. Mais, en posant le petit téléphone sur la table, il eut une idée : « Sarah, cet engin est aussi un ordinateur, non ?

— C'en est un, et plus puissant que ce que tu peux imaginer.

— Parfait : je pourrais donc envoyer un e-mail. Il le consulte tous les jours. »

Il ouvrit l'appareil, alluma le petit ordinateur, lança la procédure de raccordement à Internet : aussitôt apparut sur le petit écran la demande du code d'accès. Sarah le lui dicta et le téléphone commença à appeler le numéro de Husseïni.

Presque incrédule, Blake observait le petit écran fluorescent dans l'obscurité et il suivait par la pensée le signal qui rebondissait sur un satellite virtuel puis sur une centrale de diffusion de l'autre côté de l'Atlantique et, de là, sur le téléphone puis l'ordinateur du docteur Omar al-Husseïni, 24, Preston Drive, Chicago, Illinois.

« Ces machines sont incroyables, s'écria-t-il.

— Maintenant, tu peux écrire ton message, dit Sarah. Mais d'abord, tu dois taper ZQ, pour avoir la fenêtre. »

Blake tapa les deux lettres, mais alors qu'il s'apprêtait à écrire, au lieu de l'espace pour le message apparut une autre fenêtre.

« Bon sang, qu'est-ce que j'ai fait ? » dit-il.

Sarah s'approcha : « Je ne sais pas, Fais voir... Probablement, tu as tapé autre chose et, sans le vouloir, tu as demandé un *remote access*. Tu vois, tu es entré dans les dossiers de ton ami.

— Bon, fais-moi sortir d'ici, je ne veux pas farfouiller dans ses archives.

— Facile, dit Sarah, tape "alt-tab" : tu devrais sortir. Ensuite, tu recommenceras la procédure pour avoir la fenêtre du courrier électronique.

— Éclaire-moi, demanda Blake. Je ne veux pas me tromper de nouveau. »

Mais, tandis que Sarah cherchait à éclairer de son mieux le clavier, le regard de Blake fut attiré par le nom d'un des dossiers parce qu'il était écrit en hiéroglyphes.

« Qu'est-ce que c'est que ça ? demanda Sarah.

— Notre système secret de communication : j'ai envoyé et reçu des messages à Ras Udash au nez et à la barbe de Maddox en lui faisant croire que j'adressais à mon collègue de Chicago des textes hiéroglyphiques à interpréter.

— Intéressant. C'est comme ça que tu as découvert où tu te trouvais ?

— Exactement. Tu veux voir ?

— Ben, Khaled et Selim ne vont pas revenir avant quelques heures...

— Alors, je dois d'abord charger le programme de lecture des hiéroglyphes. Je peux le faire directement à partir de l'ordinateur de Husseïni. »

Il fit descendre le curseur le long de la liste des dossiers et s'arrêta sur un programme. Il le chargea dans le minuscule appareil et revint en arrière sur le dossier signalé par une séquence de cinq idéogrammes.

« Qu'est-ce que ça veut dire ? demanda Sarah.

— Rien dans cette séquence. Husseïni a dû mettre une clé. Laissons tomber, revenons au courrier électronique.

— Un instant, dit Sarah. Laisse-moi jouer un peu, moi aussi. »

Elle passa sa torche à Blake et se mit au clavier. Elle noircit avec la souris les cinq idéogrammes puis tapa une série de touches et ils commencèrent à tourner en des suites toujours différentes, s'arrêtant quelques secondes à chaque nouvelle composition.

« Et comme ça, tu arrives à trouver un sens ? »

Blake secoua la tête.

« Pas de problème, l'ordinateur continue à chercher des combinaisons différentes à grande vitesse.

— Écoute, Sarah, je ne crois pas que nous ayons le droit de... » Il ne finit pas sa phrase : « Stop », dit-il tout à coup.

Sarah fixa la suite d'idéogrammes telle qu'elle s'était configurée une seconde plus tôt.

« Ça veut dire quelque chose ?

— Oui, dit Blake d'un air sombre.

— Qu'est-ce que ça signifie ?

— Armagueddon.

— Armagueddon ? répéta Sarah.

— C'est la bataille du dernier jour, celle qui verra quatre rois d'Orient opposés à Israël. La bataille qui se conclura par la catastrophe finale... C'est ce qui est en train de se passer en ce moment : Israël est pris dans l'étreinte de ses antiques ennemis, les peuples du Nil, du Tigre et de l'Euphrate.

— Il faut que nous ouvrions ce dossier, dit Sarah. Il y a quelque chose qui ne me plaît pas.

— Mais c'est impossible. La clé va être aussi en hiéroglyphes. Ou en arabe. »

Il essaya d'ouvrir le dossier : « Tu vois ? Ça ne s'ouvre pas. Il me demande un mot de passe. »

Mais Sarah ne voulait pas se rendre : « Il ne faut pas se décourager. Souvent, c'est quelque chose de très banal : par exemple, son numéro de téléphone... » Blake le lui dicta sans conviction.

« Non... ou bien sa date de naissance. Tu la connais ?

— Non, je ne la connais pas. Laisse tomber, Sarah. Écoute, tu sais, Husseïni est un bon garçon, un ami, je peux le dire, et je ne...

— Ou bien le nom de sa femme. Il a une femme ?

— Il a une amie. Sally, si j'ai bonne mémoire.

— Sally, hein ? Non... ça ne va pas. Essaie en arabe, tu connais l'arabe. J'ai le programme. »

Blake se rendit et chercha à coopérer : « Sally, en arabe... allons, Sarah... Non. Ça ne marche pas.

— Une fille, un fils...

— Il n'a pas d'enfants... »

Sarah leva les bras au ciel. « O.K. Laissons tomber. C'est toi qui as raison : ce n'est pas bien de fourrer son nez dans les affaires des autres. Mais tu vois, ça doit être ma déformation professionnelle...

— Attends une minute », l'interrompit Blake et, tout à coup, il revit, comme si elle avait été là, la photo d'un enfant sur le bureau d'Husseïni, dans son appartement de Chicago, avec une dédicace en arabe : *À Saïd. Papa.*

Il dit : « Il a un enfant... ou peut-être *avait*-il un enfant. »

Il tapa en arabe Saïd, et le dossier s'ouvrit.

« Oh, ciel ! s'écria Sarah. Et ça, qu'est-ce que c'est ? »

Blake s'approcha, mais il ne put voir qu'un amas de caractères ASCII disposés comme sur une structure en grappe.

« Je n'y comprends rien, dit Blake, pourquoi es-tu si alarmée ?

— Parce que ça, c'est un programme très complexe et délicat, et très rare aussi. Et, pour ce que j'en sais, il n'est répandu que dans quelques structures d'espionnage. Mon cher, ton collègue fréquente de drôles de gens.

— Mais ce n'est qu'un professeur de copte. Je le connais depuis des années : c'est la personne la plus tranquille et rangée qu'on puisse imaginer. Je ne connais rien en informatique, mais je t'assure que... Tu vas voir que c'est un système de contrôle orthographique de l'araméen...

— Je crois malheureusement que non... Saleté de petit écran, si seulement je pouvais imprimer tout le schéma... Attends, on va voir si j'arrive à l'envoyer dans mon décodeur. »

Elle continua à taper frénétiquement et la pointe de ses ongles sur le clavier émettait un drôle de bruit, comme le tic-tac d'une pendule. À mesure que le décodeur interprétait la grappe informatique qui apparaissait sur l'écran, se dessinait sur le visage de Sarah une appréhension de plus en plus forte.

« Tu arrives à comprendre ce que c'est ? » demanda Blake.

Sarah resta silencieuse, continuant à taper de façon intermittente. Elle attendait des réponses puis recommençait à taper. À la fin, elle se dressa sur les genoux et épongea son front ruisselant de sueur.

« Qu'est-ce que c'est ? demanda encore Blake. C'est

une espèce de système automatique, articulé sur trois secteurs ; voilà : le système en grappe que tu vois ici, qui commande automatiquement la rotation de trois objets, ou de trois personnes, sur divers objectifs.

— Et tu peux les identifier ?

— Il faut que j'essaie d'agrandir un secteur spécifique et qu'ensuite j'identifie son support topographique... Laisse-moi essayer... voilà, comme ça, comme ça, encore, vas-y mon mignon, continue comme ça... C'est... c'est vraiment un support topographique : voici l'un des trois objectifs... voyons l'autre maintenant... et maintenant le troisième... Oh, nom de Dieu, mais qu'est-ce que...

— Tu veux bien m'expliquer à moi aussi ? insista Blake.

— Écoute, si je ne me trompe pas, le système commande le déplacement continu, par rotation, toutes les vingt-quatre heures, de trois objets qui sont qualifiés ici par ce mot... Qu'est-ce que c'est ? De l'arabe ?

— Oui, dit Blake en mettant ses lunettes et en s'approchant de l'écran. C'est de l'arabe et ça veut dire “âne”.

— Mmouais, je veux bien. En tout cas, ces trois “ânes”, toutes les vingt-quatre heures, sont déplacés vers un objectif différent, par rotation. Le système est fait de six déplacements, dont quatre ont déjà été effectués, dit-elle en indiquant un fouillis de symboles ASCII dans un coin de l'écran. Au sixième déplacement, est activé un autre programme, une espèce de système automatique, comme un virus informatique qui provoque une conséquence irréversible, comme la destruction de la mémoire de l'ordinateur, la perte des archives ou même quelque chose d'autre ?

— Quoi ?

— Quel était le nom du dossier ? »

Blake sembla s'en souvenir brusquement :

« Armagueddon.

— La bataille du dernier jour, non ? Ça ne t'évoque rien ?

— Voilà pourquoi notre gouvernement ne bouge pas, dit Blake, ni nos alliés. Notre pays est sous une espèce de menace catastrophique à retardement.

— C'est une hypothèse probable. Imagine que ces “ânes” soient des réservoirs de gaz toxique, ou des charges bactériologiques ou des bombes nucléaires tactiques. Au sixième tour, ils sont positionnés sur des objectifs préétablis et le programme final est déclenché. La mise à feu. Boum !...

« Il faudrait avertir immédiatement l'ambassade, mais si nous faisons ça, ils pourraient nous envoyer encore deux hommes de main comme les précédents pour nous faire la peau.

— Improbable, dit Blake. Ils ne savent pas où nous sommes et ils n'ont aucune possibilité de nous localiser. Ils devront forcément nous écouter. Sors de ce dossier et appelle l'ambassade. Tout de suite.

— D'accord, dit Sarah, et espérons qu'ils nous écoutent. Au fond, nous n'avons aucune certitude nous non plus. Je pourrais avoir analysé le programme d'un jeu vidéo.

— C'est possible, répondit Blake, mais il vaut mieux une fausse alerte qu'une alarme négligée. Ça ne leur coûte rien de vérifier. Au pire, le moment venu, je m'excuserai auprès d'Husseïni. Vas-y, appelle-les. »

Sarah ferma le dossier, sortit d'Internet et éteignit son ordinateur, puis elle tapa sur son téléphone le numéro qu'elle avait déjà appelé à l'ambassade.

« Occupé, dit-elle après quelque temps.

— Étrange : il est dix heures du soir. Essaie encore.

— Je mets l'appel automatique : il rappellera tant que ce ne sera pas libre. »

Blake éteignit la torche et ils restèrent en silence à écouter les signaux du petit portable qui continuait à appeler toutes les deux minutes et, toutes les deux minutes, cela sonnait occupé.

« Ce n'est pas possible, dit Blake à un certain moment. Ça fait une demi-heure qu'il appelle. Toutes les lignes ne peuvent pas être occupées.

— C'est un moment d'urgence. Il est probable que beaucoup de gens appellent à l'aide.

— Même sur la ligne privée que tu as appelée l'autre fois ? Hier, on t'a répondu tout de suite, hein ? Et si la ligne était coupée ? Si l'ambassade était fermée. »

Sarah baissa la tête dans le noir.

« Écoute, appelle quelqu'un d'autre aux États-Unis. Tu as travaillé souvent pour le gouvernement, non ? Tu dois bien connaître quelqu'un d'important qui se remuera ou fera bouger quelqu'un. Bon sang, on ne peut pas rester ici à attendre que ce maudit téléphone se débloque.

— Je n'ai jamais eu de contacts directs avec personne de l'administration des États-Unis. Mon contact était Gordon. Et parfois Maddox. Mais ils sont sûrement morts tous les deux.

— Téléphonons à n'importe qui ! dit Blake. À un commissariat de police, au FBI, à l'Armée du Salut ! Il faudra bien qu'on nous écoute.

— Il ne sera pas facile d'expliquer de quoi nous parlons, et, quand bien même on nous écouterait, comment leur explique-t-on le système pour bloquer le programme ou pour identifier les trois terminaux à rotation ?

— Mais il suffira de débrancher l'ordinateur de Husseïni.

— Ce n'est absolument pas sûr. Ils ont certainement un circuit de secours. Il n'est pas pensable qu'une opération de ce genre, s'il s'agit de ça, repose uniquement sur un ordinateur individuel sur le bureau d'un professeur de Chicago. Le débrancher pourrait provoquer une conséquence immédiate et peut-être catastrophique. En outre, l'ordinateur pourrait ne pas être visible.

— Ils arrêteront Husseïni et ils le feront parler, insista Blake bien qu'avec une sorte de retenue honteuse.

— Parler de quoi ? À ta connaissance, c'est un magicien de l'ordinateur ?

— Pour autant que je sache, il est habile pour n'importe quelle espèce de traitement de texte, mais il ne sait sûrement rien quant aux programmes.

— Précisément. Je ne serais pas étonné que tout ce mécanisme ait été monté à son insu.

— C'est peut-être la chose la plus probable. Et, en tout cas, il ne répond pas au téléphone. Nous ne savons même pas s'il habite encore son appartement. »

On entendit un bip répété et Sarah secoua la tête : « Par dessus le marché, la batterie est déchargée et nous n'avons pas de courant.

— Utilisons le téléphone de Selim », s'obstina Blake.

À ce moment-là, on entendit un bruit de pas dans l'escalier, puis la voix de Selim : « Docteur Blake, miss Forrestall, c'est moi, ouvrez. »

Blake ralluma la torche électrique, mais il n'obtint qu'une faible clarté, les piles étaient presque déchargées ; il alla ouvrir à tâtons, trébuchant et jurant entre ses dents. Selim entra en allumant lui aussi une petite lampe électrique : « Il faut partir, dit-il, il y a des ratissages un peu partout et tous les étrangers, particulièrement les Européens et les Américains, sont arrêtés pour contrôle. La radio demande continuellement à tous les citoyens de signaler toute personne suspecte, tout mouvement suspect. Et puis...

— Et puis ? demanda Blake.

— Il y a votre photo et votre signalement dans les lieux publics, sur la liste des personnes recherchées. Il faut sortir du Caire tant qu'il fait sombre. »

Ils prirent leurs sacs à dos et la sacoche d'Olsen et descendirent dans la rue, où les attendait la Peugeot de Khaled ; celui-ci démarra et partit, tous feux éteints, prenant tout de suite la direction du désert. « Où penses-tu nous conduire ? demanda Blake.

— J'ai des amis dans une tribu bédouine qui se trouve entre Ismaïlia et la bande de Gaza. Je vous confierai à eux, jusqu'à ce que les choses changent.

— Jusqu'à ce que les choses changent ? Tu plaisantes, Selim. Nous devons sortir tout de suite d'Égypte et trouver un aéroport où nous puissions embarquer. Nous n'avons que quarante-huit heures pour...

— Pour quoi, docteur Blake ?

— Rien, Selim... C'est difficile à t'expliquer... mais il y a une urgence très grave.

— Mais, docteur Blake, vous me demandez de faire un miracle. Il n'y a pas un endroit où vous puissiez prendre un avion dans si peu de temps.

— Mais si », dit soudain Sarah en faisant claquer ses doigts.

Blake se retourna vers elle, étonné de cette affirmation péremptoire : « De quoi parles-tu, Sarah ?

— Le Falcon ! Le Falcon est toujours sous son hangar dans la montagne à sept kilomètres de Ras Udash. Et je suis en mesure de le faire décoller et de le piloter jusqu'en Amérique. »

Blake secoua la tête : « Mais c'est impossible, comment passerons-nous la frontière en pleine zone de guerre, comment atteindrons-nous Ras Udash avec cette voiture, de nuit, dans le noir ? »

Sarah ne dit plus rien et personne ne parla pendant une demi-heure. Tout autour s'étendait désormais le paysage de steppe qui prélude au désert : de petits reliefs rocheux arrondis, polis par le vent, émergeaient çà et là, entourés à la base par de maigres buissons et des herbes desséchées, telles les têtes chauves de vieux géants sous la lumière incertaine de la lune.

Khaled conduisait maintenant sur une piste défoncée, à vitesse très réduite, comptant sur la lumière de la lune et cherchant à ne pas soulever de poussière pour ne pas attirer l'attention. Puis Selim commença à discuter avec lui à voix basse dans le dialecte d'El-Gournah, que Blake avait du mal à comprendre.

« Je sais peut-être comment faire, dit soudain Selim à voix plus haute.

— Sérieusement ?

— Khaled connaît une tribu de Bédouins qui vivent à proximité de la frontière et qui la franchissent régulièrement pour voler les véhicules abandonnés dans le polygone de tir par les Israéliens comme cibles pour les chasseurs de l'aviation. Ils les démontent pour vendre les pièces de rechange, parfois, ils les remettent en état. Eux peuvent vous conduire d'une manière ou d'une autre à Ras Udash, de nuit, dans le noir, s'ils sont bien payés. Et nous ne manquons pas d'argent.

— Alors, on y va, Selim, dit Blake en lui posant une main sur l'épaule. Par Allah, on y va ! »

Khaled accéléra quand ils s'engagèrent sur une piste secondaire qui conduisait à l'intérieur de la péninsule du Sinaï et il continua à une allure soutenue pendant près de quatre heures. Soudain, ils commencèrent à entendre la voix de la guerre : d'abord des coups de tonnerre étouffés qui martelaient la terre en résonnant sourdement, puis cela devint des sifflements aigus suivis de bruyantes déflagrations, de plus en plus proches, tandis que l'horizon éclatait en maint endroit d'explosions apocalyptiques, de flambées de lumière rouge sang, qui aveuglaient le ciel et incendiaient la terre.

Brusquement surgit de la couche de nuages venant du sud un groupe d'avions de chasse qui se lancèrent en piqué, balayant le sol de rafales furieuses, et aussitôt d'autres s'élevèrent contre eux comme s'ils avaient giclé des entrailles de la terre, engageant un duel furibond. Le ciel fut rayé d'une multitude de balles traçantes de toutes les couleurs, déchiré par le hurlement rageur des moteurs qui poussaient les appareils au-delà du mur du son, au-delà de la folie, en acrobaties forcenées.

L'un des avions tomba au sol peu après : une boule de feu écarlate et une explosion qui fit trembler la terre indiquèrent le lieu de sa chute. Un autre, touché, s'éloigna en vomissant un long sillage de fumée noire et alla s'écraser au loin dans la brève lumière éclatante d'un éclair d'été. Un troisième libéra d'abord dans les airs une petite ombrelle blanche, qui se balança dans la lumière liquide de l'aube comme une méduse dans une mer transparente, puis, tout de suite après, il fut déchiqueté par une explosion, démembré en une cascade de morceaux incandescents.

Selim indiqua un point vers le nord : « Ras Udash est par là, dit-il. Dans quelques minutes, nous serons à El Mura et là nous devrions rencontrer nos amis. Ne vous en faites pas pour l'argent. J'ai sur moi du liquide que j'avais pris pour acheter le papyrus. Mais, vu qu'il ne nous a rien coûté...

— Tu ne m'as pas encore dit comment tu as trouvé cet argent, dit Blake.

— On m'a demandé de ne pas vous le dire.

— Selim, c'est important. Je dois savoir d'où vient cet argent. Je te jure que je n'en parlerai à personne.

— C'est le docteur Husseïni qui me l'a donné. Il s'est rudement démené pour vous et, quand il a su qu'on avait des nouvelles du papyrus Breasted, il a fait l'impossible pour récupérer l'agent.

— Combien ?

— Deux cent mille dollars en liquide. J'en ai dix mille sur moi, c'est plus qu'assez. Le reste est en sécurité. »

Ils descendirent de l'auto et Selim s'enfonça dans le campement sans daigner jeter un regard sur les femmes qui allaient chercher de l'eau au puits avec des cruches posées sur la tête. Khaled le suivait et ensuite venait Blake. Sarah, enveloppée dans sa djellaba, dut rester en arrière, à distance respectueuse.

Selim appela à l'entrée de la tente et, peu après, sortit un homme enveloppé d'un burnous noir ; il les salua. Selim et son ami saluèrent de nouveau en s'inclinant et en se touchant du bout des doigts la poitrine, la bouche et le front. L'homme regarda derrière et, voyant aussi Blake, les invita tous les trois à entrer sous la tente. On fit signe à Sarah de s'asseoir par terre près d'un palmier.

Le fait que Blake parlât l'arabe facilita grandement les choses. Selim ne donna pas beaucoup d'explications : il savait d'avance que l'essentiel du temps perdu le serait dans la négociation. Blake, pour son compte, se garda bien de dire à Selim d'accepter d'emblée la première demande, sachant pertinemment que cela ne résoudrait pas le problème, mais le compliquerait.

Soudain, dans le silence qui régnait sur le campement, on entendit le martèlement du pilon dans le mortier : quelqu'un préparait le café pour les hôtes venus de loin et Blake se rappela cette soirée glaciale dans une rue de Chicago et l'hospitalité qui avait réchauffé ses membres et son cœur. Était-il possible que Husseïni fût un monstre qui préparait la mort de tant d'innocents ?

Le café emplit peu après la tente de son parfum et Blake, en prenant sa tasse fumante, pensa qu'il aurait donné une belle pincée des dollars que Selim avait en poche pour pouvoir y verser une belle once du meilleur bourbon. Il pensa aussi à la féminité humiliée de Sarah et regretta de ne rien pouvoir faire pour elle en cette situation.

Pendant ce temps, la négociation se poursuivait cependant que les femmes apportaient du lait de chèvre, du yogourt, de l'ayran, des dattes. Blake demanda si on pouvait servir aussi sa femme, qui était une brave femme, fatiguée du voyage et affamée. D'un signe de tête, les femmes firent signe que oui et, quand elles eurent fini de servir les hommes, elles sortirent pour aller près de Sarah.

Selim et le cheikh se mirent d'accord et se serrèrent la main sur le chiffre de quatre mille huit cents dollars, en deux versements, la moitié tout de suite, la moitié à la fin de la mission, puis ils commencèrent à discuter en consultant la carte militaire américaine, très à jour, au 1/500 000 que le maître de maison fit soudain surgir de son coffre.

La marche d'approche aurait lieu de jour à dos de chameau pour ne pas attirer l'attention des forces armées des deux côtés. Ils arriveraient ainsi à proximité d'Abou Agheila, à quelques kilomètres de la frontière. Là, ils trouveraient un véhicule à quatre roues motrices et lanternes aveuglées pour le transfert nocturne jusqu'à Ras Udash : en tout, cent vingt kilomètres à haut risque et, durant la première partie, juste derrière la première ligne.

Selim compta l'argent et, peu après, ils furent conduits avec Sarah, hors de l'oasis où se trouvaient les chameaux. Ils saluèrent Khaled qui était resté à attendre Selim à l'oasis avec la Peugeot pour le ramener chez lui quand il reviendrait. Blake lui donna l'accolade : « Merci, Khaled. Un jour, je reviendrai et nous boirons tous ensemble une bonne bière bien fraîche au Winter Palace de Louqsor.

— *Inch Allah*, dit Khaled en souriant.

— *Inch Allah*, répondit Blake. Si Dieu le veut. » Et il rejoignit ses compagnons déjà en selle.

« Comment ferez-vous pour avertir ceux d'Abou Agheila que nous arrivons ? » demanda-t-il à Selim tout en se hissant à son tour sur le bât de sa monture.

Selim fit un geste de la tête et Blake se retourna : le cheikh avait sorti de la bande d'étoffe qui ceignait sa taille un téléphone portable d'un modèle très récent et était en train de parler de façon très animée, à haute voix, avec un interlocuteur inconnu.

Ils voyagèrent toute la journée, ne faisant qu'une seule halte d'une demi-heure au puits de Be'er Hadat, une flaque d'eau jaunâtre sur laquelle volaient des nuées de libellules et de puces d'eau ; plus d'une fois, leur route fut traversée de colonnes de camions, de blindés, de canons mobiles qui allaient vers le front. À l'évidence, la bataille se poursuivait sans trêve ni repos.

Ils atteignirent Abou Agheila peu après le coucher du soleil et le chef de caravane les conduisit dans un petit caravansérail archi-plein d'ânes, de chameaux, de mules avec leurs guides, saturant l'air de toutes sortes de cris et d'odeurs.

Ils firent boire et panser les bêtes ; Selim se mit d'abord à parler puis à discuter vivement avec le patron et Blake se rendit compte que ce dernier voulait l'autre moitié du prix convenu tout de suite, avant de repartir.

Il s'approcha de Selim et lui dit en anglais : « S'il accepte la moitié de la somme restante, dis-lui que pour nous, ça va, sinon, dis-lui que nous faisons demi-tour tout de suite. Je ne veux pas qu'il pense que nous avons absolument besoin de son aide. »

Selim rendit compte et, pour être plus convaincant, il sortit dix billets de cent dollars et les lui mit dans la main. L'homme sembla d'abord refuser puis, tout bien pesé, il appela un jeune garçon qui ouvrit une porte de bois délabrée, montrant un vieil Unimog fraîchement repeint de couleurs de camouflage.

« Finalement... », soupira Blake tout en regardant sa montre : huit heures du soir. À cette heure-là, l'ordinateur de Husseïni commençait son cinquième cycle. Il restait vingt-quatre heures avant la conclusion du programme.

Le prix comprenait aussi une fougasse à la viande d'agneau, avec sa sauce, et une bouteille d'eau minérale : le cheikh avait bien fait les choses.

Sarah jouait parfaitement son rôle de femme musulmane, mangeant à l'écart sous le voile qui couvrait sa tête et l'essentiel de son visage mais Blake cherchait de temps en temps son regard pour lui faire comprendre qu'il pensait à elle.

Ils montèrent dans l'Unimog à huit heures et demie. Le jeune garçon qui avait ouvert le hangar se mit au volant, Selim à côté de lui. Sarah et Blake s'assirent derrière. Le véhicule était recouvert d'une toile de tissu, camouflé lui aussi, tendue sur des tubes de fer.

On comprit, au bout d'environ une heure de voyage, pourquoi l'homme du caravansérail aurait voulu tout ce qu'il restait de la somme convenue : les déflagrations et les éclairs des explosions étaient dangereusement proches. À un moment donné, Selim, devinant l'état d'esprit de ses compagnons de voyage, se retourna : « Le jeune homme dit de ne pas s'inquiéter : le front est en direction de Gaza ; bientôt, nous allons nous en éloigner en allant vers le sud-est, puis il s'engagera dans le lit de l'oued Udash qui, au bout de quelques kilomètres, devient étroit et encaissé entre les rochers : un excellent refuge qui devrait nous permettre d'arriver à destination.

— Quand ? » demanda Blake.

Selim discuta un peu avec le chauffeur puis il dit : « Si

tout va bien, si quelque avion de passage ne nous mitraille pas, si nous n'avons pas de panne, vers deux heures du matin... *Inch Allah.*

— *Inch Allah* », répéta mécaniquement Blake.

Le garçon conduisait calmement et avec une extrême prudence, n'allumant les phares que très brièvement aux passages délicats, là où la piste devenait difficilement reconnaissable.

Vers minuit, ils arrivèrent derrière la frontière et s'arrêtèrent à l'abri d'une petite hauteur. À deux cents mètres environ, on voyait des pieux avec des barbelés et, de l'autre côté une route asphaltée parallèle à la frontière, déjà en territoire israélien.

Le conducteur et Selim descendirent à pied et, méfiants, atteignirent la ligne de frontière en regardant à droite et à gauche ; ils coupèrent les barbelés avec une paire de tricoises et revinrent à l'Unimog.

« Pour l'instant, nous avons eu une chance incroyable », dit Selim tandis que le lourd véhicule grimpait sur la route escarpée, pour descendre aussitôt de l'autre côté en direction de l'oued Udash, qu'on voyait, tout blanc, complètement à sec, à environ un kilomètre.

« Selim, il faut que je te demande quelque chose, dit Blake en arabe.

— Quoi, docteur Blake ?

— Tu sais pourquoi les Américains et leurs alliés européens ne sont pas encore entrés dans cette guerre ?

— La radio et les journaux disent qu'ils ont peur, mais la plupart des gens n'y croient pas.

— Et toi, qu'est-ce que tu penses ?

— J'ai capté une radio maltaise. Elle faisait état d'indiscrétions selon lesquelles l'Amérique est paralysée par une formidable menace terroriste... Cela m'a semblé une explication plausible.

— Ça me paraît plausible à moi aussi », répondit Blake. Puis il demanda : « Selim, toi, qu'est-ce que tu penses du docteur Husseïni ? Je veux dire... tu n'as jamais rien remarqué d'étrange dans son comportement ? »

Selim le regarda avec une expression de surprise comme quelqu'un qui ne se serait jamais attendu à une question de ce genre : « Le docteur Husseïni est une brave personne. Et il a beaucoup d'estime pour vous. Il s'est donné beaucoup de mal pour vous, je vous l'assure.

— J'en suis convaincu », répondit Blake, qui baissa la tête en silence.

Sarah, pendant ce temps, semblait plongée dans ses pensées.

« À quoi penses-tu ? lui demanda Blake.

— Le hangar du Falcon est vraisemblablement fermé et c'étaient Gordon et Maddox qui avaient les clés. Je me demande comment nous ferons pour ouvrir...

— Je ne sais pas, dit Blake, mais nous avons surmonté tant d'obstacles en tout genre jusqu'à maintenant que ce n'est sûrement pas une porte, même robuste, qui pourra nous arrêter. »

Ils roulaient depuis quelques heures dans le lit de l'oued Udash, entre deux rives ombragées qui faisaient quelques mètres de haut. Des acacias offraient un abri, si un avion ou un hélicoptère passait dans le ciel.

Soudain, vers une heure du matin, Sarah, qui semblait assoupie, se redressa et pointa le doigt vers l'est : « Là, regarde, dit-elle à Blake. La pyramide de Ras Udash. Il faut sortir de l'oued : la piste et le hangar sont là-bas, environ à sept kilomètres. »

Selim, qui avait entendu, posa une main sur l'épaule du conducteur et lui fit signe de s'arrêter et de couper le moteur.

« Sept kilomètres en terrain complètement découvert, dit-il en anglais. C'est maintenant le plus dur. Si un engin aérien ou terrestre, de n'importe quelle nationalité, nous voit, nous serons immédiatement réduits en cendres.

— Selim, écoute, dit Blake. Il faut absolument que nous arrivions à ce hangar, nous ne pouvons pas échouer... Tu vois, nous avons de sérieux indices à propos de la menace terroriste dont tu parlais tout à l'heure : elle est sans doute déjà en œuvre et elle trouvera son épilogue, disons : dans dix-neuf heures environ, ajouta-t-il en regardant sa montre.

— Quel épilogue ?

— Nous ne le savons pas. Il se peut que nous nous trompions, mais nous ne pouvons pas prendre de risques. La chose la plus probable, c'est qu'un groupe de terroristes ait réussi à placer des engins d'une puissance dévastatrice en quelques endroits des États-Unis, paralysant ainsi le système américain de riposte armée.

— Je comprends.

— Alors, écoute. Je vais aller en avant à pied et, à mesure que je verrai le champ libre, je vous ferai un bref signal avec la torche électrique et vous avancerez, tous feux éteints, jusqu'à ce que nous arrivions à la piste de décollage. Un éclair veut dire : "O.K., avancez." Deux : "Attention, danger !"

— Je viens avec toi », dit Sarah.

— D'accord », répondit Blake en descendant de voiture et en prenant son sac à dos et la sacoche d'Olsen.

Sarah ôta son voile islamique, sa djellaba, et secoua énergiquement la tête, libérant ses cheveux blonds : « Finalement ! s'écria-t-elle en sautant à terre dans sa tenue kaki. Je n'en pouvais plus de faire la momie. Et maintenant, allons-y. »

Ils firent un geste de salut à Selim, qui répondit en levant le pouce, puis ils s'éloignèrent en courant.

Ils atteignirent un monticule qui s'élevait à sept ou huit mètres au-dessus du reste du terrain et scrutèrent les environs sur une bonne étendue de la vaste plaine désertique. Blake alluma et éteignit la petite torche électrique.

Selim se tourna vers son compagnon : « Descends, dit-il, et attends-moi ici. Je reviendrai te prendre ensuite. »

Le jeune garçon protesta.

« Je pourrais sauter sur une mine. Tu veux me tenir compagnie ? »

Il prit le reste de la somme due et le lui mit dans la main : « C'est mieux, crois-moi. »

Le garçon descendit sans mot dire et se blottit au fond de l'oued. Selim se mit au volant, démarra et se mit à rouler assez vite. Quand il arriva à l'abri du tertre, Blake et Sarah étaient déjà à près d'un kilomètre.

Il attendit, moteur au ralenti, pour voir de nouveau le signal et, quand la petite lumière clignota un instant dans le noir, il appuya sur l'accélérateur et traversa une deuxième partie du désert. Quand il s'arrêta au point suivant, le compteur kilométrique du tableau de bord marquait presque trois kilomètres. Il était maintenant à mi-chemin.

Sarah et Blake, pendant ce temps, avançaient, tantôt

au pas, tantôt en courant. Sur leur gauche, la pyramide de Ras Udash s'élevait au-dessus des hauteurs environnantes, apparaissant, avec le changement de leur point de vue, de plus en plus imposante et impressionnante. Blake ressentit un frisson parcourir son dos moite de sueur, quand il reconnut d'autres éléments du paysage.

Désormais, la piste n'était plus qu'à deux ou trois kilomètres. Ils firent encore signe à Selim d'avancer et se dirigèrent vers une hauteur surmontée d'un ensemble de rochers fissurés, dont certains avaient roulé sur les pentes.

« C'est la colline du hangar, dit Sarah. Nous avons réussi. Je ne vois rien dans les parages. Nous pouvons faire signe à Selim de nous rejoindre, inutile de perdre encore du temps. »

Blake donna le signal avec sa lampe et, peu après, l'Unimog les avait rejoints au milieu de la grande plaine silencieuse. On entendait l'écho lointain des canonnades, on voyait les lueurs des explosions tant à l'est qu'au nord et les balles traçantes des duels aériens en direction de Gaza et de la mer Morte.

Ils montèrent sur le marchepied tandis que Selim accélérait et parcourait en quelques minutes les derniers mètres de désert qui les séparaient de la piste.

Blake alla faire un tour de reconnaissance pour s'assurer qu'elle n'était pas endommagée et ne trouva que quelques aspérités, probablement dues à la tempête de sable. Sarah, suivie de Selim, se dirigea immédiatement vers la porte du hangar devant laquelle le vent avait accumulé une certaine quantité de sable. Ils prirent les pelles dans le caisson de l'Unimog et commencèrent à dégager l'entrée ; Blake les rejoignit pour leur prêter main-forte.

Il fallut environ dix minutes pour libérer l'entrée. Sarah s'attaqua alors à la grosse poignée d'acier du portail d'entrée :

« Fermé ! hurla-t-elle.

— Il fallait s'y attendre, dit Blake. Il y a là-dedans un joujou de vingt millions de dollars. »

Il se tourna vers Selim : « Approche-toi en marche arrière, nous allons essayer d'arracher cette porte de ses gonds. » Mais Sarah le fit taire et fit signe à Selim de couper le moteur.

« Qu'est-ce qu'il y a ? demanda Blake.

— Un bruit : vous entendez ? »

Blake tendit l'oreille : « Je n'entends rien.

— Des moteurs, fit Selim. Une colonne approche. » Il sauta à bas de l'Unimog et courut au sommet de la colline : à environ cinq kilomètres, on voyait les phares de trois engins chenillés qui avançaient en éventail, séparés d'environ un ou deux kilomètres l'un de l'autre.

« Il y a une patrouille de blindés de reconnaissance ! cria-t-il. Au moins trois. L'un d'eux arrivera certainement sur la piste s'il ne change pas de direction. »

Il descendit en courant jusqu'à la porte du hangar. « À quelle distance ? demanda Blake.

— Environ cinq kilomètres. Celui qui est le plus en dehors sera à proximité de la piste dans sept, huit minutes au maximum. Il faut essayer maintenant. Si nous tentons de fuir, ils nous verront et nous tireront dessus. Il faut arracher la porte. »

Il accrocha le câble, prit le volant, enclencha la traction intégrale et bloqua les deux différentiels.

« Quand le câble sera tendu, donne de la puissance ! » lui cria Blake.

Selim fit signe qu'il avait compris, enclencha la vitesse, mit le câble en position et appuya sur l'accélérateur. Sarah, pendant ce temps, avait grimpé en haut de la colline pour surveiller les mouvements des blindés. C'étaient des transports de troupe, probablement égyptiens, qui approchaient à vitesse réduite mais constante. Elle regarda en bas : l'Unimog s'enfonçait lentement dans la hamada, mais la porte ne bougeait pas.

« Accélère, accélère, ça bouge ! » hurlait Blake en observant que la porte commençait à se déformer dans la partie centrale où elle subissait la traction.

Les pneus de l'Unimog fumaient, surchauffés par le frottement et on sentait une forte odeur de caoutchouc brûlé. Selim leva le pied de l'accélérateur : « J'ai peur de faire éclater les pneus, dit-il. Il faut que je prenne de l'élan pour donner un choc net.

— Non ! cria Blake. Si le câble casse, le coup de fouet te tuera.

— Un kilomètre ou deux ! lança Sarah du haut de la colline.

— Nous n'avons pas le choix ! », cria Selim en mettant en marche arrière.

Mais, au moment où il allait prendre son élan, Blake l'arrêta : « Attends, rien qu'une minute. Aide-moi à démonter la porte arrière. »

Selim descendit et aida Blake à enlever de ses gonds le panneau arrière du caisson, puis ils le coincèrent entre les deux côtés derrière le siège.

« Cela nous protégera, dit-il en s'asseyant à côté du conducteur.

— Non, docteur Blake, allez-vous-en !

— Vas-y, je t'ai dit ! Il faut bien que quelqu'un tienne ce panneau, sinon, il va basculer à la première secousse. Accélère, bon sang, accélère. C'est maintenant ou jamais ! »

Selim écrasa l'accélérateur, le moteur rugit et le véhicule zigzagua sur la hamada en partant brusquement. Selim passa la seconde et la troisième en faisant patiner l'embrayage et en accélérant encore au maximum tandis que Blake tenait à deux mains les nervures intérieures du panneau. En une fraction de seconde, la câble se tendit et l'inertie des trois tonnes lancées à soixante-dix à l'heure le cassa comme un fétu de paille. Le tronçon tournoya en l'air en claquant comme un fouet et frappa le bouclier de fer avec une violence inouïe. Blake hurla de douleur, lâchant prise et se tordant sur son siège, tandis que le panneau retombait bruyamment en arrière sur le caisson.

Selim se retourna et attendit un instant que le vent dissipât le nuage de poussière et la fumée du caoutchouc brûlé, puis il dit : « C'est ouvert, docteur Blake. »

Blake chercha à se redresser malgré la douleur lancinante dans ses bras et il vit Sarah qui, du haut de la colline, se précipitait vers l'entrée en criant : « Vite, vite, ils arrivent, cours, William Blake, cours, nom de Dieu ! »

Blake descendit et se traîna le plus vite qu'il put vers le hangar et vit que Sarah était déjà dans le cockpit du Falcon et qu'elle mettait les moteurs en route.

« J'ai les poignets brisés ! » dit-il en hurlant pour dominer le vacarme des réacteurs et en montrant ses bras ensanglantés. Sarah comprit, alla ouvrir et le traîna tandis que lui serrait les dents pour ne pas crier.

Blake réussit à atteindre le siège et Sarah s'installa

frénétiquement au poste de pilotage, saisit les commandes et sortit sur la piste. « Arrête ! cria Blake. Arrête ! La valise d'Olsen, le papyrus ! Je l'ai laissé dans la voiture de Selim.

— Tu es fou ! s'écria Sarah. On n'a plus le temps ! »

Mais, tandis qu'elle commençait à rouler sur la piste, elle vit dans l'Unimog, Selim qui s'approchait de l'avion en roulant à toute vitesse et en montrant la valise. Au même instant, on voyait déboucher au loin, derrière une dune la forme d'un blindé dont la mitrailleuse commença aussitôt à faire feu.

« Ouvre ! hurla Blake. Ouvre la porte ou je te tue ! »

Sarah obéit, stupéfaite de son expression et le cockpit fut envahi d'un tourbillon d'air. Sarah eut à ce moment un soubresaut de douleur, mais se mordit les lèvres et continua à tenir les commandes. Blake se pencha à l'extérieur, au risque de tomber et Selim, lâchant un instant le volant, debout sur le marchepied, lui lança la mallette.

Blake l'attrapa plus avec les avant-bras qu'avec les mains et retomba en arrière sur le sol tandis que Sarah fermait la porte et mettait pleins gaz.

Le blindé se trouvait alors en haut de la dune et brandissait sa mitrailleuse en direction de la piste.

« Nous sommes foutus maintenant, tu vois ? Maudit cabochard, nous sommes foutus ! »

Mais alors, on entendit encore un crépitement d'armes automatiques et Blake vit jaillir des étincelles sur la cuirasse du blindé : Selim était en train de tirer à la mitraillette en s'appuyant sur le coffre de l'Unimog. Le blindé, sans se soucier de cette attaque, avança sur la piste pour couper la route du décollage du Falcon, mais Selim donna un violent coup de volant à gauche, risquant de faire un tonneau, et il se dirigea à toute vitesse sur le blindé qui fut contraint de virer sur ses chenilles pour lui faire face.

Au moment où les roues du Falcon quittaient le sol, Blake et Sarah entendirent une explosion énorme et virent une boule de feu et de fumée s'élever de l'endroit où l'Unimog était entré en collision avec le blindé.

Sarah poussa les réacteurs au maximum, volant à quelques mètres du sol pour éviter les radars : elle survola en rase-mottes un enfer de flammes et de fumée, de carcasses dévorées par le feu, de corps carbonisés. Elle passa au milieu d'essaims de projectiles et de sillages de balles traçantes multicolores, sans penser à rien, sans rien entendre, serrant les dents, le regard fixé devant elle jusqu'au moment où elle vit s'ouvrir l'étendue vaste et tranquille de la mer.

Alors seulement, elle poussa un long soupir et se retourna pour regarder son compagnon. Et Blake aussi la regarda, les yeux pleins de larmes.

15

Gad Avner atteignit la place du mur des Lamentations après avoir traversé la ville tout entière enveloppée d'obscurité du fait du couvre-feu et se dirigea vers l'arc de la forteresse Antonia. La place était déserte et sombre, mais le ciel s'embrasait continuellement de lueurs, au nord, au sud, à l'est : le front approchait de plus en plus des remparts de Jérusalem.

L'armée était en train de puiser dans les réserves de munitions et de carburant qui, en revanche, arrivaient à l'ennemi en grande quantité et de toutes parts. Yehudaï allait activer les procédures de lancement des têtes nucléaires de Be'er Sheva avant que les batteries de missiles du général Taksoun n'arrivent à une distance de tir qui lui permît de neutraliser les représailles nucléaires d'Israël. Ce qui, très probablement, voulait dire dans un délai de vingt-quatre heures au maximum si la contre-offensive qui venait d'être lancée par l'armée n'aboutissait pas.

Il rejoignit Ferrario qui l'attendait depuis quelque temps ; ils passèrent ensemble entre les deux gardiens et s'engagèrent dans le tunnel jusqu'à l'endroit où, la dernière fois, il avait vu des marches à demi ensevelies dans la paroi septentrionale de la galerie. Allon apparut soudain comme s'il avait surgi de la paroi.

« Du nouveau ? demanda Avner.

— Nous avons creusé cet escalier, dit Allon. Il conduit à une espèce d'hypogée qui s'étend en dessous de la mosquée d'Al-Aqsà, jusqu'à l'atrium de la mosquée d'Omar. Ce devait être la crypte du sanctuaire ou peut-être une citerne. »

Avner eut un frisson : « Vous en avez parlé ?

— Pourquoi me demandez-vous cela ?

— Parce que, si on venait à apprendre que, d'ici, on peut atteindre la mosquée d'Al-Aqsà, nous nous trouverions dans la situation de devoir combattre également nos intégristes qui n'attendent qu'une occasion pour faire place nette sur l'esplanade du Temple.

— Nous avons pris toutes les précautions, dit Allon, mais on ne peut exclure les fuites. »

Avner changea de sujet : « Qu'est-ce que vous avez trouvé dans cette crypte ?

— Pour l'instant, pas grand-chose, mais il s'agit d'un espace plutôt vaste : nous nous sommes bornés à en faire un relevé sommaire. Nous avons préféré continuer à dégager le tunnel.

— Et d'ici ? » demanda Avner en indiquant l'ouverture qui se prolongeait sous la montagne.

« Suivez-moi, dit Allon, ce tunnel est incroyable. La partie que nous avons explorée est maintenant longue de près d'un kilomètre. »

Allon alluma une torche qui éclaira d'une lumière vive une longue partie de la galerie, puis il se mit en route, suivi de ses deux compagnons. Les parois étaient rugueuses mais régulières et on pouvait y tenir le compte des coups de pioche.

« Je pense que ce tunnel a été réalisé en plusieurs phases : la partie centrale est une galerie de mine, probablement creusée par les Babyloniens pendant le premier siège, pour faire s'écrouler les remparts. Ensuite, on y adjoignit le premier tronçon que nous sommes en train de parcourir, probablement pour contrer les assiégeants.

« La dernière partie fut peut-être réalisée ensuite pour ouvrir une issue secrète qui conduisît derrière les lignes ennemies en cas de siège. Ce graffiti que nous avons vu au début indiquait probablement un tronçon qui finissait dans la vallée du Cédron.

« En tout cas, pour ce que nous pouvons voir, cette voie n'était connue que des prêtres. En 586, le roi Sédécias fit ouvrir une partie des remparts pour sortir avec sa famille et sa garde du côté de la piscine de Siloé. Mais les vases sacrés du temple furent emportés et mis en sécurité par ce tunnel.

— Dites-moi, demanda Avner presque avec réticence, peut-on imaginer que l'Arche ait été aussi emportée et mise en sécurité par ce passage ? »

Allon sourit : « Cher ami, je crois que l'Arche fait partie du mythe depuis bien des siècles. Mais je n'exclus rien. Cependant, si vous voulez mon avis, dit-il en se remettant à marcher, je souhaite qu'elle ne soit jamais retrouvée, en admettant qu'elle existe. Vous vous rendez compte de l'explosion de fanatisme que cela provoquerait chez les gens ?

— Je sais. Mais en ce moment, croyez-moi, nous avons vraiment besoin d'un miracle... »

Allon n'ajouta rien et poursuivit son chemin en baissant souvent la tête sous la voûte trop basse. Ils s'arrêtèrent au bout de près d'une demi-heure de marche, dans un petit espace plus large ouvert artificiellement par les archéologues en direction de ce qui semblait être la base d'une rampe.

« Où sommes-nous exactement ? » demanda Avner.

Allon sortit une carte de la poche intérieure de sa veste et indiqua un point dans la direction de Bethléem : « Exactement ici. »

Avner sortit à son tour une carte militaire où étaient reportés des repérages goniométriques. Sur cette carte aussi, un point était signalé par un petit cercle.

« Ces deux points sont distants de trois cents mètres au maximum, commenta Ferrario.

— En effet, dit Avner.

— De quoi parlez-vous ? demanda Allon.

— Dites-moi, dit Avner en levant les yeux vers le plafond de la galerie, quelle distance y a-t-il d'ici à la surface ?

— C'est tout proche : je dirais entre trois et cinq mètres. Cette rampe est presque sûrement celle qui conduit à la surface », dit-il en indiquant un point de la paroi. Puis il poursuivit : « Ici, sur cet agrandissement, nous avons marqué le point où elle sort vraisemblablement. Ce devrait être sous le dallage d'une maison du quartier. »

Avner fit semblant de prendre des notes sur son bloc et passa une feuille à Ferrario : « Faites immédiatement préparer un commando : des hommes en civil, personne ne doit se rendre compte de rien. Et tenez-les prêts à intervenir dans les prochaines heures. »

De la tête, Ferrario fit signe que oui. « Si vous n'avez plus besoin de moi, monsieur Cohen, j'ai du travail. Nous nous reverrons plus tard. » Il fit demi-tour vers l'entrée de la galerie. Avner continua de suivre Allon :

« J'aurais une autre question, lui dit-il.

— Dites.

— Où était le camp de Nabuchodonosor pendant le siège de 586 ?

— Écoutez, il y a sur ce sujet deux écoles de pensée, commença l'archéologue sur un ton légèrement pédant.

— À votre avis, Allon ?

— Plus ou moins ici, dit-il en indiquant un point sur la carte.

— Je m'en doutais, fit Avner. Mégalo, fils de pute !

— Pardon ?

— Je ne dis pas cela pour vous. Je suis en train de penser à quelqu'un que je connais. »

Le point indiqué par Allon était en effet très proche de celui de son relevé goniométrique : le lieu d'une source d'émissions radio difficilement repérée par Ferrario et ses hommes.

« Écoutez, professeur, reprit Avner. Je vais vous demander un sacrifice même si vous êtes très fatigué. Je vais vous envoyer des hommes qui travailleront sous votre contrôle. Je voudrais que cette rampe soit dégagée demain soir. Je ne peux pas vous dire pourquoi car j'obéis à des ordres supérieurs mais, en un moment comme celui que nous vivons, on ne peut rien négliger.

— Je vois, dit Allon. Nous ferons tout notre possible. »

Avner sortit et regagna le quartier général où Yehudaï avait suivi de minute en minute l'évolution de la situation des combats sur la maquette en trois dimensions. Le satellite américain venait de localiser une installation suspecte à un peu plus de deux cents kilomètres à l'est du Jourdain.

« Qu'est-ce que cela peut être ? demanda Avner.

— Pour moi, c'est un émetteur radio, et la source d'émissions que nous avons repérée entre ici et Bethléem pourrait être un relais.

— Mais pourquoi ?

— Ils n'ont pas accès aux satellites et ils doivent donc

travailler avec des relais au sol. Nous l'avons vu pendant leur avancée dans la tempête de sable. Regarde : ces deux points forment un triangle équilatéral parfait avec notre base de Be'er Sheva. Ils préparent probablement une frappe sur cette base.

— Détruis l'émetteur de l'autre côté du Jourdain. Cela pourrait être une centrale de tir reliée à une rampe de lancement.

— On l'a déjà fait. Mais il a réapparu. C'est probablement une structure mobile qui rentre dans un bunker souterrain. Et la source radio vers Bethléem pourrait guider un tir sur la capitale.

— Jérusalem ? Ils n'oseront pas. C'est une ville sainte pour eux aussi.

— Et s'ils utilisaient un gaz ? Nabuchodonosor aussi a vidé la ville de ses habitants. Ils pourraient faire la même chose... avec des moyens différents... Qu'est-ce que tu as découvert chez ton archéologue ?

— Quelque chose d'intéressant. Comment arriver à quelques mètres de Bethléem sans traverser deux kilomètres d'une zone à haut risque, infestée de snipers du Hamas.

— Ça, c'est une bonne nouvelle.

— Je t'en donnerai peut-être une autre dans quelques heures, si j'ai vu juste, mais pour le moment, je préfère ne rien dire. Et notre offensive ? »

Yehudaï indiqua sur le modèle tridimensionnel les zones où ses forces avaient engagé le combat : « Notre premier élan s'épuise : nous devons rationner le carburant et bientôt les munitions aussi. Dans quelques heures, je saurai si je dois donner l'ordre à Be'er Sheva d'ouvrir la procédure de lancement de nos "Gabriel" à tête nucléaire, avant qu'il soit trop tard. »

Avner baissa la tête : « J'agirai d'ici à la nuit prochaine. Je te tiendrai au courant. »

Il sortit de l'état-major et se fit déposer par son chauffeur au King David pour prendre une bière et mettre de l'ordre dans ses idées avant de rentrer chez lui. On lui apporta sa bière et il alluma une cigarette. Encore quelques heures et il saurait si son intuition était juste, s'il avait toujours son flair de vieux limier. Il resta longuement à examiner chaque probabilité et, quand il leva la tête, il trouva devant lui Ferrario, revêtu de l'uniforme de combat, avec les galons de sous-lieutenant, le pistolet au ceinturon.

« J'ai déjà tout organisé, monsieur, le commando est déjà prêt. Il attend vos ordres.

— Mais toi, où vas-tu, accoutré de la sorte ?

— Avec votre permission, je vais sur le front, monsieur. J'ai demandé à être affecté à une unité combattante.

— Les chemises Armani, c'est fini ?

— Fini, monsieur. Le tailleur de l'armée n'a pas beaucoup de choix.

— Et à qui as-tu demandé à quitter mon service ?

— Je suis en train de vous le demander, monsieur. De nombreux jeunes sont en train de mourir sur le front pour empêcher l'ennemi de s'approcher des murs de Jérusalem. Je veux tenir ma place.

— Tu la tiens déjà, Ferrario. Et très bien.

— Merci, monsieur, mais cela ne me convient pas. Désormais, vous pouvez très bien vous en sortir tout seul. Je vous en prie.

— Tu es fou, tu aurais pu t'en retourner chez toi après avoir passé ta licence ; au lieu de cela, tu as voulu faire cette expérience excitante et, maintenant, tu veux aller au front. Certes, c'est encore plus excitant, mais j'espère que tu te rends compte que c'est très dangereux.

— Je m'en rends compte, monsieur.

— L'Italie ne te manque pas ?

— Elle me manque beaucoup. C'est le plus beau pays du monde et c'est mon pays.

— Mais alors...

— Eretz Israël est la patrie de l'âme et Jérusalem est une étoile du ciel, monsieur. »

Avner pensa à Ras Udash et au secret qu'il avait fait ensevelir sous une montagne de cadavres ; il aurait voulu crier : « C'est faux ! »

Au lieu de cela, il dit : « Je regrette de perdre ton aide, mais si c'est là ta décision, je ne t'en empêcherai pas. Bonne chance, fils. Tâche de sauver ta peau : s'il t'arrivait quelque chose, un tas de belles filles de chez toi ne me le pardonneraient jamais.

— Je ferai de mon mieux ; et vous, si vous pouvez, arrêtez de fumer. C'est très mauvais pour votre santé. » Il porta sa main à son béret : « Cela a été un honneur, monsieur Avner. » Puis il se retourna et partit.

Avner l'observa tandis qu'il s'éloignait d'un pas alourdi par les bottes militaires et il pensa que les Italiens réussissaient à être élégants même en haillons, puis il baissa la tête et regarda la braise de sa cigarette qui se consumait lentement.

Sarah s'abandonna contre le dossier de son siège : « Tu l'aurais vraiment fait ? demanda-t-elle en se tournant vers son compagnon.

— Quoi ?

— Me tuer, si je n'ouvrais pas la porte.

— Je crois que non. D'abord parce que j'ai les deux poignets fracturé : j'aurais dû te tuer avec les dents.

— Mais tu avais la tête de quelqu'un qui était prêt à le faire.

— C'est pour cela que tu as ouvert. J'ai donc bien fait.

— Comment ça va maintenant ?

— Les calmants commencent à faire effet : je vais bien mieux. Mais toi, par contre, tu es toute pâle. Qu'est-ce que tu as ?

— Rien. Je suis morte de fatigue... Will ?

— Oui.

— Que disait la dernière partie de l'inscription sur le sarcophage de Ras Udash ?

— Elle disait :"Qui que tu sois, si tu profanes cette tombe, que tes os soient brisés et que tu puisses voir couler le sang de ceux que tu aimes."

— Et pourquoi ne me l'as-tu pas dit ?

— Je ne voulais pas t'impressionner : c'est exactement ce qui m'arrive. Je me suis rompu les os et...

— Je ne suis pas impressionnée, William Blake : il s'agit seulement d'une coïncidence.

— Effectivement. C'est exactement ce que je pense aussi. »

Ils restèrent un moment en silence puis Sarah demanda :

« C'étaient les derniers mots ?

— Non. L'inscription continuait ainsi : "Et qu'il en soit ainsi tant que le soleil ne se couchera pas à l'Orient". »

Sarah le regarda, un frisson d'inquiétude dans le

regard : « C'est-à-dire jamais. C'est une malédiction implacable : le soleil ne se couche jamais à l'Orient.

— N'y pense pas. Ce ne sont que de vieilles formules magiques. » Il se tut, pris d'une lourde somnolence, mais, au moment où il s'assoupissait, il vit que la lumière de l'aube, réfléchie dans la coupole de plexiglas, commençait à s'assombrir : il se retourna et vit le soleil disparaître lentement sous l'horizon à l'est. Le Falcon n'était pas encore très haut mais il était quand même, à ce moment, plus rapide que le mouvement contraire de la Terre.

Il regarda Sarah avec un drôle de sourire et dit : « Parfois, ça arrive. » Puis il inclina la tête et s'endormit.

Il fut réveillé au bout d'une heure par les soubresauts de l'avion qui traversait une zone de turbulences et il se tourna vers sa compagne pour lui demander : « Comment ça va ? »

Il la vit terriblement pâle et ruisselante de sueur. Une tache de sang s'étalait sur le sol de la cabine.

« Seigneur !..., dit-il. Qu'est ce qu'il s'est passé ? Pourquoi m'as-tu laissé dormir ?

— C'est quand j'ai ouvert la porte... Un éclat m'a transpercé le bras gauche.

— Oh Seigneur ! répéta Blake. Quel malheur, quel malheur... Mais pourquoi ne m'as-tu pas réveillé ? Viens, dit-il en l'aidant à se lever. Assieds-toi à ma place. J'ai besoin d'espace pour m'occuper de ton bras et j'ai aussi besoin que tu m'aides. » Blake n'arrivait pas à se pardonner de s'être endormi et, tout en s'affairant autour de Sarah, il continuait à dire : « Quel malheur, malédiction, quel malheur... »

Il prit du sparadrap et immobilisa tant bien que mal ses propres poignets et, quand il les sentit suffisamment fermes, il prit son bistouri dans sa poche, ouvrit la manche de la chemise de la jeune femme et défit lentement la ligature qu'elle s'était faite, redonnant un peu de circulation à son bras livide et gonflé. Il désinfecta la blessure, la referma avec de la gaze et du sparadrap, épongea le front de Sarah, insista pour qu'elle boive le plus possible.

Ils volèrent encore plusieurs heures avec le pilote automatique et Blake, de temps en temps, lui essuyait le front et le visage, lui humectait les lèvres avec un peu de jus d'orange qu'il avait trouvé dans le frigo de l'avion.

À un moment donné, Sarah le regarda, les yeux brillants de fièvre. « Il est possible que je perde connaissance, dit-elle. Il faut que je t'apprenne la procédure de *"may day"* et la façon de sauter en parachute. J'ai peur de ne pas avoir le temps de t'apprendre à atterrir avec cet engin...

— Et toi ?

— Si tu es sage, il faut que tu me laisses tomber. Si tu traînes un boulet, tu n'as aucune chance toi non plus.

— Négatif, mon commandant, plaisanta Blake. Je ne m'amuse plus sans toi. Ou tous les deux ou rien.

— Maudit cabochard : comme ça, tu vas tout foutre en l'air, après tout ce que nous avons fait pour arriver jusqu'ici. » Elle aussi trouva la force de plaisanter : « Tu sais que cela pourrait être considéré comme un acte de mutinerie ?

— Tu me feras un procès quand nous aurons posé les roues au sol. Jusque-là, je ne bouge pas d'ici. »

Il l'obligea à boire et la tint éveillée par tous les moyens jusqu'au moment où les appareils de bord accrochèrent le signal de la tour de contrôle de l'aéroport La Guardia de New York.

« Nous avons peut-être réussi, dit Sarah avec un filet de voix. Maintenant, écoute-moi bien : il va falloir convaincre la tour de te laisser atterrir et de transmettre ton message aux autorités. J'ai fait ce que j'ai pu ; maintenant, c'est à toi ; mets le paquet. »

Le capitaine Mc Bain, du corps des marines, arrêta sa voiture devant l'entrée du Pentagone et se fit conduire par le planton au bureau du général Hooker. « Mon général, lui dit-il tout essoufflé, la tour de contrôle de l'aéroport La Guardia nous a mis en contact avec un avion inconnu qui a des blessés à bord, et qui veulent nous transmettre un message à tout prix et de toute urgence. Cela a quelque chose à voir avec la guerre, je crois, et avec la menace terroriste que nous subissons », et il lui remit un fascicule qu'il tenait sous le bras.

Hooker prit le dossier et commença à le feuilleter. « Encore un visionnaire, ou un extralucide, ou quoi d'autre ?

— À vrai dire, mon général, ils savent que nous sommes sous la pression d'un chantage terroriste mais ils ne savent pas quoi : ils sont entrés par hasard dans la mémoire d'un ordinateur par Internet, ils ont vu un dossier suspect et ils ont réussi à l'ouvrir. Ils se sont rendu compte qu'il s'agissait d'un programme très sophistiqué de type militaire et ils ont pensé que cela avait quelque chose à voir avec la menace qui paralyse notre système de réponse armée. »

Hooker leva la tête : « Vous êtes en train de me dire que ces gens ont réussi là où tous nos systèmes d'espionnage ont échoué ? Cette histoire ne vous paraît-elle pas un peu suspecte ? Si ce qu'ils disent est vrai, comment ont-ils réussi à déverrouiller les défenses d'un programme d'une telle puissance, comment ont-ils trouvé le code d'accès ? S'ils étaient des nôtres, nous le saurions et, s'ils ne sont pas des nôtres, avec qui sont-ils ?

— Mon général, je voudrais que vous me suiviez dans la salle des opérations où j'ai déjà transmis le programme à développer sur l'écran géant. Tenez compte du fait que si, par hasard, ils ont raison, il n'y a plus que treize heures avant le début de la procédure finale. »

Hooker referma le dossier, se leva de son fauteuil et suivit le capitaine Mc Bain le long des couloirs qui menaient à la salle de contrôle.

« À qui appartenait cet ordinateur ?

— À un certain Omar Husseïni...

— Un Arabe ? sursauta Hooker.

— Un Américain d'origine libanaise, professeur de copte à l'Oriental Institute de Chicago.

— Et où est-il maintenant ?

— Il n'est pas chez lui. J'ai discrètement fait contrôler sa maison.

— Discrètement, Mc Bain ? Si ce que vous me dites est vrai, il faut défoncer sa porte et s'emparer de son satané ordinateur qui nous a tournés en dérision jusqu'à aujourd'hui.

— Nos experts disent qu'il est contre-indiqué de manipuler l'ordinateur : cela pourrait signifier manipuler une bombe, et même trois.

— Alors, rentrez dans ses programmes comme ils l'ont fait !

— Ce n'est pas simple, mon général. Il y a des titres en copte, des fichiers en égyptien hiéroglyphique, en arabe, un véritable parcours du combattant. Nous sommes en train d'essayer avec l'aide de nos interlocuteurs.

— Êtes-vous au moins arrivés à savoir qui ils sont.

— Non.

— Et pourquoi donc ?

— Parce qu'ils n'ont pas confiance. »

Mc Bain ouvrit la porte et introduisit son supérieur dans la salle des opérations. Sur un grand écran, les techniciens développaient le programme sous les indications d'une voix masculine qui parvenait par un haut-parleur et derrière laquelle on entendait le bruit d'un avion à réaction.

Hooker jeta un regard sur l'écran radar : « Vous savez où ils sont ?

— On les a détournés sur l'aéroport militaire de Fort Riggs, dit un autre officier. Moi, en tout cas, j'ai fait envoyer là-bas un hélicoptère avec quelques médecins militaires.

— J'insiste, reprit Hooker. Qui est-ce qui nous garantit que ce programme n'est pas une menace pour nous, ou que l'avion à l'approche n'en soit pas une ?

— J'ai fait faire des contrôles, mon général, dit Mc Bain, et je peux l'exclure de la façon la plus absolue. Venez, s'il vous plaît. »

Il le conduisit devant un monitor relié à un magnétoscope et un ordinateur : « J'ai obtenu du FBI les cassettes des caméras vidéo de surveillance du hall du *Chicago Tribune*, qui ont été saisies le jour où fut remise la cassette avec la menace nucléaire. Regardez. »

Il fit avancer la bande et fit un arrêt sur image au moment où apparaissait le hall du *Tribune*. On voyait le nez d'un fourgon de la Federal Express au moment où il s'arrêtait, puis un homme en descendre avec le paquet.

« Ce paquet contient la cassette, commenta Mc Bain. Et maintenant, observez bien. » Il agrandit un détail éloigné : on voyait une automobile arrêtée au bord de la route et un homme qui s'affairait avec un cric pour changer un pneu. Le zoom agrandit encore l'homme puis son visage, donnant une image floue mais globalement lisible. Puis il tapa encore sur quelques touches et, à côté de l'image, une autre apparut, très nette : « Ça, c'est une photo du docteur Omar Husseïni que nous avons demandée au service du personnel enseignant de l'Oriental Institute ; comme vous le voyez, il s'agit bien de la même personne. Il ne reste qu'un doute : que Husseïni soit passé par là par pur hasard, à ce moment précis, mais il s'agit là d'une hypothèse bien fragile.

— Monsieur, intervint à ce moment l'informaticien, nous avons décodé le programme. »

Hooker le suivit devant l'écran central en haut duquel se détachait en caractères géants l'inscription :

The
ARMAGUEDDON
program

« Ce programme est construit pour faire tourner trois objets en six cycles successifs, de vingt-quatre heures chacun, expliqua le technicien, sur trois objectifs toujours différents jusqu'au moment où, au sixième cycle, se met en marche la procédure terminale. En cas d'interférence, la procédure finale se met en route immédiatement ou active peut-être un circuit de secours. Nous avons décodé les signes des objectifs : il s'agit de villes des États-Unis. Celles du sixième cycle sont : New York, Los Angeles et Chicago, Inutile de dire que les objets en mouvement sont les bombes nucléaires portables que nous sommes en train de chercher. En les déplaçant continuellement, ils rendent plus difficile leur localisation.

— C'est étrange, dit Hooker en fixant l'écran. Pourquoi pas Washington ?

— C'est la mentalité orientale, répondit Mc Blain. Il est beaucoup plus douloureux pour un homme d'être touché dans ses affects, dans ce qu'il a de plus précieux, que d'être anéanti physiquement. Dans leur projet, le Président doit rester indemne pour assister au désastre de la nation.

— Monsieur, dit alors un sergent des communications, nous avons la réponse de Jérusalem.

— Nous avons envoyé les photos de Husseïni au Mossad », expliqua Mc Bain en s'approchant du monitor de l'ordinateur sur lequel, à ce moment, apparaissait une série d'images signalétiques qui montraient un homme jeune, avec d'épaisses moustaches, le visage enveloppé dans un keffieh.

Hooker s'approcha en mettant ses lunettes et fixa intensément les images tandis que le technicien les insérait dans un programme de portrait-robot, ôtait les moustaches, le keffieh, rendait les cheveux plus rares et les blanchissait, approfondissait les rides.

« Mon Dieu..., dit-il. Mon Dieu... Husseïni est... est Abou Ghaj !

— Maintenant, il me semble qu'il n'y a plus de doute, dit Mc Bain. Husseïni est la clé de tout. Il faut le trouver, nous avons un peu moins de treize heures. »

Hooker réunit tout son staff : « Écoutez-moi bien : d'abord, vous allez me trouver un putain de génie de l'ordinateur qui soit capable d'entrer dans ce programme et de l'arrêter sans tout faire sauter. Deuxièmement, vous allez examiner au microscope le dossier de Husseïni : vous allez identifier ses documents, plaque minéralogique, cartes de crédit, dossier d'assistance sociale, prélèvements dans les distributeurs automatiques. S'il fait le plein d'essence, s'il se fait prescrire un somnifère ou s'il s'achète un slip, alors il est à nous. Troisièmement : identifiez-moi les trois commandos qui détiennent les bombes et exterminez-les avant qu'ils aient le temps de dire amen. Ensuite, nous désamorcerons les bombes, si nous y arrivons. Au boulot ! »

Le sous-officier chargé des transmissions s'approcha de lui à ce moment : « Mauvaise nouvelle, mon général. L'offensive du général Yehudaï en Israël est en train d'échouer. Ils s'apprêtent à mettre en œuvre la procédure de lancement des ogives nucléaires de Be'er Sheva. »

Hooker se laissa tomber sur une chaise et se couvrit le visage de ses deux mains. Mc Bain s'approcha de lui :

« J'ai de nouveau l'avion en ligne, mon général. Vous voulez dire quelque chose ?

— Oui, je vais leur parler. »

Il s'approcha du micro : « Ici le général Hooker, du Pentagone. Je m'adresse à l'avion inconnu : vous m'entendez ?

— Je vous entends, général.

— Vous aviez raison. Tout est comme vous l'avez annoncé. Et les trois "ânes" dont parle le dossier sont trois bombes nucléaires portables qui pourraient exploser dans treize heures quatorze minutes dans trois grandes villes des États-Unis. Le docteur Husseïni est un célèbre terroriste qui a fait parler de lui vers le milieu des années quatre-vingt. Nom de guerre : Abou Ghaj. Maintenant, si vous le voulez, vous pouvez vous identifier. Nous n'avons aucune réserve à votre propos. »

Suivit un silence interminable d'une minute dans la salle de contrôle puis la voix dit : « Je m'appelle William Blake, je suis un collègue du docteur Husseïni à l'Oriental Institute de Chicago. Je suis à bord d'un Falcon 900EX ; aux commandes se trouve Sarah Forrestall de la Warren Mining Corporation, mais elle est blessée. Nous sommes les seuls survivants du camp de Ras Udash dans le désert du Néguev. »

Hooker s'appuya le dos au mur comme frappé par la foudre.

« Allô, général. Vous m'avez bien reçu ?

— Bien reçu, monsieur Blake. Fort et clair.

— Écoutez, général. Je ne crois pas que le docteur Husseïni veuille faire exploser ces bombes. Il a peut-être été terroriste mais c'était sa façon de combattre des adversaires trop puissants. Aujourd'hui, il ne l'est certainement plus et il ne massacrerait pas des civils innocents. Ce programme fonctionne probablement à son insu ; vous avez vu, c'est comme un virus informatique, vous me suivez ? Lui aussi est peut-être victime d'un chantage... vous comprenez ?

— Je vous comprends, docteur Blake.

— Ne le tuez pas, général.

— Nous ne voulons tuer personne. Nous essayons de sauver de nombreuses vies innocentes. Je vous passe la tour de contrôle.

— Nous manquons de carburant : dites-leur de nous faire descendre au plus vite. Bonne chance à vous aussi. »

Hooker s'adressa à Mc Bain. « Mettez-moi en communication avec Jérusalem, code Absalon.

— Code Absalon en ligne, mon général, dit Mc Bain peu après. Vous pouvez parler. »

Hooker s'approcha du micro.

« Hooker à l'appareil.

— Ici Avner. Que se passe-t-il, général ?

— Est-il vrai que vous avez mis en œuvre la procédure nucléaire ?

— Nous n'avons pas le choix.

— Donnez-moi encore six heures. Il y a du nouveau.

— Nous avons déjà attendu une fois et voilà le résultat.

— Avner, nous sommes entrés dans le système de contrôle de la mise à feu et nos techniciens sont en train d'essayer de l'arrêter.

— Comment avez-vous fait ?

— Nous avons eu une information.

— De qui ?

— Je préférerais vous le dire quand tout sera fini.

— C'est un risque que vous avez déjà pris une fois avec des résultats... peu satisfaisants. »

Hooker retint une réaction agacée et médita quelques instants.

« William Blake et Sarah Forrestall sont encore vivants et arrivent ici à bord d'un Falcon de la Warren Mining Corporation. Ce sont eux qui nous ont donné l'information.

— C'est un truc pour pénétrer dans le territoire américain. Abattez-les. C'est sûrement un piège et vous, vous y tombez. »

Hooker repensa aux mots de Blake : « Il a peut-être été terroriste mais c'était sa façon de combattre des adversaires trop puissants... » Blake justifiait-il un terroriste ?

Avner reprit la parole : « Qu'est-ce que vous risquez, Hooker ? Si le système qu'ils vous ont donné est le bon, vous aurez sacrifié deux vies pour en sauver un million. Si c'est un truc, et j'en suis certain, vous risquez une catastrophe encore plus grande. Ces deux-là ont fait massacrer tous ceux de Ras Udash par les hélicoptères de Taksoun, y compris dix de vos marines. Ne l'oubliez pas. Qu'est-ce que vous en savez, de ce qu'il y a à bord de leur avion ? Écoutez-moi, Hooker, quand tout sera fini, vous comprendrez que j'avais raison. Abattez-les, tout de suite, avant qu'il soit trop tard. Il est évident que ce programme leur a été donné par les agents de Taksoun pour vous égarer et vous faire perdre du temps, si ce n'est pire. Pensez-y, Hooker : comment auraient-ils fait pour sortir de la zone de guerre ? Et en avion, par-dessus le marché. »

Hooker essuya son front ruisselant de sueur.

« Faites-le, reprit encore Avner. Et je vous assure que j'arrêterai la procédure nucléaire de Be'er Sheva... Je convaincrai le général Yehudaï, je vous l'assure, mais pour cinq heures, pas une minute de plus. Ensuite, quoi qu'il arrive, nous déchaînerons l'enfer. Vous vous rappelez les mots du Livre des Juges, Hooker, "Que meure Samson avec les Philistins ! " »

Hooker ferma les yeux pour apaiser le tumulte qui s'était déclenché dans son esprit et il chercha à apprécier froidement tous les éléments dont il disposait. Puis il dit : « C'est bon, Avner. Je vais le faire. »

Puis il se tourna vers Mc Bain : « Mon jet en piste dans cinq minutes. Je vais à Chicago. »

Blake entra dans la cabine de pilotage avec de la gaze et de l'alcool, il changea la compresse et essaya de soigner la blessure de Sarah, qui se raidit sous la douleur.

« Je suis un très mauvais infirmier et je suis tout à fait nul comme pilote, dit-il. Mais tu n'es plus en état de résister. Laisse-moi m'asseoir au poste de pilotage ; ensuite, tu me donneras les instructions, nous pourrions peut-être nous en sortir. »

Sarah l'interrompit : « Merde, nous avons de la visite.

— Qu'est-ce qu'il se passe ?

— Un chasseur à dix heures, distance douze milles : ils vont nous descendre, Will, ils ne t'ont pas cru. »

Blake observa la silhouette de l'avion qui s'approchait : « Malédiction, jura-t-il. Ils m'ont convaincu de m'identifier. Je pensais qu'au point où nous en étions, il n'y avait plus de doute... »

Sarah regarda devant elle l'étendue des campagnes partiellement saupoudrées de neige ; les toits rouges d'une petite ville se détachaient : « Nous avons encore une possibilité, dit-elle. Je vais me jeter vers l'agglomération : là ils ne peuvent pas me tirer dessus ; toi, tu sautes en parachute et moi, je les entraîne derrière moi. Je m'en sortirai, n'aie pas peur. » Elle poussa le manche vers l'avant et l'avion commença à piquer. « Mets tout de suite ton parachute, nous avons moins de deux minutes.

— Je n'en ai pas la moindre intention », commença Blake, mais il n'eut pas le temps de finir. Une voix retentit à la radio : « Ici le capitaine Campbell, de l'aviation militaire des États-Unis : j'ai des instructions pour vous guider vers votre lieu d'atterrissage. Suivez-moi, s'il vous plaît. Je vous souhaite la bienvenue.

— Nous vous suivons, capitaine, exulta Sarah. Avec le plus grand plaisir. »

Ils atterrirent dix minutes plus tard, avec leurs dernières gouttes de carburant, sur une base militaire proche de Fort Riggs et ils furent aussitôt transférés sur l'hélicoptère qui les attendait sur la piste. Deux brancardiers s'occupèrent de Sarah, voulant la transporter vers une ambulance, mais elle s'y opposa : « Je viens avec toi, dit-elle à Blake. Je veux voir la fin de cette histoire. »

Il n'y eut pas moyen de la convaincre et les brancardiers la confièrent aux médecins qui se trouvaient à bord de l'hélicoptère. L'un d'eux lui immobilisa le bras et l'autre lui fit aussitôt une transfusion. Puis ils lui donnèrent un sédatif pour qu'elle s'endorme.

Ils descendirent deux heures plus tard à Chicago, à l'aéroport de Midway, sous une pluie battante. À côté de la piste, les attendait une ambulance, moteur en marche. Et le général Hooker enveloppé dans un imperméable.

Sarah fut immédiatement transportée dans l'ambulance et Blake, l'enlaçant longuement, la salua d'un baiser : « Pardonne-moi, dit-il, je suis le seul responsable.

— C'est la fatalité, répondit Sarah avec un sourire las. Une autre fois, n'oublie pas ta foutue valise.

— Je viendrai te voir ! Tu as été formidable ! » lui cria-t-il tandis qu'on l'emmenait.

Hooker lui tendit la main mais la retira aussitôt en voyant que les deux mains de Blake étaient bandées de façon spectaculaire. « Bienvenue, dit-il, vous devez être épuisé vous aussi. Venez, remontons dans l'hélico. Un médecin s'occupera de vous.

— Quand j'ai vu cet avion de chasse, j'ai eu un instant la certitude que vous vouliez nous abattre, dit Blake en le suivant.

— Vous abattre ? Et pourquoi donc ? » demanda Hooker, l'air stupéfait. Ils montèrent et l'engin, dont le rotor n'avait pas été arrêté, accéléra, s'élevant lentement dans le ciel livide.

« Je ne sais pas..., dit Blake, ces derniers temps, nous

n'avons pas été accueillis de façon très cordiale... Comment ça se passe ? »

Le médecin s'approcha, lui fit une anesthésie locale puis commença à défaire son pansement et à immobiliser ses poignets avec des attelles et des bandes élastiques.

« Nous luttons contre le temps, dit Hooker. Il ne nous reste plus que quatre heures avant le début de la procédure finale. Nos techniciens sont en train de désamorcer le système, mais nous ne sommes pas sûrs qu'il n'y en ait qu'un. Il peut y en avoir un de secours que nous ne connaissons pas. Husseïni est introuvable : il s'est peut-être aperçu de quelque chose et n'est pas rentré chez lui depuis plusieurs jours. Il y a quatre heures, le Président a été obligé de faire une communication à la nation, tout en taisant une partie de la vérité, et les habitants du centre-ville sont dirigés vers les abris souterrains, les tunnels du métro ou en dehors de la ville.

« C'est tout ce que nous avons pu faire : dans les trois zones métropolitaines de New York, Chicago et Los Angeles, il y a presque quarante millions de personnes. La panique aurait créé une situation ingérable et l'opération exigé au moins une semaine alors que nous n'avons que quelques heures. À l'heure qu'il est, il sait que nous savons, sinon il serait déjà rentré. Il s'est peut-être rendu compte de notre surveillance, ou bien quelqu'un l'a mis en garde.

« C'est ce que je pense. Et il est vrai aussi qu'il n'a encore transmis aucun ordre de mise à feu. En admettant que ce soit en son pouvoir. Tous nos efforts pour le localiser ont été vains : il n'a pas utilisé sa carte de crédit, il n'a pas pris d'essence, il n'a pas retiré d'argent à la banque, rien. C'est comme s'il s'était évanoui dans le néant.

— Husseïni a été Abou Ghaj, général, un combattant formidable : il peut rester des jours entiers sans manger, sans boire, sans se laver, en se cachant n'importe où, y compris dans les égouts. Avec lui, nos règles ne marchent pas.

— Malheureusement, sans lui, nous ne pouvons localiser les trois commandos. Le programme "Armagueddon" ne donne aucune localisation particulière.

— Je pense qu'il est convaincu de gérer les armes d'un chantage qui prendra fin dès que l'Islam l'aura emporté sur Israël et que Jérusalem sera tombé. Il n'est pas dit qu'il sache que les bombes exploseront de toute façon. Je suis certain que Husseïni n'est pas en mesure de lire ce programme et de l'interpréter.

— Mais alors, que pouvons-nous faire ?

— Où allons-nous ?

— À notre siège opérationnel de Chicago : je me suis transféré ici, parce que c'est ici que se trouve Husseïni et qu'il est le centre de tout. »

Ils restèrent quelques minutes en silence. Blake observait les mille lumières de sa ville, les rues et les autoroutes battues par une pluie torrentielle, obstruées par la circulation d'un exode de cauchemar ; et, malgré tout, il découvrait en ce moment que Chicago lui avait beaucoup manqué et il comprenait qu'il devait empêcher à tout prix qu'il lui arrivât quelque chose d'aussi épouvantable.

Soudain, il se ressaisit : « Général, je suis sûr d'une chose : il écoute certainement la radio. Faites-moi avoir immédiatement un mortier bédouin en bois et un pilon. »

Hooker écarquilla les yeux : « Pardon ?

— Vous avez bien compris : un mortier de bois et un pilon du modèle de ceux qu'utilisent les Bédouins de la péninsule arabique.

— Mais... ce sont des objets du néolithique : où voulez-vous que je trouve ça à Chicago ?

— Je ne sais pas. Faites passer au peigne fin les musées, les instituts d'anthropologie et d'ethnographie, mais trouvez-le, s'il vous plaît...et, ah ! encore une chose : trouvez-moi un batteur.

— Un batteur ?

— J'ai les poignets fracturés, général, je ne peux pas remuer le pilon dans le mortier. »

Hooker secoua la tête, incrédule, mais se mit en liaison avec la salle opérationnelle et donna l'ordre. « Pas de commentaires ! ajouta-t-il. C'est même interdit. Nous atterrissons dans dix minutes ; tâchez de ne pas me décevoir. »

L'objet bizarre arriva du Field Museum, par porteur, dans la demi-heure et le batteur fut conduit en taxi, un jeune Noir nommé Kevin qui jouait avec un groupe rap au *Cotton Club* dans la ville basse.

« Écoute-moi bien, Kevin, dit Blake. Je vais te donner le rythme en tapant avec mes doigts et tu le reproduiras avec le pilon dans ce mortier tandis que ces messieurs l'enregistreront. Alors, essaie de faire ça bien. Compris ?

— C'est un jeu d'enfant, dit Kevin. Vas-y, commence, frère. »

Blake commença à tambouriner avec ses doigts sur la table, sous les yeux ébahis du général Hooker et des autres officiers et Kevin le suivit aussitôt, d'instinct, tirant de son instrument improvisé un rythme sec et sonore, le rythme simple et suggestif que Blake avait entendu pour la première fois chez Omar Husseïni la veille de Noël et qu'il venait d'entendre de nouveau deux jours plus tôt sous la tente du cheikh à El Mura.

Quand ils eurent fini, il s'adressa à Hooker : « Faites retransmettre ce rythme par tous les émetteurs radios toutes les dix minutes jusqu'à ce que je vous dise d'arrêter. Et... ayons confiance en Dieu. Maintenant, il me faudrait une salle de bains, dit-il en prenant sa petite valise. Il faut que je change mon pansement. »

Il sortit dans le couloir, se dirigeant vers la porte qu'on lui avait indiquée mais, au lieu d'entrer, il continua jusqu'à l'ascenseur et descendit au garage. Il y avait quantité de voitures, tant civiles que militaires : il prit la première dont les clés étaient sur le tableau de bord et partit à toute vitesse, ignorant le planton qui avait cherché à s'approcher pour lui demander son badge.

Il conduisit pendant longtemps sous la pluie torrentielle, en serrant les dents et en cherchant à vaincre la douleur à ses poignets qui se réveillait à mesure que s'atténuait l'effet du calmant que lui avait administré le docteur.

Les voies rapides étaient toutes complètement bloquées, transformées en un tintamarre de cris, de heurts de voitures, de klaxons ; Blake se dirigea dès qu'il le put, vers un quartier périphérique à l'écart, où les gens vivaient si mal qu'ils n'avaient même pas peur de la bombe atomique.

Il avait tout de suite allumé la radio et avant d'arriver à son misérable appartement, il entendit que les programmes s'interrompaient pour émettre un étrange son rythmé, une percussion monotone qui, de temps en temps, se faisait plus dense, intense martèlement. Kevin était un véritable artiste.

Il laissa la voiture dans un parking et courut sous

l'averse jusqu'à sa porte. Il sortit les clés de sa poche et, un peu laborieusement, réussit à ouvrir.

Son petit appartement était froid et sombre ; il était encore tel qu'il l'avait laissé au moment de partir. Les cambrioleurs savaient bien qu'il ne pouvait rien y avoir d'intéressant à voler en un tel endroit.

Il alluma la lumière et mit le chauffage en marche. Puis il alla à un placard plein de boîtes, trouva un paquet de café encore fermé, l'ouvrit, prépara le filtre, versa l'eau dans une cafetière et la mit sur le fourneau. Il essaya de mettre un minimum d'ordre et, tandis qu'il s'affairait à ranger chaussures et vêtements poussiéreux, il alluma la radio : c'était une émission de musique classique, une symphonie de Haydn.

Il s'assit et alluma une cigarette.

Une heure passa et il ne venait plus le moindre bruit du quartier environnant : peut-être tout le monde était-il parti ou peut-être avaient-ils décidé d'attendre en silence le jugement de Dieu.

La radio passa encore, inutilement, le rythme du mortier et Blake pensa qu'il était complètement fou, que certaines choses ne pouvaient arriver que dans les contes de fées. Il éteignit la radio avec un geste d'agacement, puis il alluma le fourneau et fit chauffer son café : il lui semblait entendre planer les âmes de Gordon et Sullivan dans l'espace étriqué de son appartement d'une pièce, Dieu ait leur âme, et, sous peu, ce serait son tour, ou celui de Sarah, ou de milliers d'autres.

Quelqu'un frappait à sa porte.

16

« Je t'attendais, dit Blake. Entre, je t'en prie, assieds-toi. »

Omar Husseïni était trempé, il se tenait à peine debout, il avait une barbe de plusieurs jours et les cheveux en désordre. Ses yeux rougis et les cernes qui les marquaient disaient qu'il n'avait pas dormi depuis de longues heures.

« Comment as-tu fait pour rentrer et... qu'est-ce que tu t'es fait aux mains ? » demanda-t-il en s'écroulant sur une chaise.

Il était livide et tremblait de froid. Blake lui fit quitter son pardessus mouillé et le mit sur un radiateur. Puis il lui posa sur les épaules une vieille couverture et lui mit dans la main une tasse de café bouillant.

« Il est frais, dit-il. Je viens de le faire.

— J'ai entendu le bruit du mortier..., dit Husseïni avec un pâle sourire, et j'ai pensé : il y a quelqu'un qui prépare un café quelque part par là. Et alors... »

Il ne finit pas sa phrase. Il porta la tasse à ses lèvres et but quelques gorgées : « Bizarre, dit-il, nous sommes tous les deux dépositaires de secrets dévastateurs... Et il y a seulement quelques semaines, nous étions deux professeurs bien tranquilles. N'est-ce pas étrange, la vie ?... Dis-moi, comment est la tombe du Grand Guide ? Tu as vu son visage ? »

Blake s'approcha de lui : « Omar, écoute-moi. En ce moment, c'est ton secret qui peut faire le plus de mal : nous avons découvert dans ton ordinateur une machinerie qui, dans trois heures, commandera la mise à feu de trois bombes nucléaires dans trois villes différentes des États-Unis. »

Husseïni ne cilla pas : « Il ne se passera rien de tout cela. Jérusalem est sur le point de se rendre et tout sera bientôt fini. On signera un traité et ces journées terribles seront oubliées. Et puis, tu sais... en aucun pays au monde les armes nucléaires ne sont tenues par la même structure que celle qui a la clé de la mise à feu. Je ne crois pas que ces bombes exploseront.

— Et tu crois que nous pouvons courir un tel risque sur la seule base de cet espoir ? Tu sais très bien que ce serait une folie, Omar. Ou dois-je t'appeler... Abou Ghaj ? » Cette fois, Husseïni leva brusquement la tête et fixa dans les yeux son interlocuteur qui poursuivit, imperturbable : « Bon Dieu, comment as-tu pu te prêter à programmer le massacre de millions d'innocents ?

— Ce n'est pas vrai ! J'ai combattu quand cela a été le moment et je croyais avoir fait ce que je devais faire, mais le passé revient parfois... même quand on croit l'avoir enseveli pour toujours. On m'a demandé de brandir une menace terrible sur la tête de cette nation tant que ne serait pas rétabli le droit de nos peuples. Rien de plus. Et je l'ai fait... j'ai dû le faire. Mais je ne suis pas un bourreau : il n'y aura pas de massacre.

— Trois heures, Omar, et des millions de personnes mourront si nous n'arrivons pas à arrêter ce mécanisme inexorable. Il n'y a que toi qui puisses nous aider. J'ai fourni aux techniciens du Pentagone la clé d'accès au dossier que tu as appelé "Armagueddon". Tu me crois maintenant ? »

Husseïni écarquilla ses yeux rougis par la fatigue : « Mais comment...

— Je n'ai pas le temps de t'expliquer. Je ne veux savoir qu'une chose : si l'ordinateur est bloqué pendant l'exécution du programme, qu'est-ce qu'il se passe ?

— Je ne sais pas.

— Où sont les "ânes" achetés au marché de Samarkand ? »

Husseïni réagit encore avec étonnement en entendant que Blake connaissait le langage de la mémoire la plus secrète de son ordinateur.

« Je ne peux pas parler.

— Tu le dois.

— Si je fais ça... J'ai un fils, Blake... un fils que je croyais perdu, un fils à la mémoire de qui j'ai consacré toutes mes actions, toutes les attaques à main armée, tous les combats que j'ai entrepris durant toutes les années où s'amplifia la renommée de l'exterminateur Abou Ghaj. Je croyais l'avoir enterré dans un morne cimetière de la vallée de la Bekaa. Et on m'a donné la preuve qu'il est vivant et qu'il est entre leurs mains. Si je parle, il n'y a pas de limite aux souffrances qu'ils pourraient lui infliger... tu ne peux pas comprendre, tu ne peux pas te rendre compte. Il existe un monde où la misère, la faim, la lutte sans quartier, tuent toute compassion, rendent possible toute horreur.

— Mais même Abraham fut prêt à immoler son fils unique, rien que parce que Dieu le lui avait demandé. Ceux qui te le demandent, ce sont des millions de femmes et d'enfants innocents qui seront brûlés, ou contaminés et condamnés à une longue et cruelle agonie. Omar, je peux te donner la preuve que je ne t'ai pas menti. Les bombes exploseront de toute façon, même si Jérusalem se traîne à genoux pour implorer la pitié. Attends, je t'en prie... »

Il prit le téléphone et fit un numéro : « Ici William Blake, dit-il dès qu'on lui répondit. Passez-moi le général Hooker.

— Blake ! Mais qu'est-ce que vous avez fait ? Où êtes-vous ? Nous avons absolument besoin de... »

Blake lui coupa la parole : « Général... dites-moi ce qu'il se passe avec le programme "Armagueddon" » et, d'un signe, il appela Husseïni près de lui afin qu'il pût entendre lui aussi.

« Nous sommes en train de travailler sur l'ordinateur de Husseïni, mais c'est ce que nous craignions : les techniciens ont découvert comment bloquer la procédure de mise à feu mais, s'ils le font, une nouvelle procédure s'engagera pour un second système. S'ils l'éteignent, ce sera la même chose : les bombes exploseront l'une après l'autre, à une demi-heure d'intervalle, la première dans deux heures quarante minutes et les autres suivront. Nous avons demandé de l'aide aux Russes pour le désamorçage, mais ils ne peuvent pas nous aider s'ils ne connaissent pas le type d'engins qui ont été installés sur notre territoire.

— Général, je... et il fixa son compagnon dans les yeux. J'espère pouvoir vous donner bientôt des informations importantes... Ne bougez sous aucun prétexte et... rappelez-moi au bon souvenir de Mme Forrestall.

— Blake ! Nom de Dieu, dites-moi où... »

Blake raccrocha, se tourna vers Husseïni et, d'une voix neutre : « Encore un peu de café, Omar ? »

Husseïni s'affaissa sur sa chaise et baissa les yeux, s'enfermant dans un silence – au milieu de cette petite pièce nue – qui sembla ne jamais devoir finir. Quand il les releva, ils étaient pleins de larmes.

Il mit la main dans la poche intérieure de sa veste et en sortit une petite boîte noire : « Cette machine contient une copie du programme qui se trouve dans l'ordinateur et je dois toujours l'emporter avec moi pour le cas où je serais contraint de m'éloigner de l'ordinateur principal. Je n'en sais pas plus.

— On peut la connecter à un téléphone ? »

Husseïni fit signe que oui : « Le câble est à l'intérieur. Tu trouveras aussi une petite carte de plastique qui contient la clé. »

Blake prit la boîte et trouva la carte : elle contenait une inscription en caractères cunéiformes qui formaient le mot : « Nebuchadrezzar » : « Nabuchodonosor ».

Il dit : « Merci, Omar, tu as fait ce qui était juste. Et maintenant, espérons que la chance soit avec nous. » Puis il appela la centrale opérationnelle et demanda le général Hooker :

« Général, j'ai le circuit auxiliaire, branchez le haut-parleur de votre téléphone, il faut que votre informaticien m'entende. Bon, alors, on dirait qu'il s'agit d'un ordinateur portable très puissant et sophistiqué. Je vais le brancher sur le téléphone : mettez la ligne en connexion avec l'ordinateur central. Dès que la machine vous demandera la clé d'accès, tapez "home" et vous verrez apparaître une inscription en caractères cunéiformes. Cliquez sur cette inscription et le programme s'ouvrira... Général, vous pouvez faire interrompre la diffusion de ce rythme, nous n'en avons plus besoin. Bonne chance. »

Il s'assit et resta à regarder les signaux qui marquaient

sur le petit écran le flux des informations dans le fil du téléphone. « Tu as encore un peu de café ? » demanda Husseïni.

« Bien sûr. Et j'ai même de quoi fumer. »

Il lui servit du café et lui alluma une cigarette.

Ils s'assirent en silence, l'un en face de l'autre, dans la pièce qui commençait à se réchauffer, écoutant le bruit des gouttes de pluie sur les vitres embuées de la fenêtre. Blake regarda sa montre : il restait quatre-vingt-quinze minutes avant le début de l'apocalypse.

Husseïni tremblait : ni la couverture qui lui couvrait les épaules, ni la boisson chaude ne pouvaient vaincre le froid qui était en son âme.

Soudain, les signaux du petit ordinateur s'éteignirent : transmission terminée. Blake débrancha l'appareil et raccrocha le téléphone.

Il attendit encore quelques minutes puis il rappela : « Allô, ici Blake. Il y a du nouveau ? Oui, dites-moi... Compris : l'usine abandonnée au croisement de la Stevenson Express et de Dan Ryan. Non, ce n'est pas loin de là où je suis. Nous pouvons nous retrouver au parking de McKinley Park dans une demi-heure. D'accord, général, on se voit là-bas. »

Il raccrocha et se tourna vers Husseïni :

« Ils ont trouvé les bombes. Celle qui devait exploser à Chicago est à la hauteur du croisement entre la Stevenson et Dan Ryan, dans l'usine abandonnée de la Hoover Bearings, surveillée pas trois terroristes armés. L'un d'eux, le seul qui se montre à visage découvert, s'est retranché dans la cabine de commande d'une grue, à trente mètres de hauteur. Il est armé d'un fusil-mitrailleur... Il y a des milliers de personnes qui sont en train de passer par là, fuyant la ville. Et il y a le tunnel sous la Chicago River. Si la bombe explose, elle provoquera un désastre de proportions épouvantables. Ne bouge pas. Je reviens te prendre. »

Husseïni ne dit rien, mais il comprit à ce moment qu'Abou Ahmid n'avait jamais cessé de le considérer comme un déserteur et il pressentit la punition qu'il lui avait préparée.

Blake sortit dans la rue balayée par des rafales de vent et de pluie et regagna sa voiture, puis il se dirigea vers le lieu de rendez-vous. En sens inverse, passaient des voitures de police à toute vitesse et, au coin des rues, les sirènes d'alarme retentissaient par intermittence comme dans un film de la Seconde Guerre mondiale.

Quand il entra dans le parking, il vit l'auto de Hooker qui entrait peu après lui en venant de la 35e Rue et il klaxonna à plusieurs reprises.

« Les équipes spéciales sont déjà en place, Blake. Qu'est-ce que vous faites ? lui cria Hooker.

— Je viens avec vous ! » lança Blake. Il sortit de sa voiture et sauta dans celle du général qui repartit à toute allure. À l'avant, à côté du chauffeur, était assis le capitaine Mc Bain.

« Vous savez comment arrêter la procédure de mise à feu ? demanda Blake en s'asseyant.

— Non, malheureusement. Mais j'ai fait venir les hommes du Génie les plus habiles que nous ayons. Espérons qu'on va y arriver. Nous sommes en ligne avec les Russes : dès que nous aurons vu les bombes et que nous serons en mesure de les décrire, ils essaieront de comprendre de quel modèle il s'agit et de nous transmettre la procédure de désamorçage.

— Combien de temps reste-t-il ? demanda Blake.

— La brigade spéciale est partie depuis un quart d'heure en hélico et elle devrait être maintenant sur place. Ils ont presque quarante minutes ; ça devrait suffire.

— Il y a des problèmes, mon général, dit alors Mc Bain.

— Qu'est-ce qu'il se passe ?

— La résistance est plus forte que prévue : au moins trois hommes armés de lance-missiles et d'armes automatiques. Un de nos hélicoptères a été abattu. Ils sont nichés dans un édifice de l'usine de roulements à billes de Hoover Beanings.

— Bon sang ! Ça complique tout, dit Hooker.

— Et ça nous fait perdre du temps, ajouta Blake. Il n'y avait aucune indication dans le dossier de Husseïni ? Ce n'est pas possible.

— Non, rien..., dit Hooker. Sauf ce mot... "ânes", mais les ânes sont les ânes.

— Oui, à moins que...

— À moins que quoi ? demanda Hooker.

— On pourrait demander à nos amis de Moscou

comment on dit "âne" en russe et, si ce mot leur dit quelque chose. Ça signifie peut-être quelque chose en argot militaire, dit Blake comme s'il pensait à haute voix.

— Attendez un instant, bon sang, attendez un instant, Blake. Mc Bain, demandez qu'on vous passe le capitaine Orloff à Moscou, demandez-lui comment on dit "âne" en russe et si ça lui dit quelque chose. »

Mc Bain se mit en liaison avec son collègue russe et lui posa la question et, peu après, d'un air stupéfait, il commençait à épeler : « *O-s-jo-l...* ».

« *Oblonsky... Sistema... Jomkostnogo... Limita.*

— Système Oblonsky à capacité limitée... Bingo ! *Spassibo, spassibo, kapitàn* !, cria-t-il avec enthousiasme à l'adresse de l'officier russe, puis à son supérieur. C'était un sigle, général Hooker. »

Mc Bain, gardant toujours à l'oreillette son collègue russe, se connecta sur l'autre ligne avec la brigade spéciale : « Ici Gamma Bravo One. Répondez, Sky-Riders.

— Ici, Sky-Riders, nous contrôlons la situation. Deux membres du commando abattus, l'autre en fuite. Nous avons un mort et trois blessés. Et nous avons la bombe.

— Attention, Sky-Riders, nous avons le code de blocage de la mise à feu. Il faut le transmettre aux autres équipes en action à Los Angeles et New York. Attention, soyez très attentifs, je transmets directement les instructions en provenance de Moscou que j'ai sur l'autre ligne. Je répète, Sky-Riders, la moindre erreur peut être fatale. Ne laissez pas échapper le troisième terroriste : il peut être extrêmement dangereux.

— C'est pourquoi nous avons déjà une équipe à sa poursuite. Parlez : nous écoutons avec la plus grande attention, Gamma Bravo One », répondit la voix à l'autre bout du fil.

L'auto arriva à destination dix minutes plus tard et, tandis que Mc Bain restait à bord pour transmettre les instructions qui lui venaient de Moscou, le général Hooker et Blake descendirent et se dirigèrent en courant vers le bâtiment, mais ils se trouvèrent aussitôt au milieu d'un vacarme de coups de feu. Toute la zone était illuminée *a giorno* par des batteries de cellules photoélectriques, mais plusieurs lampes avaient été détruites dans la fusillade.

Un officier de la brigade spéciale les entraîna immédiatement derrière un abri. L'orage n'avait pas l'air de vouloir se calmer et l'esplanade devant l'usine était balayée par des rafales rageuses et des averses d'une pluie glaciale et de grésil.

« Un vrai temps de chien, mon général, cria l'officier pour dominer le bruit de l'orage et le crépitement des armes automatiques.

— Où est la bombe ? demanda Hooker.

— Là-haut, mon général, répondit l'officier en indiquant le dernier étage de la vieille usine. Le troisième terroriste s'est retranché dans la cabine de cette grue et nous tient sous sa menace. »

Blake s'abrita les yeux pour se protéger des rafales de pluie qui lui fouettaient le visage et leva les yeux vers l'énorme pylône qui tendait son long bras mobile en fonction de la direction du vent.

De la cabine sortait de temps en temps le canon d'un fusil-mitrailleur qui crachait le feu en direction de la brigade spéciale, laquelle répondait aussitôt en arrosant de projectiles les parois et les nervures d'acier. Chaque décharge faisait résonner toute la structure en une sorte de carillon sinistre et en faisait jaillir des cascades d'étincelles, semblables à des éclairs dans la fureur de la tempête.

Soudain, la gigantesque structure commença à vibrer, tournant lentement sur elle-même.

« Mon Dieu ! s'écria Blake. Il est en train de faire tourner le bras de la grue ! S'il le met en travers du vent, il va faire s'écrouler tout l'engin... sur la rue pleine de voitures ! Capitaine, envoyez quelqu'un débrayer là-haut, pour l'amour de Dieu ! »

L'officier fit signe à l'un de ses hommes : celui-ci se précipita sous une grêle de balles jusqu'à la base de la tour, puis il commença à monter par l'échelle métallique.

À ce moment-là, une fenêtre s'ouvrit dans la cabine de commande de la grue et un homme sortit sur le pylône tandis que le bras continuait à tourner. C'était un jeune homme de vingt-cinq ans peut-être, le visage découvert, qui se déplaçait avec une agilité incroyable au milieu du sifflement des balles.

Un instant, il regarda vers le bas et on eut l'impression

qu'il allait tomber. Et, juste à ce moment, retentit un cri désespéré derrière Blake : c'était Husseïni.

Il était debout sous la pluie et il criait : « Saïd ! Saïd ! », puis il se mit à courir au milieu de la grande esplanade vers la tour d'acier. Il criait de toutes ses forces, le visage plein de pluie et de larmes, il criait en direction du jeune homme qui continuait à avancer vers le bout du bras de la grue.

Blake parla nerveusement à l'oreille de Hooker, lequel leva le bras pour faire cesser le feu et le commandant de la brigade spéciale transmit à son tour l'ordre à ses hommes.

L'orage aussi sembla obéir à cet ordre et le déluge se calma, la force du vent parut un instant s'apaiser. La voix de Husseïni retentit plus fort :

« *Said ! Said ! Ana waliduka ! Ana waliduka !*

— Qu'est-ce qu'il dit ? » demanda Hooker.

Blake ouvrit des yeux stupéfaits : « Il dit : "Saïd, je suis ton père ! Je suis ton père !" »

Hooker regarda l'homme trempé de pluie au milieu de l'esplanade et le jeune homme qui continuait à ramper vers l'extrémité du bras. La longue flèche, désormais presque complètement en travers de la force du vent, imprimait à toute la structure une périlleuse oscillation.

Il murmura : « Oh... mon Dieu... »

Mais, à ce moment-là, le jeune homme se dressa et l'officier qui le suivait à la jumelle s'écria : « Attention ! Il est bourré d'explosifs ! Abattez-le ! Feu ! Feu ! »

Une balle atteignit le jeune homme à une jambe et il chancela. Husseïni se retourna alors brusquement, une arme à la main : « Arrêtez ! hurlait-il, hors de lui. Ne tirez pas ! Arrêtez-vous ou je tire ! »

L'officier fit un geste à ses hommes et, au moment où Husseïni allait appuyer sur la détente, une balle le fit tomber à genoux. Tandis qu'il tombait, il leva les yeux au ciel et vit son fils se traîner jusqu'au bout du bras de la grue, se lever et plonger comme un ange de la mort vers le flot de voitures qui passait dans la rue. Mais il avait à peine plongé qu'on entendit une rafale rageuse : les tireurs d'élite l'atteignirent en plein vol et son corps explosa, se désintégra.

Son sang tomba avec la pluie sur le visage et le dos de son père mourant.

Blake bondit vers Husseïni, traversant l'esplanade en criant : « Omar ! Omar ! »

Un filet de sang teignait de rose l'eau qui ruisselait de son corps. Blake le prit dans ses bras alors qu'il respirait encore : « Omar... »

Husseïni ouvrit ses yeux déjà voilés par la mort. Il demanda : « Tu es allé en Orient... Tu as vu... tu as vu les colonnes d'Apamée ? Tu les as vues ?

— Oui..., répondit Blake, les larmes aux yeux. Oui, ami, je les ai vues. Elles étaient pâles dans l'aube comme des vierges qui attendent l'époux, et rouges dans le couchant comme des piliers de feu... » Et il le serra contre lui tandis qu'il mourait.

La grue gémit et grinça sous la pression croissante du vent, mais l'agent atteignit la cabine à cet instant et débraya le moteur. Le bras, libre désormais, tourna lentement sur sa base et vint se placer, immobile, dans la direction du vent. Le capitaine de la brigade spéciale s'approcha du général Hooker : « La bombe a été désamorcée, mon général, ainsi que les deux autres. L'opération est terminée.

— Merci, commandant, répondit Hooker. Merci au nom de tous. » Puis il traversa l'esplanade et rejoignit Blake. Il lui posa une main sur l'épaule et dit : « C'est fini, mon vieux. Venez, on va vous conduire à l'hôpital. Il faut qu'on s'occupe de vos bras, sinon, vous allez les perdre. »

Blake monta dans la voiture de Hooker et demanda : « Conduisez-moi auprès de Sarah, s'il vous plaît. »

Il la trouva endormie, sous sédatifs et sous perfusion. Il demanda à rester dans la salle d'attente en attendant qu'elle s'éveillât et le médecin de garde accepta.

La pièce était vide, il ouvrit sa sacoche, et, le premier en trois mille deux cents ans, il se mit à lire le papyrus Breasted.

La nuit était avancée quand une infirmière vint lui dire : « Monsieur Blake, elle est réveillée, si vous voulez la voir. Mais je vous en prie : rien que quelques mots. Elle n'est pas encore hors de danger. »

Blake ferma sa sacoche et la suivit. Sarah avait un important bandage à l'épaule gauche et un cathéter au bras droit.

« Bonjour, ma belle, lui dit-il. On y est arrivés. Tu as été formidable.

— Je ne peux pas me regarder, dit Sarah, mais je jurerais que tu as plus mauvaise mine que moi.

— Une dure journée. C'est déjà bien, si j'ai une mine. »

Sarah resta quelques instants silencieuse, la tête tournée vers son oreiller, puis elle le regarda de nouveau, le fixant dans les yeux : « Il n'y a plus que nous deux qui connaissions le secret de Ras Udash. Il aurait peut-être mieux valu pour tout le monde que j'y laisse ma peau. »

Blake lui caressa le front : « Ce n'est pas nécessaire, mon amour, ce n'est pas nécessaire... »

Gad Avner mit sa vieille tenue de combat, boucla son ceinturon, mit son Remington calibre 9 dans son étui et descendit par l'ascenseur jusqu'au souterrain où l'attendaient une douzaine d'hommes des corps spéciaux dans deux voitures, armés jusqu'aux dents, vêtus de noir, le visage couvert d'un passe-montagne. Leur commandant se présenta : « Lieutenant Nahal, à vos ordres, monsieur. »

Ils montèrent dans la jeep aux vitres camouflées et sortirent, parcoururent les rues vides de la vieille ville jusqu'à l'arc de la forteresse Antonia.

Ygael Allon attendait à l'entrée du tunnel et ne parut pas tellement étonné de voir un ingénieur du génie civil en tenue de combat. Il conduisit les hommes dans la galerie jusqu'au début de la deuxième partie. À l'endroit où s'ouvrait l'escalier qui montait jusqu'à la base du Temple, il n'y avait plus aucune marque et la paroi semblait parfaitement intacte.

« Les hommes qui ont fait le travail ont été amenés ici les yeux bandés et après de longs circuits à travers la ville pour les égarer, dit le lieutenant Nahal à l'oreille d'Avner. Et, après avoir achevé le travail, ils ont été ramenés à leur point de départ dans les mêmes conditions. Sur les murs, comme vous le voyez, il n'est pas resté le moindre signe. À part nous, seul le président est au courant de ce passage.

— Très bien, dit Avner. Et maintenant, allons-y : l'heure du rendez-vous est proche. » Après un quart d'heure de marche, ils arrivèrent au bout du tunnel, où on avait achevé de dégager la rampe.

« Ici, dans l'Antiquité, le tunnel sortait en pleine campagne, juste derrière les lignes des assiégeants, expliqua Allon. Le camp de Nabuchodonosor ne devait pas être très loin d'ici, dans cette direction. Bonne chance, monsieur Cohen. » Et il retourna sur ses pas.

Les hommes montèrent vers la rampe jusqu'en dessous d'une sorte de trappe. Ils l'ouvrirent et débouchèrent à l'intérieur d'une maison déjà occupée par un autre groupe de leurs compagnons.

Avner, accompagné de quelques-uns de ses hommes, monta à l'étage supérieur où ses techniciens avaient installé une station d'écoute.

« Le lancement de leurs Silkworms sur Be'er Sheva est prévu pour vingt-deux heures, à partir de rampes mobiles, Monsieur, et nous avons confirmation qu'une de ces rampes est pointée sur Jérusalem. Des gaz, probablement. Dans une demi-heure, commencera le compte à rebours », dit Nahal.

Avner regarda le chronomètre qu'il portait au poignet : « Faites partir les hélicos et occupez les points 6, 8 et 4 du plan opérationnel ; nous démarrons exactement dans sept minutes. »

Les hommes se regroupèrent près des sorties et Nahal s'approcha d'Avner : « Je me permets d'insister, monsieur : il n'y a aucune raison pour que vous participiez au combat. Il y a assez de nous. Si Abou Ahmid est vraiment caché dans cette maison, nous vous le ramènerons, pieds et poings liés.

— Non, dit Avner. Il y a un vieux contentieux entre nous deux. C'est lui qui dirigea l'embuscade dans laquelle mon fils fut tué au Liban. Je voudrais régler ce compte personnellement, si je peux.

— Mais, monsieur, il n'est pas dit qu'Abou Ahmid soit là-bas. Vous pourriez risquer inutilement votre vie dans un moment très délicat.

— Je suis sûr qu'il y est. Ce salopard veut entrer le premier dans la ville désertée par ses habitants, comme Nabuchodonosor. Il est là, je le sens. Et vous me le laisserez, Nahal, compris ?

— Compris, monsieur. »

L'officier regarda sa montre, leva le bras puis l'abaissa. Ses hommes bondirent en silence par toutes les issues en glissant le long des murs vers l'objectif. À ce moment-là, on entendit de l'autre côté, à environ un kilomètre, le bruit des hélicoptères puis l'aboiement des mitrailleuses. La diversion avait été déclenchée selon un timing parfait.

Maintenant, le commando de Nahal était à quelques mètres de l'objectif, une espèce de villa crépie de blanc, entourée de toutes parts d'édifices bien plus élevés qui la cachaient presque totalement. Sur son toit, masquée par du linge étendu et des nattes, se dressait alors une puissante antenne radio.

« Tout est comme vous l'aviez prévu, monsieur Avner, annonça Nahal. Nous sommes prêts à donner l'assaut.

— Allez-y », dit Avner. Nahal fit un geste et quatre de ses hommes rampèrent sans le moindre bruit derrière les sentinelles qui surveillaient les entrées de la maison et les éliminèrent en silence au poignard.

Avner s'avança avec le lieutenant Nahal jusque sous les fenêtres. Nahal donna le signal et les hommes lancèrent à l'intérieur une grappe de grenades aveuglantes et bondirent aussitôt à l'intérieur, tirant avec une précision meurtrière sur tout ce qui bougeait.

Nahal passa dans une pièce voisine et descendit l'homme qui était assis devant un énorme écran radar. Il vit les signaux de repérage des rampes mobiles qui commençaient à apparaître de plus en plus nettement.

« Les voilà, s'écria-t-il, ils sortent à découvert ! » Il appela le quartier général : « Ici Barak à Melech Israël, rampes repérées, lancez les chasseurs, coordonnées 2, 6, 4, je répète : coordonnées 2, 6, 4.

— Ici Melech Israël. Bien reçu, Barak. Où est "le Renard" ? »

Nahal se retourna et eut à peine le temps de voir Avner qui courait au bout d'un couloir, puis s'arrêtait et tirait rapidement trois, quatre coups de revolver l'un après l'autre. Il cria à ses hommes : « Couvrez-le ! » Puis, au micro : « " Le Renard" est en train de donner la chasse à sa proie. » Et il s'élança derrière ses hommes.

Avner avait devant lui un autre couloir et, au fond, il voyait une trappe en train de se refermer. Il courut, l'ouvrit en grand et descendit par un petit escalier.

« Non ! cria Nahal. Non ! » Mais l'homme avait déjà

disparu sous terre : Nahal se lança derrière lui avec ses hommes.

Avner s'arrêta un instant pour entendre le bruit des pas du fugitif et tira encore dans cette direction puis il se mit à courir et se trouva dans un souterrain soutenu par une douzaine de piliers de brique, avec de nombreuses caisses de matériel et de munitions posées un peu partout. Au centre se trouvait la base de la grande antenne radio télescopique.

« Contrôlez partout ! » cria-t-il, et, tandis que les hommes fouillaient le souterrain, il s'élança vers un escalier qui menait à la surface. Il ouvrit alors une trappe et se retrouva dehors : les hélicoptères passaient en rase-mottes et liquidaient les snipers de toute la zone.

Avner vit une silhouette qui rasait un mur et lui cria : « Halte ou je tire ! »

L'homme se retourna une fraction de seconde et Avner reconnut l'éclat de ses yeux sous le keffieh : il tira, mais l'autre avait déjà disparu derrière le coin du couloir.

Nahal arriva avec ses hommes : ils trouvèrent devant eux un groupe de femmes et d'enfants qui bouchaient la rue.

« Il est là-dedans, nom de Dieu, cernez le pâté de maisons, contrôlez-les un par un, tous ! »

Les hommes obéirent, mais on ne trouva pas trace d'Abou Ahmid.

Le lieutenant Nahal revint vers Avner, appuyé au coin de la maison où, un instant, il avait vu son ennemi en face.

« Je regrette, monsieur, nous n'avons pu le trouver nulle part. Vous êtes certain de l'avoir reconnu ?

— Comme je suis certain d'être ici. Et je l'ai même blessé, dit-il en montrant une tache de sang sur le mur. Je lui ai mis une balle dans le corps. Un acompte seulement, et je ne désespère pas de lui présenter le solde avant de mourir à cause de ça, dit-il en désignant ses cigarettes. Faites raser cette maison et rentrons. »

Tandis qu'ils se rassemblaient au point de rendez-vous pour être embarqués à bord des hélicoptères, Nahal fut appelé du quartier général : « Ici Melech Israël, dit la voix bien connue du général Yehudaï. Vous me recevez, Barak ?

— Opération terminée, Melech Israël. Objectif détruit.

— Ici aussi. Les rampes ont sauté il y a trois minutes. Passe-moi ton chef. »

Le lieutenant Nahal passa l'oreillette à Avner : « Pour vous, monsieur.

— Avner.

— Ici Yehudaï. C'est fini, Avner. La procédure de lancement des "Gabriel" a été suspendue. Les Américains ont désamorcé les bombes. En Méditerranée, cinq porte-avions sont en train d'envoyer un essaim de chasseurs en renfort.

— Cinq ? Qui y a-t-il ?

— Deux Américains : le Nimitz et l'Enterprise et trois Européens : l'Aragon, le Clemenceau et le Garibaldi.

— Le Garibaldi aussi ? Faites-le savoir à Ferrario. Il sera content. Terminé, je coupe, Melech Israël. J'espère que tu m'offriras une bière avant d'aller nous coucher. »

L'hélicoptère s'éleva et les emporta au-dessus de la ville. Il venait de l'occident un grondement sourd qui se transforma bientôt en un vacarme de tonnerre et mille traînées de feu sillonnèrent le ciel.

Avner se tourna vers le lieutenant Nahal qui était en train de retirer son passe-montagne : « Quelles nouvelles a-t-on du lieutenant Ferrario ? »

Nahal hésita un instant puis il dit : « Le lieutenant Ferrario est porté disparu, monsieur.

— Il s'en sortira, rétorqua Avner. Il est dégourdi. »

Puis il détourna son regard au loin, vers le désert de Juda et les collines brûlées de Moab.

Épilogue

Gad Avner finit sa bière au bar du King David, mais, quand il mit la main à son portefeuille, une voix derrière lui dit : « Laissez, c'est pour moi, monsieur, si vous permettez. »

Avner se retourna et vit Fabrizio Ferrario devant lui. Il était vêtu d'un costume de lin bleu ciel de bonne coupe et exhibait un bronzage parfait.

« Je suis très heureux que tu t'en sois sorti, Ferrario. Alors, on est sur le départ ?

— Oui, monsieur, et je tenais à vous saluer avant de partir.

— Tu as rapporté tout ce que je t'avais recommandé ? »

Ferrario regarda l'entrejambe de son pantalon et fit un clin d'œil : « La dernière fois que j'ai contrôlé, tout était là, monsieur.

— Magnifique. Alors, bon voyage.

— Vous viendrez me voir à Venise ?

— J'aimerais. Peut-être... un jour, quand je me serai retiré de ce foutu travail.

— Sinon, ici, à Jérusalem, à n'importe quel moment où vous auriez besoin de moi. *Shalom*, monsieur Avner.

— *Shalom*, mon gars. Salue ta belle ville de ma part. »

Avner le regarda tandis qu'il s'éloignait et pensa à toutes les belles filles qui, à coup sûr, l'attendaient en Italie ; il soupira.

Puis il jeta son manteau sur ses épaules et sortit. Il parcourut à pied les rues de la vieille ville et arriva devant le portail de sa maison. Il entra et monta à pied, à pas lents, comme il avait coutume de le faire les rares fois où il parvenait à limiter sa consommation de cigarettes pendant une journée. Mais, arrivé sur son palier, alors qu'il s'arrêtait pour reprendre son souffle, une voix qu'il n'avait pas entendue depuis longtemps retentit dans un recoin sombre :

« Bonsoir, monsieur. »

Avner sursauta légèrement mais ne se retourna pas. Tout en enfilant la clé dans la serrure, il dit : « Salut, portier de nuit. Honnêtement, je pensais que nous ne nous rencontrerions plus.

— Effectivement. J'ai eu du mal à survivre à tous les sbires que vous m'avez envoyés, du ciel et sur la terre. »

Avner ouvrit la porte et fit signe à son hôte inattendu d'entrer le premier : « Entrez, docteur Blake. J'imagine que vous avez quelque chose à me dire. »

Blake entra. Avner alluma la lumière et lui indiqua une chaise, puis il s'assit lui aussi et porta sa main à ses yeux : « Vous avez un pistolet dans ce sac, n'est-ce pas ? Vous êtes venu me tuer. Vous pouvez, si vous voulez. Pour moi, vivre ou mourir, c'est la même chose.

— Il y avait un pacte entre nous, dit Blake.

— C'est vrai : je vous libérais de quinze ans de prison en Égypte et vous, en échange, vous continueriez à rechercher, pour notre compte, le papyrus Breasted et vous nous fourniriez tout renseignement que vous pourriez recueillir au cours de votre recherche.

— C'est ce que j'ai fait, au prix de gros risques. Et donc, pour que... »

Avner sourit d'un air narquois : « L'imprévu, Blake. C'est l'imprévu qui détermine le cours des événements. Quand mes agents sont venus chez vous pour vous ramener en Égypte avec une nouvelle identité et une nouvelle couverture, vous n'étiez plus là, vous étiez parti. En un premier temps, j'ai pensé que vous n'aviez pas résisté au choc après avoir été viré de l'institut, mais ensuite j'ai entendu votre voix... »

Blake écarquilla les yeux : « Ce n'est pas possible ! Mais alors... Gordon et Sullivan...

— Ils n'ont jamais travaillé pour moi. J'ignorais jusqu'à leur nom avant que vous les nommiez. Et si vous aviez contrevenu à la règle que je vous avais donnée, de ne jamais parler de l'organisation et de ne jamais faire allusion à la véritable identité d'un autre agent, même avec l'intéressé, vous vous en seriez rendu compte tout de suite, et, au lieu de cela...

— Je respecte les accords, moi.

— Moi aussi... quand c'est possible. La première fois où vous m'avez appelé, je me suis immédiatement rendu compte que quelque chose clochait. Mais ce que vous étiez en train de découvrir était encore plus intéressant. Et alors, j'ai laissé faire, comme si tout avait été fixé à l'avance. C'était extraordinaire, la façon dont vous faisiez vos rapports, sans jamais faire référence à vous-même à la première personne, même quand vous parliez de vos fouilles. Formidable. Un talent naturel, extraordinaire, non dépourvu d'un certain narcissisme.

— Je suivais les normes de sécurité que vous m'aviez données : on ne peut jamais savoir avec certitude qui est à l'écoute.

— En effet.

— Vous avez déclenché un massacre au camp de Ras Udash. Une boucherie inutile ! Ensuite vous avez lâché tout le monde à mes trousses : les Israéliens, les Égyptiens, les Américains.

— Inutile ? s'exclama Avner en se levant d'un bond, le visage embrasé. Idiot, naïf Américain, mais vous vous rendez compte des conséquences qu'aurait eues cette découverte si elle avait été divulguée ? Elle aurait privé une grande partie de l'humanité de l'espoir de l'infini, elle aurait anéanti ce qu'il reste de l'âme de la civilisation occidentale et elle aurait détruit l'identité de mon peuple. Ça ne vous suffit pas ? Je l'aurais fait pour moins que ça.

— Et donc, quand je partirai d'ici, si je ne vous ai pas tué, je ne sortirai pas vivant de ce pays.

— Non, en effet, confirma Avner. Vous n'auriez pas dû venir.

— Vous vous trompez : ce serait encore un meurtre inutile.

— Vous ne voulez pas comprendre... », dit Avner qui, voyant la main de Blake qui glissait dans son sac, pensa que plus rien ne lui importait et qu'il n'avait plus envie de combattre. Il tourna le regard vers une photo sur sa table, le portrait d'un jeune homme d'un peu plus de vingt ans et il dit : « Si vous devez le faire, dépêchez-vous : l'incertitude m'agace. »

Blake ne dit rien et posa sur la table un dossier blanc.

« Le papyrus Breasted, dit Blake. Je tiens toujours mes engagements... Et, à côté, il y a ma traduction. Si vous avez confiance. »

Avner ouvrit le dossier et vit par transparence les couleurs et les idéogrammes du papyrus sous une feuille de papier de protection. À côté, il y avait la traduction et il commença à la parcourir. Ligne après ligne, son regard s'emplissait de stupeur et de désarroi :

Pépitamon, scribe et surintendant des palais sacrés du Harem royal, humble serviteur de ta Majesté, à la princesse Bastet Nefrere, lumière de la Haute et de la Basse-Égypte. Salut.

J'ai suivi les Khabiru, en partant de Pi-Ramsès, à travers la mer des Roseaux puis dans le désert occidental où ils ont erré pendant des années en se nourrissant de locustes et de racines. J'ai vécu comme eux et j'ai parlé comme eux. Je me suis nourri comme eux et j'ai bu l'eau amère des puits et je n'ai prié les grands Dieux de l'Égypte qu'en cachette.

J'ai espéré, le jour où les Khabiru avaient recommencé à vénérer le taureau sacré Apis, en ayant fabriqué un simulacre en or, que le cœur de ton fils aimé Moïse changerait aussi. Mais Moïse détruisit le Taureau, commit un sacrilège en édifiant un autel au Dieu des Khabiru et un misérable sanctuaire fait de peaux de chèvre.

Quand vint son heure, il tomba malade et mourut et les Khabiru l'ensevelirent dans une fosse creusée dans le sable, comme l'on fait de la charogne d'un chien ou d'un chacal, sans le moindre signe qui rappelât son nom.

J'attendis alors qu'ils fussent partis et puisque, par la volonté de Sa Majesté, je n'aurais pas pu le ramener en Égypte, je fis venir, selon ta volonté, les carriers et les sculpteurs jusqu'au cœur du désert et je creusai une tombe digne d'un prince, au lieu même où il avait élevé son sanctuaire de peaux de chèvre, pour le purifier.

J'embaumai son corps, je mis un masque sur son visage, un masque bien fait. J'ajoutai les images des Dieux et tout ce dont il est juste que cela accompagne un grand prince au Lieu immortel et dans les domaines de Yalu. Et je fis en sorte que le secret ne pût être violé. Personne ne partira de ce lieu, excepté ton serviteur.

Qu'Osiris, Isis et Horus protègent ta Majesté et ton humble serviteur Pepitamon qui, prosterné dans la poussière, te salue.

« Vous les avez tués pour rien, dit Blake quand Avner eut fini de lire. Moïse fut enseveli selon le rite égyptien dans la tombe de Ras Udash alors qu'il était mort depuis plusieurs jours et contre ses dernières volontés.

— Je... je ne pouvais pas imaginer... et vous non plus, Blake. Personne n'aurait jamais pu imaginer. Où est la tombe, Blake ? Où est-il enseveli ?

— Je ne vous le dirai pas, Avner. Parce que c'est là que se trouvait le lieu du Temple sous la tente, c'est là que fut cachée l'Arche pendant le siège de Jérusalem. Moi, je l'ai vue, Avner. J'ai vu luire, dans la poussière dense, les ailes des chérubins. Mais vous, vous avez les bombes nucléaires de Be'er Sheva, Avner. Vous n'avez pas besoin de l'Arche... J'allais oublier... », ajouta-t-il. Il porta la main à la poche intérieure de sa veste, sortit un petit émetteur en forme de stylo et le posa sur la table. « Avec ça, on ne peut communiquer qu'avec vous et, franchement, je crois n'avoir plus rien à vous dire. » Il sortit et ferma la porte derrière lui.

Quand il fut en bas de l'escalier, il entendit un coup de pistolet, étouffé par un silencieux. Il se retourna sur le seuil et regarda en haut.

« Adieu, monsieur Avner. *Shalom.* »

Et il sortit, se perdant dans la foule.

Note de l'auteur

Ce livre doit beaucoup, pour les pages qui concernent l'épilogue de l'Exode biblique, à l'hypothèse de Flavio Barbiero (*La Bibbia senza segreti*, Milan 1988) et s'inspire, en général, des recherches menées par le groupe d'Emmanuel Anati à Har Karkom, dans le désert du Néguev, une montagne entourée d'innombrables témoignages de culte qui remontent aux âges les plus reculés.

L'auteur de ce roman a participé à ce programme de recherches et a dirigé les fouilles du site HK221 bis, mais, surtout, il a participé aux discussions et aux échanges d'expériences qui ont mûri au cours des diverses campagnes.

Les repas pris ensemble autour du feu du bivouac ou sous la grande tente bédouine qui servait de lieu de rencontre et de discussions ont été l'occasion pour chacun, qu'il fût chercheur professionnel ayant des responsabilités académiques ou un simple volontaire animé de l'enthousiasme des néophytes, d'avoir le plaisir d'exposer ses idées et d'écouter celles des autres.

L'atmosphère incroyablement suggestive de ce lieu, le sujet même des recherches (Anati estime que Har Karkom est le véritable mont Sinaï de la Bible) ont favorisé la naissance et le développement de l'idée de base de ce roman.

Je désire remercier, non seulement mes amis du camp de Har Karkom, mais tous ceux à qui j'ai demandé de l'aide et des conseils : l'égyptologue Franco Cimmino, l'écrivain et journaliste Amos Elon, le général Cesare Pucci, le colonel Gabriele Zanazzo.

Photocomposition Nord Compo
59650 Villeneuve-d'Ascq

Impression réalisée sur CAMERON par

BRODARD & TAUPIN
GROUPE CPI

La Flèche
en mai 2001

Imprimé en France
Dépôt légal : mai 2001
N° d'édition : 14738 – N° d'impression : 7683